T'es branché? 1B

Author

Toni Theisen

With the collaboration of
Jacques Pécheur

Contributing Writers

Caroline Busse
Pasadena, CA

Nathalie E. Gaillot
Lyon, France

Lynne I. Lipkind
West Hartford, CT

Todd Losié
Detroit, MI

Diana I. Moen
St. Paul, MN

Annie-Claude Motron
Paris, France

Virginie Pied
Salt Lake City, UT

Ann Trinkaus
Middletown, CT

Pamela M. Wesely
Iowa City, IA

EMC Publishing

ST. PAUL

Editorial Director: Alejandro Vargas
Developmental Editor: Diana I. Moen
Associate Editors: Nathalie Gaillot, Patricia Teefy, Scott Homler
Assistant Editor: Kristina Merrick
Bridge Author: Phylis Perkins
Director of Production: Deanna Quinn
Cover Designer: Leslie Anderson

Text Designers: Diane Beasley Design, Leslie Anderson
Illustrators: Marty Harris; Patti Isaacs, Parrot Graphics; Katherine Knutson
Production Specialists: Leslie Anderson (lead), Jaana Bykonich, Ryan Hamner, Julie Johnston, Valerie King, Timothy W. Larson, Jack Ross, Sara Schmidt Boldon
Copy Editor: Mayanne Wright
Proofreader: Jamie Gleich Bryant

Reviewers: Sébastien De Clerck, Ojai, CA; Nicole Fandel, Acton, MA; Mary Lindquist, Chicago, IL; Linda Mercier, Elizabethtown, PA; Gretchen Petrie, Medina, OH; Anne Marie Plante, Minneapolis, MN; Celeste Renza-Guren, Dallas, TX

Credits: Bridge Photo Credits, Photo Credits, Reading Credits, Art Credits, and Realia Credits follow the Index.

ISBN 978-0-82196-667-9

875 Montreal Way
St. Paul, MN 55102
Email: educate@emcp.com
Website: www.emcp.com

Printed in the United States of America

22 21 20 19 18 17 16 15   3 4 5 6 7 8 9 10

To the Student

Bienvenue au monde de *T'es branché?* Welcome to the world of ***T'es branché?*** As you learn French with this exciting and innovative series, you will enjoy many opportunities to explore contemporary life in the Francophone world through your textbook and supplemental materials, online research, and on-location videos filmed in France.

You are on a voyage of discovery. You will meet people from many French-speaking countries and find out what it is like to live there. You will gain knowledge of diverse cultures, traditions, history, and language that will make you travel-ready and multicultural.

From the first day of your apprenticeship at becoming a citizen of the world, you will communicate in French with your classmates, teachers, and other French-speaking teens around the world. You will become skilled at working with a partner, in a group, and at making presentations. You will realize that learning another language expands your horizons, develops your intellect, and prepares you to experience the rich and engaging world in which we live.

Why is it important to learn French? Did you know that...?

1. there are over 200 million people in the world in more than 50 countries on five continents who speak French
2. there are over 20 million French speakers nearby—win Canada, the Caribbean, South America, and even closer to home, in Louisiana, and New England
3. French is, either directly or indirectly, the means of communication of over a quarter of a billion people in Africa where it is the official language of 18 countries
4. French opens doors in Canada, the top trading partner of the United States
5. French is the Romance language most similar to English; about 30% of all English words can be traced to French, so learning French will improve your English-language skills
6. French is among the official languages of the United Nations, UNESCO, the International Monetary Fund, the International Labor Organization, the International Olympic Committee, the 31-member Council of Europe, the European Community, the International Red Cross, postal services around the world, the organization for African Unity, and the International Council of Sport Science and Physical Education (to name a few of the organizations)
7. a second language is often a college requirement and, through its connections to English, can boost your success at your studies
8. French gives you access to discoveries and prominent persons in the world of art, government, food, literature, architecture, science, medicine, technology, music, diplomacy, fashion, and cinema
9. French connects you to the history of the United States and the thousands of places whose names are derived from French

Whatever your personal reasons for learning French, have a good journey as you discover French language and culture!

Bonne chance! (*Good luck!*)

Table of Contents

Unité 7

À la maison 337

Unité 8

À Paris 393

Unité 9

En bonne forme 457

Unité 10

Les grandes vacances 513

Map of Paris

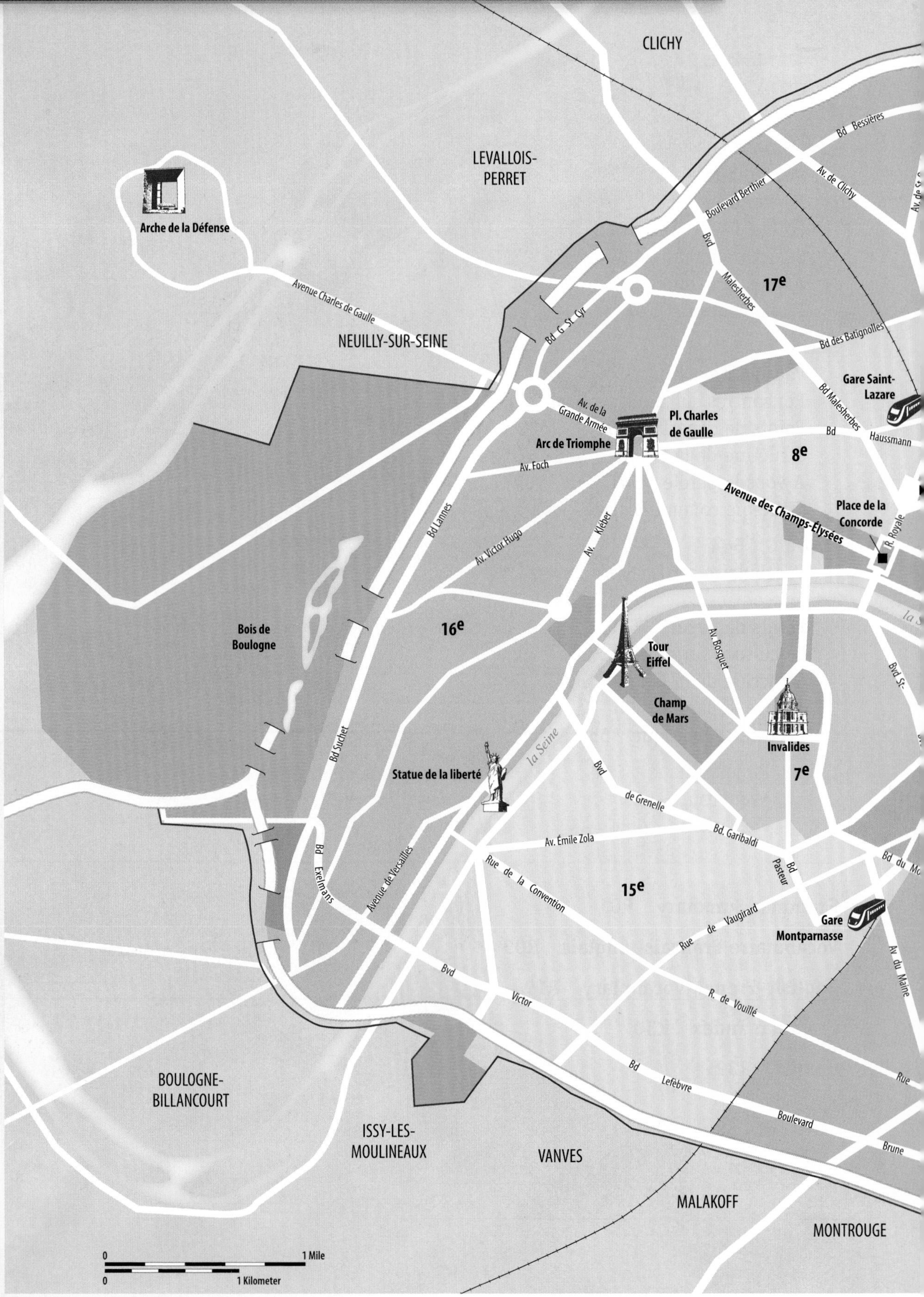
CLICHY
LEVALLOIS-PERRET
Arche de la Défense
Avenue Charles de Gaulle
NEUILLY-SUR-SEINE
Bd Bessières
Av. de Clichy
Boulevard Berthier
Bvd Malesherbes
17e
Bd G. St. Cyr
Bd des Batignolles
Gare Saint-Lazare
Bd Malesherbes
Av. de la Grande Armée
Pl. Charles de Gaulle
Arc de Triomphe
Bd Haussmann
8e
Av. Foch
Avenue des Champs-Élysées
Place de la Concorde
R. Royale
Bd Lannes
Av. Victor Hugo
Av. Kléber
16e
Bois de Boulogne
Tour Eiffel
Av. Bosquet
Champ de Mars
Invalides
Bvd St-
la Seine
Bd Suchet
Statue de la liberté
Bvd de Grenelle
7e
Av. Émile Zola
Bd. Garibaldi
Bd Pasteur
Bd du Mo
Bd Exelmans
Avenue de Versailles
Rue de la Convention
15e
Rue de Vaugirard
Gare Montparnasse
Av du Maine
Bvd Victor
R. de Vouillé
Bd Lefèbvre
Rue
Boulevard Brune
BOULOGNE-BILLANCOURT
ISSY-LES-MOULINEAUX
VANVES
MALAKOFF
MONTROUGE
0
1 Mile
0
1 Kilometer

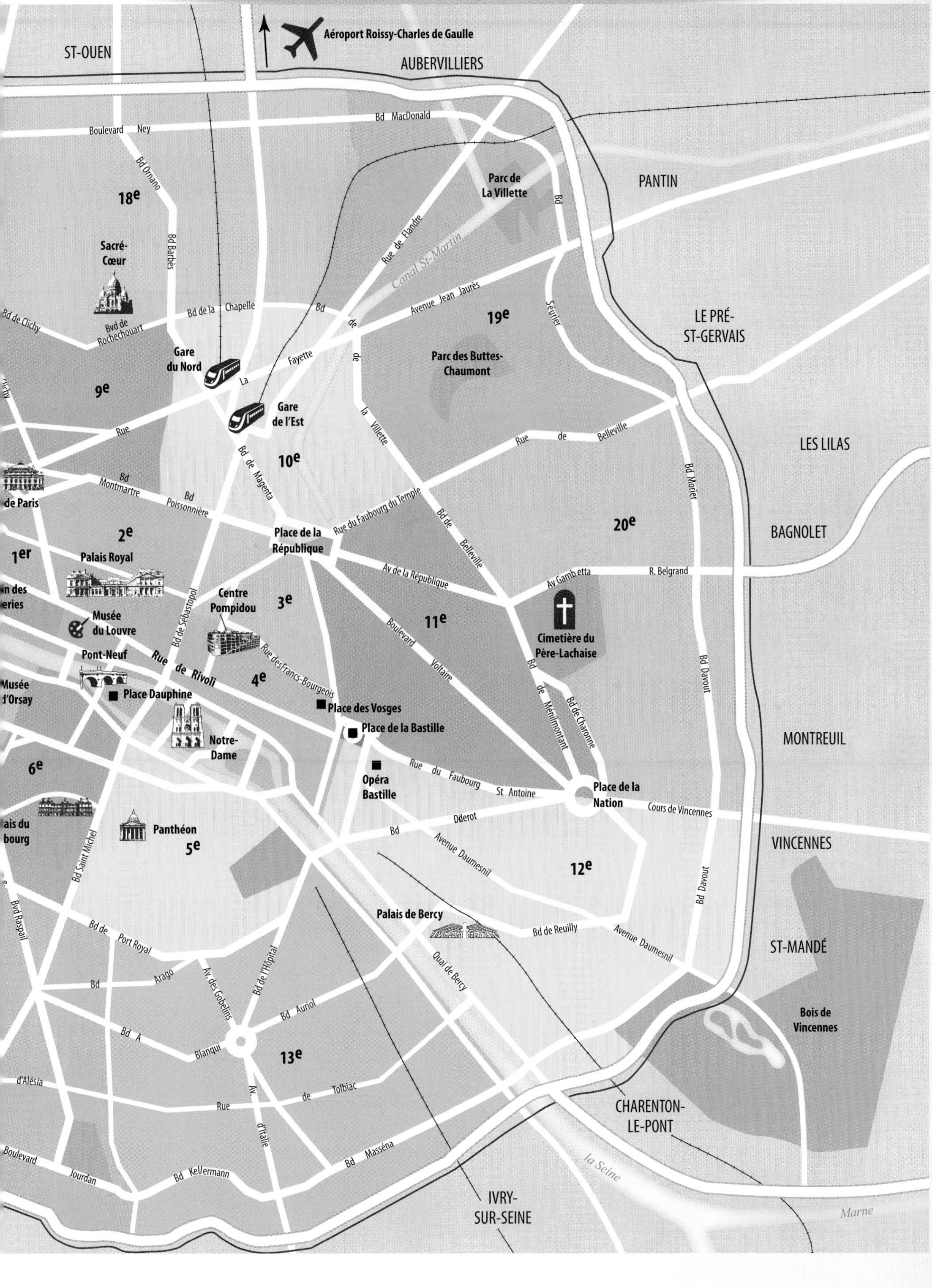
Aéroport Roissy-Charles de Gaulle
ST-OUEN
AUBERVILLIERS
Boulevard Ney
Bd MacDonald
Bd Ornano
18e
Parc de La Villette
PANTIN
Bd Barbès
Sacré-Cœur
Rue de Flandre
Canal St-Martin
Bd Sérurier
Bd de Clichy
Bvd de Rochechouart
Bd de la Chapelle
Avenue Jean Jaurès
19e
LE PRÉ-ST-GERVAIS
Gare du Nord
Bd de la Villette
Rue La Fayette
Parc des Buttes-Chaumont
9e
Gare de l'Est
Rue de Belleville
LES LILAS
10e
Bd de Magenta
Bd Montmartre
Bd Poissonnière
de Paris
Bd Mortier
20e
Place de la République
Rue du Faubourg du Temple
BAGNOLET
2e
1er
Palais Royal
Bd de Belleville
Av de la République
Av Gambetta
R. Belgrand
Centre Pompidou
3e
11e
Musée du Louvre
Bd de Sébastopol
Boulevard Voltaire
Cimetière du Père-Lachaise
Pont-Neuf
Rue de Rivoli
Rue des Francs-Bourgeois
4e
Bd Davout
Musée d'Orsay
Place Dauphine
Place des Vosges
Bd de Ménilmontant
Bd de Charonne
Place de la Bastille
MONTREUIL
Notre-Dame
Opéra Bastille
Rue du Faubourg St Antoine
6e
Place de la Nation
Cours de Vincennes
Bd Diderot
Panthéon
5e
Avenue Daumesnil
VINCENNES
Bd Saint Michel
12e
Bd Raspail
Palais de Bercy
Bd de Reuilly
Bd de Port Royal
Quai de Bercy
ST-MANDÉ
Bd Arago
Av. des Gobelins
Bd de l'Hôpital
Bd Auriol
Bois de Vincennes
Bd Blanqui
13e
d'Alésia
Rue de Tolbiac
Av. d'Italie
CHARENTON-LE-PONT
Boulevard Jourdan
Bd Kellermann
Bd Masséna
La Seine
IVRY-SUR-SEINE
Marne

Administrative Map of France

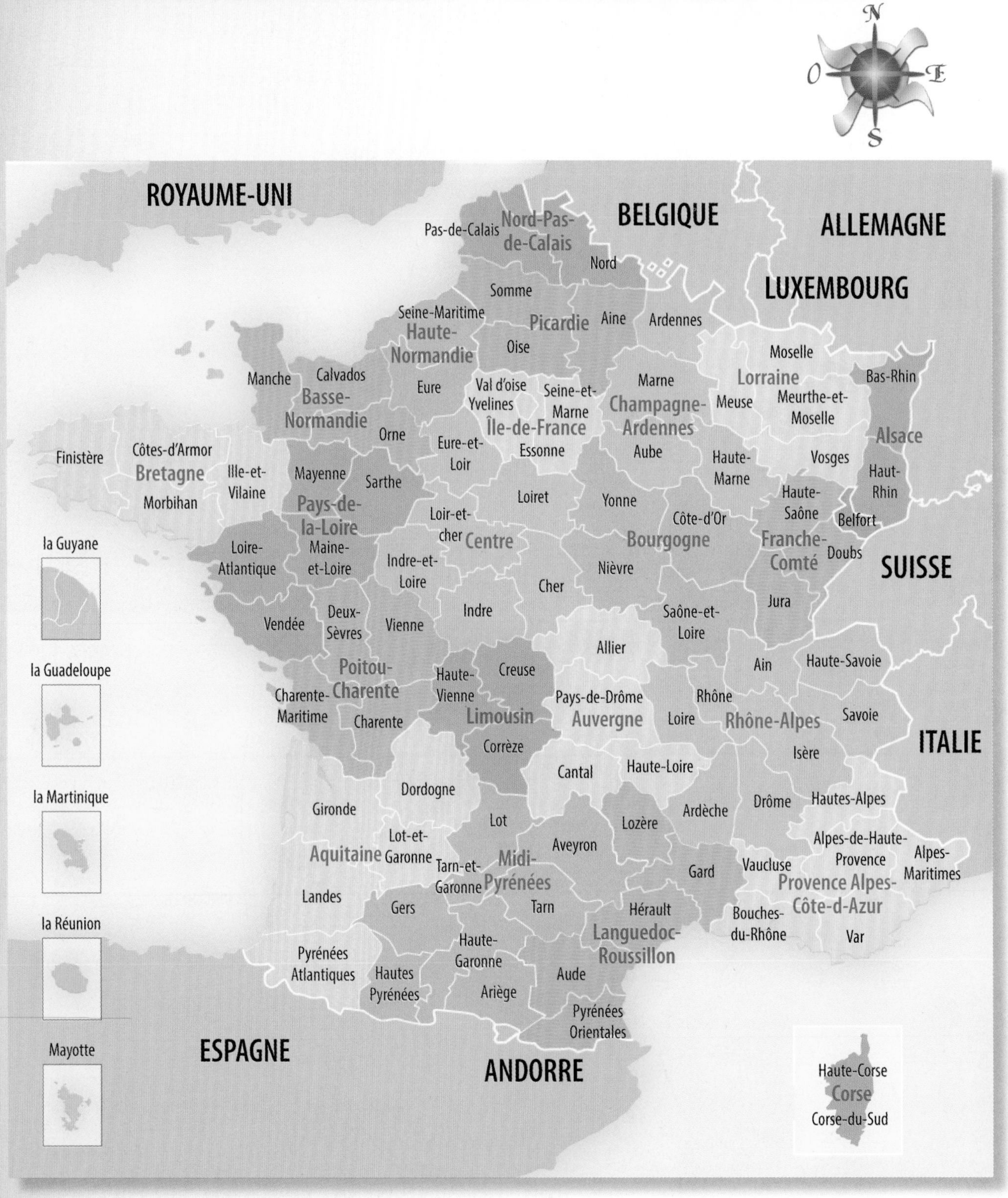
N
O
E
S
ROYAUME-UNI
BELGIQUE
ALLEMAGNE
LUXEMBOURG
SUISSE
ITALIE
ESPAGNE
ANDORRE
Pas-de-Calais
Nord-Pas-de-Calais
Nord
Somme
Picardie
Aine
Ardennes
Oise
Seine-Maritime
Haute-Normandie
Eure
Manche
Calvados
Basse-Normandie
Orne
Val d'oise
Yvelines
Seine-et-Marne
Île-de-France
Essonne
Eure-et-Loir
Marne
Champagne-Ardennes
Aube
Moselle
Lorraine
Meuse
Meurthe-et-Moselle
Vosges
Bas-Rhin
Alsace
Haut-Rhin
Haute-Marne
Finistère
Côtes-d'Armor
Bretagne
Morbihan
Ille-et-Vilaine
Mayenne
Sarthe
Pays-de-la-Loire
Loire-Atlantique
Maine-et-Loire
Vendée
Loir-et-cher
Centre
Loiret
Indre-et-Loire
Indre
Cher
Yonne
Côte-d'Or
Bourgogne
Nièvre
Haute-Saône
Belfort
Franche-Comté
Doubs
Jura
Saône-et-Loire
Deux-Sèvres
Vienne
Poitou-Charente
Charente-Maritime
Charente
Haute-Vienne
Creuse
Limousin
Corrèze
Allier
Pays-de-Drôme
Auvergne
Cantal
Haute-Loire
Loire
Rhône
Rhône-Alpes
Ain
Haute-Savoie
Savoie
Isère
Drôme
Hautes-Alpes
Ardèche
Lozère
Gironde
Dordogne
Lot
Lot-et-Garonne
Aquitaine
Landes
Tarn-et-Garonne
Midi-Pyrénées
Aveyron
Gers
Tarn
Haute-Garonne
Ariège
Hautes Pyrénées
Pyrénées Atlantiques
Aude
Pyrénées Orientales
Hérault
Languedoc-Roussillon
Gard
Vaucluse
Bouches-du-Rhône
Alpes-de-Haute-Provence
Provence Alpes-Côte-d-Azur
Alpes-Maritimes
Var
la Guyane
la Guadeloupe
la Martinique
la Réunion
Mayotte
Haute-Corse
Corse
Corse-du-Sud

Map of France

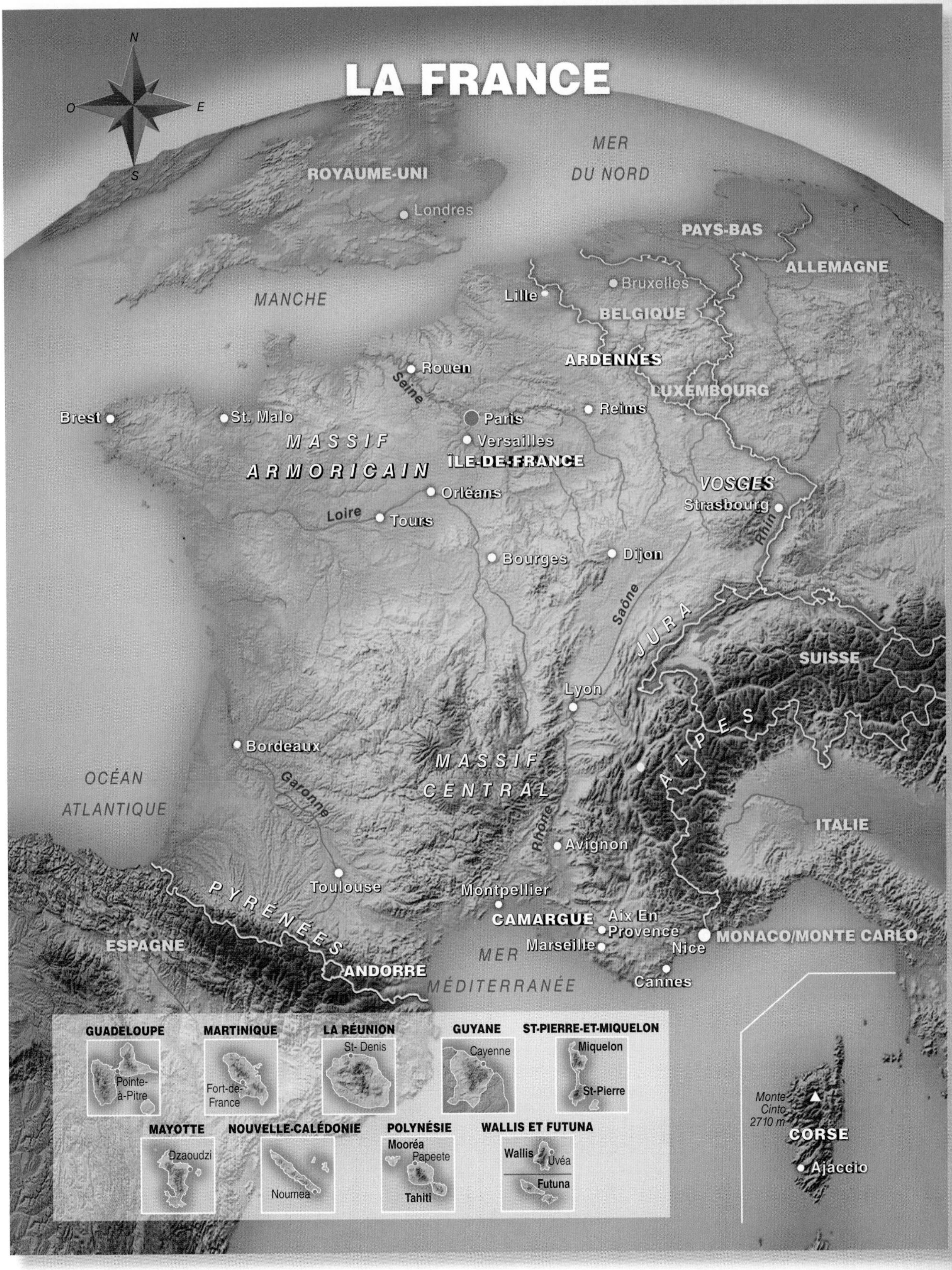
LA FRANCE
N
O
E
S
MER
DU NORD
ROYAUME-UNI
Londres
PAYS-BAS
ALLEMAGNE
Bruxelles
MANCHE
Lille
BELGIQUE
ARDENNES
Rouen
Seine
LUXEMBOURG
Brest
St. Malo
Paris
Reims
MASSIF
ARMORICAIN
Versailles
ÎLE-DE-FRANCE
VOSGES
Orléans
Strasbourg
Loire
Tours
Rhin
Bourges
Dijon
Saône
JURA
SUISSE
Lyon
ALPES
Bordeaux
MASSIF
CENTRAL
OCÉAN
ATLANTIQUE
Garonne
ITALIE
Rhône
Avignon
Toulouse
Montpellier
PYRÉNÉES
CAMARGUE
Aix En
Provence
MONACO/MONTE CARLO
ESPAGNE
Marseille
Nice
MER
ANDORRE
MÉDITERRANÉE
Cannes
GUADELOUPE
Pointe-
à-Pitre
MARTINIQUE
Fort-de-
France
LA RÉUNION
St- Denis
GUYANE
Cayenne
ST-PIERRE-ET-MIQUELON
Miquelon
St-Pierre
MAYOTTE
Dzaoudzi
NOUVELLE-CALÉDONIE
Noumea
POLYNÉSIE
Mooréa
Papeete
Tahiti
WALLIS ET FUTUNA
Wallis
Uvéa
Futuna
Monte
Cinto
2710 m
CORSE
Ajaccio

Francophone World Map

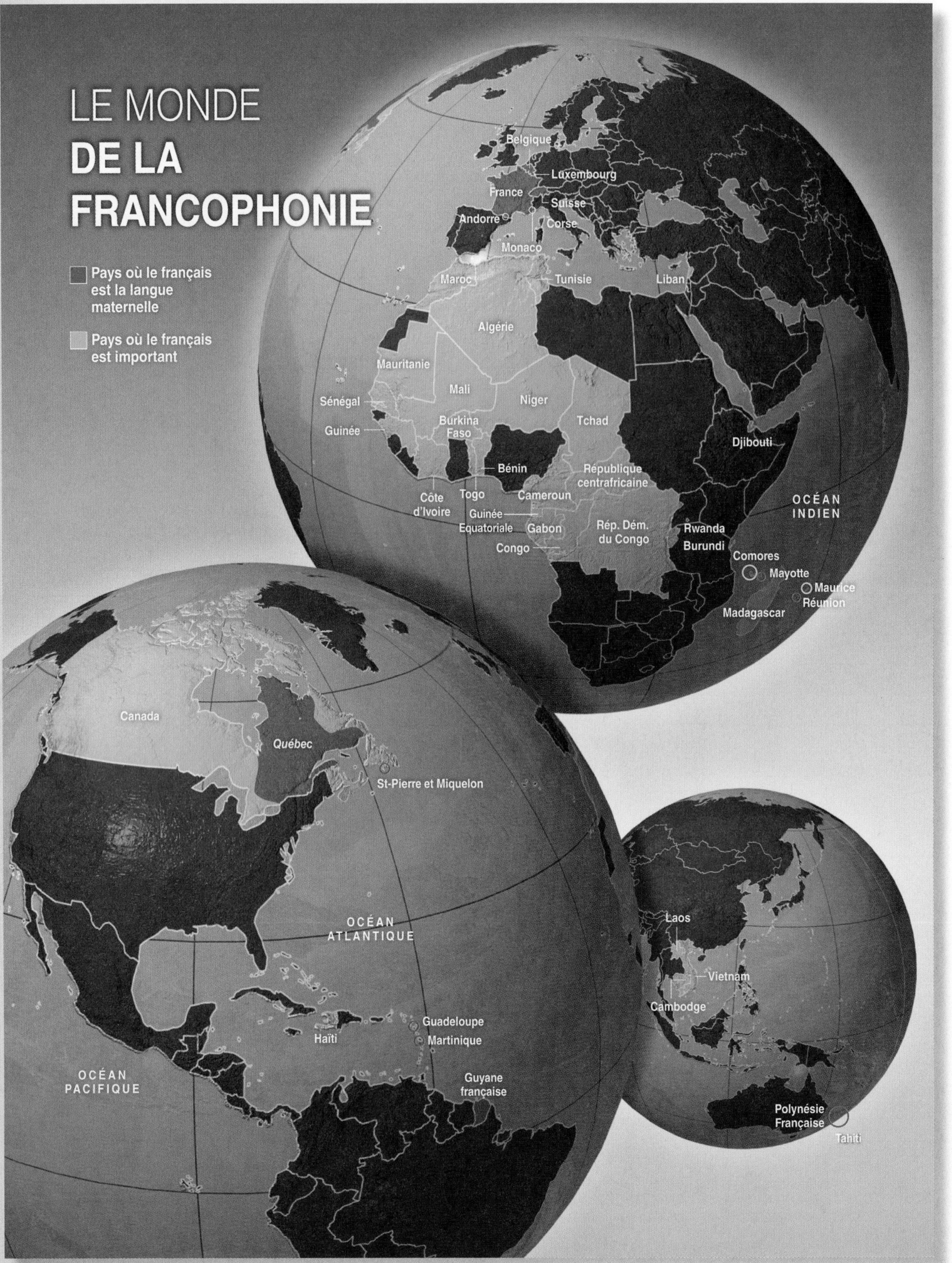
LE MONDE
DE LA
FRANCOPHONIE
Pays où le français est la langue maternelle
Pays où le français est important
Belgique
Luxembourg
France
Suisse
Andorre
Corse
Monaco
Maroc
Tunisie
Liban
Algérie
Mauritanie
Mali
Niger
Sénégal
Guinée
Burkina Faso
Tchad
Djibouti
Bénin
République centrafricaine
Côte d'Ivoire
Togo
Cameroun
Guinée Equatoriale
Gabon
Congo
Rép. Dém. du Congo
Rwanda
Burundi
OCÉAN INDIEN
Comores
Mayotte
Maurice
Réunion
Madagascar
Canada
Québec
St-Pierre et Miquelon
OCÉAN ATLANTIQUE
Haïti
Guadeloupe
Martinique
OCÉAN PACIFIQUE
Guyane française
Laos
Vietnam
Cambodge
Polynésie Française
Tahiti

Level 1B

Bridge

Parties

Première partie
I will be able to:

» introduce someone, tell my name, ask and tell how things are going, and take leave of someone.

Deuxième partie
I will be able to:

» say what I like and don't like to do, and to what degree.

Troisième partie
I will be able to:

» say what I have, need, prefer; tell my age; and ask specific questions.

Quatrième partie
I will be able to:

» say where I am going and what I see there.

Cinquième partie
I will be able to:

» describe my friends and family and order in a café.

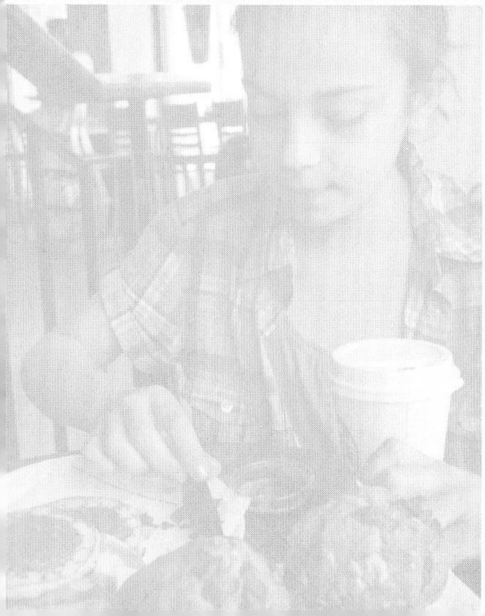

Première partie

Bonjour, tout le monde!

Vocabulaire

1 Présentations

Interpersonal Communication

Working with two classmates, take turns making introductions.

- Greet the first person.
- Introduce the second person to him/her.
- Indicate whether the second person is your friend or your classmate.
- State his/her nationality.

MODÈLE Isabelle/Sarah/camarade de classe/États-Unis
Salut, Isabelle. Je te présente Sarah. C'est ma camarade de classe. Elle est américaine.

1. Mathieu/Fatima/camarade de classe/Algérie (*Algeria*)
2. Madame Binot/Nicolas/camarade de classe/Canada
3. Nathalie/Gabriel/copain/France
4. Monsieur Sang/Florence/copine/États-Unis

2 Une nouvelle élève

Interpersonal Communication

First, reorder the dialogue so that it flows in a logical order. Then, role-play the dialogue by taking on the identities of a different student and teacher.

"Enchantée, Élodie. Tu es canadienne?"
"Bonjour, Madame."
"Je m'appelle Élodie. Mon nom (*name*) de famille est Duchamp."
"Bonjour, Mademoiselle. Tu t'appelles comment?"
"Non, je suis française."

3 Salutations et adieux

Indicate whether the following word or expression is a greeting, a farewell, neither, or both.

- À bientôt!
- À demain!
- Pas mal.
- Vas-y!
- Bonsoir (Good evening).
- Ça va mal.
- Au revoir!
- Très bien.
- Et toi?
- Salut!

Communiquez!

4 Ça va?

Interpersonal Communication

With a partner, play the roles of a student and the people below. Ask **Ça va**? or **Comment allez-vous**? as appropriate. Respond with an appropriate expression that fits the situation.

1. Simon: His family just got a new puppy.
2. Mlle Beaufort: She just got a parking ticket.
3. Rose: She has to clean the garage after school.
4. Alima: She discovered a cupcake in her lunch bag.
5. M. Zakaria: His day has been totally ordinary.
6. Mme Rachedi: Her husband gave her an iPad for her birthday today.

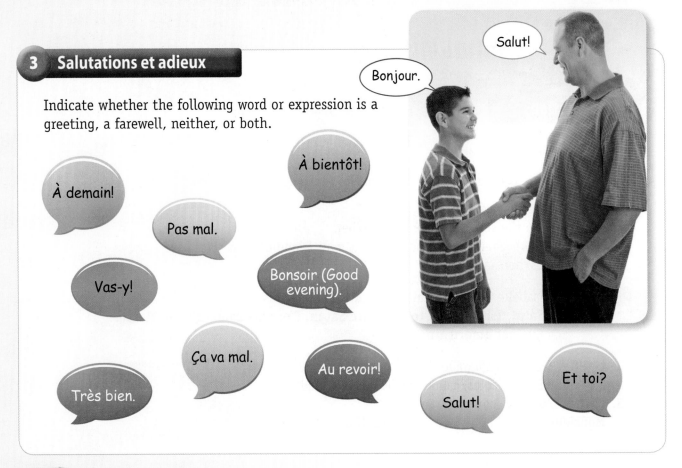

Structure de la langue

Passons en revue!

Subject Pronouns

Subject pronouns are used to talk **to** or **about** someone. They are singular or plural.

Singular		Plural	
je	I	**nous**	we
tu	you (*singular informal*)	**vous**	you (*singular formal and/or plural*)
il	he	**ils**	they
elle	she	**elles**	they (*females only*)
on	one/they/we		

5 Quel sujet?

Which subject pronoun would you use in the following situations?

You are talking...

1. *to* your best friend
2. *about* Julien and Cédric
3. *about* yourself
4. *to* your Graphic Design teacher
5. *about* you and your Mom
6. *to* your cat, Misha
7. *about* M. Leblanc
8. *about* two girls in your P.E. class
9. *to* the lunchroom supervisor
10. *about* Sophie and her boyfriend

C'est Sophie et Charles.

6 Quel sujet correspond?

Look at the following phrases and sentences. Which subject pronoun corresponds to the underlined word(s)?

je tu il elle on nous vous ils elles

1. Moi aussi.
2. Yasmine est algérienne.
3. Georges et Salim aiment faire du roller.
4. Daniel et moi aimons manger de la salade.
5. Et toi?
6. Khaled est mon copain.
7. Vincent et toi aimez faire de la gym.
8. Voici (*Here is/are*) Véronique et Isabelle.

Present Tense of the Irregular Verb *être*

The verb **être** (*to be*) does not follow a predictable pattern. It is an ***irregular*** verb.

je	**suis**	nous	**sommes**
tu	**es**	vous	**êtes**
il/elle/on	**est**	ils/elles	**sont**

The verb **être** is used...

- to identify people. — *M. Durocher est mon prof.*
- with nationalities and other adjectives. — *Thomas est algérien.* *Es-tu bavard(e)?*
- to say where someone is or where someone is from. — *Ma mère est à la maison.* *Je suis de Lyon.*
- to say what day it is and to give the date. — *Nous sommes mercredi.* *Nous sommes le 20 octobre.* *C'est le 20 octobre.*

7 Où sont les lettres?

*Copiez 1–5 sur votre papier. Écrivez les formes du verbe **être** avec les lettres qui manquent (*are missing*). À côté de (*Next to*) chaque (*each*) forme, écrivez le pronom (*pronoun*) qui correspond (*matches*).*

MODÈLE il/elle/on __e__ st

1. nous __ om __ es
2. les Tremblay __ on __
3. tu __ s
4. je __ ui __
5. vous __ __es

Ils sont en ville.

8 Quelle forme?

*Donnez la forme convenable (*appropriate*) du verbe* ***être****.*

1. Jeanne... ma camarade de classe.
2. Nous... vendredi. Youpi!
3. Ousmane et Bruno... au cinéma avec Karine et Delphine.
4. Tu... de Marseille. Tu... français.
5. Simon et toi, vous... intelligents!
6. Je... canadien. Je... de Montréal.
7. C'... le 25 novembre .... la fête de l'Action de grâce (*Thanksgiving*).
8. Jacqueline et moi, nous ne... pas énergiques.

Communiquez!

9 Tu es d'où?

Interpersonal/Presentational Communication

*Demandez à dix camarades de classe d'où ils sont (*where they're from originally*).*
Présentez l'information.

MODÈLE A: **Tu es d'où?**
B: **Je suis de Chicago.**

Trois élèves sont de Chicago....

Communiquez!

10 Une présentation

Presentational Communication

*Formez un groupe de 4–6 camarades. Prenez des tours en présentant (*introducing*) vos camarades de classe.*

- Say where two students in your class are from.
- State that two other classmates are from a different city.
- State that you and Aurélie are from a city in France.

11 Tu voudrais aller...?

Interpersonal Communication

With a partner, play the roles of an American student and his or her host brother in Québec. The American suggests activities to do, beginning with "**On va...**?"

1. see the movie *Amélie*
2. eat **une tourtière** (*Canadian meat pie*)
3. meet some teenagers and dance
4. buy some gifts to take home to his family
5. watch a hockey game on TV

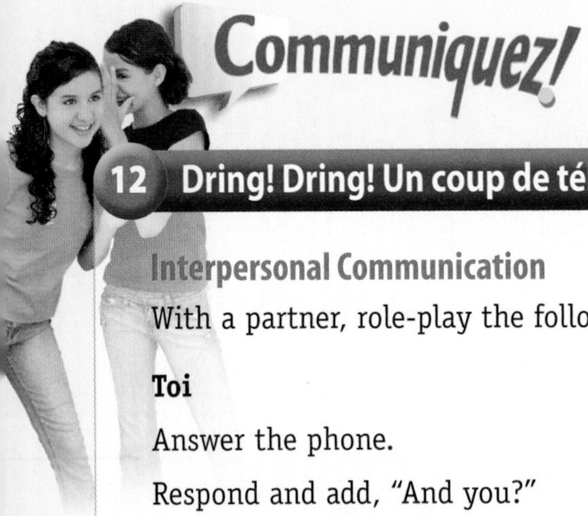

12 Dring! Dring! Un coup de téléphone

Interpersonal Communication

With a partner, role-play the following conversation.

Toi		**Ton copain/Ta copine**
Answer the phone.	→	Identify yourself. Ask how things are going.
Respond and add, "And you?"	→	Respond; invite your friend to go to a party.
Say that you can't. Give an excuse.	→	Say OK and that you'll see your friend soon.
Respond, "See you later!"		

13 Quelle est la question?

Here are answers to common questions. Choose a question from the box that goes with each answer. Then role-play the short dialogues with a classmate.

> On va au centre commercial?
> Et David?
> Tu t'appelles comment?
> Comment allez-vous?
> Martine est française?

1. ______________________
   Non, elle est canadienne.
2. ______________________
   Je m'appelle Amidou, a-emme-i-dé-o-u.
3. ______________________
   D'accord, je veux bien.
4. ______________________
   Comme ci, comme ça.
5. ______________________
   C'est mon camarade de classe.

Communiquez!

14 Présentations - C'est à vous!

Interpersonal and Presentational Communication

Write a brief dialogue for the first two situations. Then role-play with a partner the third and fourth situations.

1. Walking downtown, you meet your French friend, Lucie, who is with her classmate, Léo. Greet her. Lucie will introduce you to Léo and state that he is a classmate. Say that you are pleased to meet him.

   En ville
   Toi: ____
   Lucie: ____
   Toi: ____

2. You are talking to your friend, Coralie, at an International Club meeting. Coralie points out Myriam across the room. You ask if Myriam is Canadian. Coralie tells you no, that she is Algerian.

   Au club
   Coralie: ____
   Toi: ____
   Coralie: ____

3. You see your French teacher, M. Lebeau, at the movie theater. Greet him and ask him how he is. He tells you that he is so-so. He asks you how you are doing and you tell him how you are.

   Au cinéma
   A: Greet your French teacher, M. Lebeau. Ask how he is.
   B: Say you are so-so. Ask your student how things are going.
   A: Say how things are going.

4. You are talking to your friend, Olivier, on your cell phone. You invite him to go to the café. He tells you that it's not possible. He has to help his mother. He asks you if you would like to go to the party tomorrow. Tell him that you would like that and add that you will see him tomorrow.

   Au téléphone
   A: Invite your friend, Olivier, to go to the café.
   B: Say that it's not possible. You have to help your mother. Ask your friend if he or she would like to go to the party tomorrow.
   A: Tell him that you would like that. Say that you will see him tomorrow.

Deuxième partie

Les passe-temps

Vocabulaire

1 Qu'est-ce que tu aimes faire?

Say what you like to do ("**J'aime**") and don't like to do ("**Je n'aime pas**") on different days of the week or in different weather conditions. Choose from the activities in the box.

sortir avec mes amis	travailler	faire du shopping
faire du footing	aller à une teuf	jouer au foot
manger de la pizza	danser (*dance*)	faire du vélo
jouer au basket	faire du roller	aller au cinéma

MODÈLE Le lundi
Le lundi, j'aime jouer au foot, mais je n'aime pas faire du roller.

1. Le lundi, ______________________ .
2. Le mardi, ______________________ .
3. Le mercredi, ______________________ .
4. Le jeudi, ______________________ .
5. Le vendredi, ______________________ .
6. Le samedi, ______________________ .
7. Le dimanche, ______________________ .
8. Quand il fait beau, ______________________ .
9. Quand il fait mauvais, ______________________ .

2 Les Jeux Olympiques

*Voici les champions/championnes des Jeux Olympiques d'été à Beijing et des Jeux Olympiques d'hiver à Vancouver. Dites ce que (*what*) chaque athlète aime faire.*

MODÈLE 
Kristin Armstrong
Elle aime faire du vélo.

1. Michael Phelps

2. Didier Défago

3. Patrice Bergeron

4. Émilie Heymans

5. Evan Lysacek

6. Thomas Bouhail

3 Une semaine occupée

*Regardez l'agenda de Solange, puis répondez aux phrases suivantes (*following*) avec **"C'est vrai"** ou **"C'est faux."***

lundi	mardi	mercredi	jeudi	vendredi	samedi	dimanche
faire du footing	match de basket ESPN	étudier pour le contrôle de maths	contrôle de maths	sortir avec Luc et Lilou	aller au café	faire du vélo avec Amélie

1. Solange is going out on Saturday.
2. She is going to focus on fitness on Monday.
3. She is probably looking forward to Thursday.
4. She is going to watch TV on Tuesday.
5. She hopes that the weather will be good on Sunday.
6. She is free to go shopping on Wednesday evening.

Communiquez!

4 Colonie de vacances

Interpersonal Communication

You and your classmate are going to the same camp during vacation. You just received the brochure with pictures of the activities offered. Take turns asking each other if you like each of the activities. Answer with "**Oui, j'aime...**" or "**Non, je n'aime pas...**" Which one of you will probably be happier at this camp?

5 Une lettre

Claire is spending spring break with her relatives in **la Louisiane.** In the first letter that she writes home, she tells her family about the activities that her aunt, uncle and cousins like to do. Read her letter, and replace the pictures with the missing infinitives or verbal expressions.

Bonjour!

Comment allez-vous? Moi, ça va fort! J'aime passer la semaine ici à la Nouvelle Orléans.

Oncle Paul aime bien  *. Tante Héloïse aime* 

. Cousine Virginie aime un peu 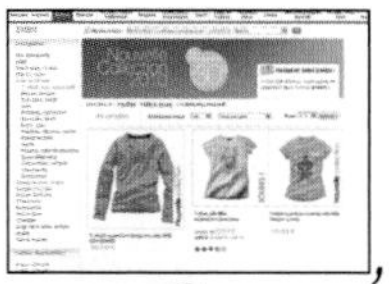 *, mais elle n'aime pas beaucoup* 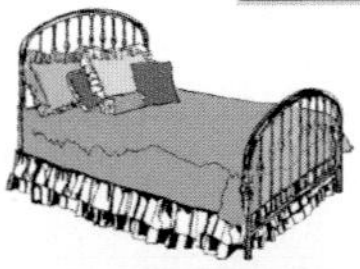 *. Cousin Jean aime bien* 

et 

. Mon petit cousin Samuel aime un peu  *et il adore*  *. Moi, j'aime beaucoup*  *avec mon nouveau lecteur MP3. À bientôt!*

Bisous,

Claire

Quartier français, La Nouvelle Orléans.

Structure de la langue

Passons en revue!

Present Tense of Regular Verbs ending in *–er*

To form the present tense of regular **–er** verbs, drop the **–er** from the infinitive to find the stem. Add the ending that corresponds to each of the subject pronouns. Regular **–er** verbs follow a predictable pattern. Remember that for verbs whose stem ends in **–g** you must put an **e** before the **–ons** of the nous form (*nous nag<u>e</u>ons*). Here is the present tense of the verb **jouer**.

subject pronoun	stem	ending	subject pronoun	stem	ending
je	jou	**e**	nous	jou	**ons**
tu	jou	**es**	vous	jou	**ez**
il/elle/on	jou	**e**	ils/elles	jou	**ent**

6 Choisissez le sujet!

Look at the following list of verbs with their endings. Write the letter of the subject that corresponds to the verb ending. **Attention**! Some verbs may have *two* possible subjects.

1. joues 2. nagent 3. plongeons 4. dansez 5. aime 6. travailles 7. joue 8. mangez 9. aiment 10. dansons	A. il/elle/on B. nous C. ils/elles D. tu E. vous F. je/j'

7 Phrases logiques.!

Choose a subject from column A, a verb from column B, and an expression from column C to create logical sentences. Remember to use the correct verb ending to correspond with the subject you choose. How many sentences can you create?

MODÈLE **Ils plongent dans l'Océan Atlantique.**

A	B	C
elle	aimer	à la maison
elles	danser	au basket
il	inviter	au café
ils	jouer	au cinéma
je	manger	dans l'océan Atlantique
nous	nager	de la glace au chocolat
on	plonger	le copain de Barbara
tu	travailler	le tango
vous		quand il fait beau
		sortir avec mon copain

Communiquez!

8 Qu'est-ce qu'on fait?

Interpersonal Communication

Salim has just transferred to your school. He is curious about his new classmates. Answer his questions based on the visual cues.

MODÈLE

Mamadou parle français?
Oui, **il parle français**.

Chloé voyage?
Non, **elle nage**.

1. Clément et Pierre jouent au basket?

2. Karima achète une limonade au café?

3. Tu manges des frites?

4. Malika et Valérie travaillent au café?

5. Assane et toi, vous organisez une teuf?

6. Patrick joue au hockey sur glace?

7. Jamila et Thierry préparent une crêpe?

8. Tu aimes aller en ville?

9 Complétez!

Choose a verb from the word bank that fits logically into the sentence. Then write the correct form of the verb. Each verb will be used only once.

regarder	porter	marquer	manger	écouter	surfer	aimer	étudier

1. Je __________ de la quiche au café.
2. Robert et Manu ____________ pour le contrôle de sciences.
3. Nous ____________ les comédies au cinéma.
4. Marc ____________ un but.
5. Tu ____________ un peu la radio?
6. Nadia et Claudette ____________ des casquettes.
7. On ____________ beaucoup sur Internet.
8. Vous ____________ lire, Mme Bouchard?

Communiquez!

10 Tout le monde aime une fête!

Interpersonal Communication

*Madame Courbin et sa classe de français organisent (*organize*) une fête. Madame a besoin d'aide. Qui fait quoi (*what*) pour la fête? Jouez les rôles de Mme Courbin et son assistant(e).*

MODÈLE inviter tout le monde/Martine et Claire
A: **Qui invite tout le monde**?
B: **Martine et Claire invitent tout le monde**.

1. apporter les boissons/Luc et moi
2. préparer la quiche/Stéphanie
3. acheter les desserts/moi
4. organiser les jeux/Serge et Abdou
5. inviter le proviseur/vous
6. parler français/nous

Adverbs of Degree

In French, adverbs are usually placed right after the verb. The common adverbs **un peu**, **bien**, and **beaucoup** tell how much a person likes to do an activity. Adverbs also tell how, when, where, and why.

Jacques aime **un peu** voyager.	*Jacques likes to travel a little.*
J'aime **bien** parler français.	*I really like to speak French.*
Nous aimons **beaucoup** nager.	*We like to swim a lot.*

11 Un peu, bien, ou beaucoup?

Students in Mlle Senghor's class have been asked to write a descriptive paragraph about a classmate. Read the following description of Delphine and say whether the statements that follow are **vrai** or **faux**.

Ma copine, Delphine, est très active et intéressante. Elle joue au basket, au tennis, et au foot. Elle adore les films, surtout les films français. Elle n'aime pas étudier, mais elle aime bien lire et écouter de la musique. Elle adore manger des spaghetti, mais elle n'aime pas faire la cuisine.

1. Delphine joue à beaucoup de sports.
2. Elle aime un peu aller au cinéma.
3. Elle aime bien étudier.
4. Elle aime un peu écouter de la musique.
5. Elle aime beaucoup manger des pâtes.

Communiquez!

12 Une entrevue

Interpersonal/Presentational Communication

You and your classmates are interviewing each other for the school newspaper. Work with a partner and find out **how much** he/she likes to do the following activities. Your partner will, in turn, ask you the questions. Take notes! When you have interviewed each other, join another pair of students and tell them what you learned in the interview about your partner. Remember to use **un peu**, **bien**, or **beaucoup** in your responses.

MODÈLE regarder la télé
A: **Tu aimes regarder la télé**?
B: **J'aime bien regarder la télé**.

1. manger de la glace
2. envoyer des textos
3. lire
4. gagner
5. sortir avec des amis
6. dormir
7. écouter de la musique
8. voyager
9. parler français

Les nombres
zéro un deux trois quatre cinq six sept huit neuf dix onze douze treize quatorze quinze seize dix-sept dix-huit dix-neuf vingt trente quarante cinquante soixante soixante-dix quatre-vingts quatre-vingt-dix cent

13 Les jeunes et les portables

State the percentage (for example, **vingt pour cent**) of 12- to 17-year-old American teens who....

1. own a cell phone	75%
2. talk on a land-line phone daily	30%
3. send text messages every day	54%
4. feel safer because they have a cell phone	93%
5. use e-mail on their phones	21%
6. play games on their phones	46%
7. can have their phones in school but not in class	62%
8. take pictures with their phones	83%

14 Les séries

Quels sont les nombres qui manquent? (What numbers are missing?)

1. un, trois, ______, ______, ______, ______, treize
2. deux, quatre, ______, ______, ______, douze, ______, ______
3. dix, vingt, ______, ______, ______
4. cent, quatre-vingt-dix, ______, ______, ______

15 Quel est le numéro de téléphone?

Interpersonal Communication

Take turns with a partner asking and answering the question about phone numbers of restaurants in Avignon, France.

MODÈLE La Vieille Ferme: 04.20.15.37.52
A: **Quel est le numéro de téléphone de La Vieille Ferme?**
B: **C'est le zéro quatre, vingt, quinze, trente-sept, cinquante-deux.**

1.	La Cour du Palais	04.11.15.07.43
2.	La Cuillère	04.10.19.81.12
3.	L'Île Sauvage	04.64.17.12.90
4.	La Bonne Mère	04.36.18.50.16
5.	L'Étoile	04.16.14.99.25
6.	La Vache Brune	04.13.08.61.74

Les dates

To give a date in French, follow this pattern: **le + number + month**

C'est le seize mars.

To express the first of the month use: **le premier.** **C'est le premier avril.**

Remember that the day comes before the month in an abbreviation: **11.5** **C'est le onze mai.**

janvier février mars avril mai juin juillet août septembre octobre novembre décembre

16 C'est quand, l'anniversaire de...?

Donnez la date en français de l'anniversaire de chaque personne célèbre. (Two suggested model responses are provided.)

MODÈLE Johnny Depp 9.6
C'est le neuf juin.
Son anniversaire est le neuf juin.

1. Rachid Taha 18.9
2. Vanessa Paradis 22.12
3. Youssou N'Dour 1.10
4. Sophie Marceau 17.11
5. Daniel Radcliffe 23.7
6. Leslie Bourgoin 4.2
7. Audrey Tautou 9.8
8. Michel Sardou 26.1
9. Zinédine Zidane 23.6

Gender of Nouns and Definite Articles

All nouns in French are either masculine or feminine. To refer to a specific noun or a noun in a general sense, use a definite article. The singular definite articles are **le**, **la** and **l'**. The plural definite article is **les**. They all mean *"the"* in English.

- **Le** precedes masculine singular nouns.
- **La** precedes feminine singular nouns.
- **L'** precedes a masculine or feminine singular noun that begins with a vowel.
- **Les** precedes plural nouns (which usually end in *"s"* and occasionally *"x"*.)

17 Allons au cinéma!

All of the following movie titles contain a definite article. Indicate whether the nouns following the movie list are masculine or feminine or plural.

La planète des singes	*Le discours d'un roi*	*Les sept Samourais*	*Le sixième sens*
C'est l'apocalypse	*Le voleur de bicyclette*	*Il faut sauver le soldat Ryan*	*L'homme éléphant*
Le roi lion	*Les indestructibles*	*Le pont de la rivière Kwai*	*Les temps modernes*
Les sentiers de la gloire	*La guerre des étoiles*	*La mélodie du Bonheur*	*La couleur pourpre*

Masculin ou féminin ou pluriel?

1. voleur
2. guerre
3. roi
4. indestructibles
5. mélodie
6. couleur
7. planète
8. sentiers
9. discours
10. pont
11. temps
12. Samourais

Communiquez!

18 Moi aussi!

Interpersonal/Presentational Communication

Find out which likes and dislikes you and a classmate have in common. Follow the model. In answering the question, **"Et toi?"** use these expressions: **Moi aussi** (*Me too*), **Pas moi** (*Not me*), **Moi non plus** (*Me neither*). Report to the class the things that you and your partner both like, and begin with: **Nous aimons...**

MODÈLE les films policiers
A: **Tu aimes les films policiers?**
B: **Oui, j'aime les films policiers. Et toi?**
A: **Pas moi, je n'aime pas les films policiers.**

1. l'eau minérale
2. la glace
3. les crêpes
4. le hip-hop
5. les films d'aventure
6. le croque-monsieur
7. les films de science-fiction
8. la world
9. la glace à la vanille
10. les casquettes de sport

Negation with *ne... pas*

To make a sentence negative, place **ne** (or **n'** before a vowel sound) before the present tense verb and **pas** after the verb.

Nous **ne** jouons **pas** au foot.	*We don't play soccer.*
Nous **n'**aimons **pas** le tennis.	*We don't like tennis.*

19 Oui et non!

State that the following people do the first activity, but not the second. Follow the model.

MODÈLE Moussa/jouer au basket/plonger
Moussa joue au basket, mais il ne plonge pas.

1. Je/nager en été/étudier
2. Raphaël et Mathis/jouer au foot/marquer un but
3. Monique/danser bien/jouer au hockey
4. Vous/parler français/parler espagnol
5. Tu/travailler à la maison/aider ta mère
6. On/surfer sur Internet/jouer aux jeux vidéo
7. Nous/organiser une teuf/préparer les desserts

Communiquez!

20 Très négatif!

Interpersonal Communication

Create questions using the cues given. With a partner, take turns asking and answering the questions, and respond only in the negative.

MODÈLE ton père/**regarder** beaucoup la télé
A: **Ton père regarde beaucoup la télé**?
B: **Non, il ne regarde pas beaucoup la télé**.

1. tu/**manger** à la maison
2. Anaïs et Méline/**danser** bien
3. ta mère /**écouter** de la musique alternative
4. Xavier et toi/**jouer** beaucoup aux jeux vidéo
5. tu/**nager** samedi
6. Augustin et moi/**jouer** au foot mercredi
7. Noah/**plonger** un peu
8. je/**jouer** au hockey en hiver
9. René/**téléphoner** à Sabrina
10. Étienne et Lucas/**acheter** une pizza

Communiquez!

21 Conversation dirigée

Interpersonal/Presentational Communication

Prepare the following conversation with a partner, and present it to a group of classmates.

A		B
Greet your partner, and ask how things are going.	→	Respond. Ask, "And you?"
Respond. Ask for a classmate's telephone number.	→	Say that it's "02.13.51.15.38." Ask why.
Say that you would like to invite (classmate's name) to a party on Saturday.	→	Say, "Good idea!" Ask your partner if he/she wants to play basketball on Thursday.
Say that you don't play basketball and that you like to go bicycling.	→	Say, "OK."
Respond, "See you soon!"	→	Say, "Good-bye."

22 Les passe-temps favoris

Interpersonal Communication

Create a grid like the one below. Poll ten classmates to find out each one's favorite pastime. Put an X in the corresponding column. Then write a description of the poll to turn in to your teacher.

MODÈLE A: **Qu'est-ce que tu aimes faire?**
B: **J'aime beaucoup écouter de la musique.**

Deux élèves aiment écouter de la musique et aller au cinéma....

Nom	Sport	Musique	Technologie	Film	Autre activité
Christine		X			
Bruno	X				
Sébastien				X	
Michelle		X			
Océane				X	

Troisième partie

À l'école

Vocabulaire

1 Dans mon casier

Dites ce qu'on met dans ***la trousse*** *et ce qu'on met dans* ***le sac à dos***. (Write what you put into the pencil case and what you put into the backpack.)

MODÈLE le livre de français
dans mon sac à dos

le crayon
dans ma trousse

1. le stylo
2. le cahier
3. l'ordinateur portable
4. le dictionnaire
5. la trousse
6. le feuille de papier
7. le taille-crayon
8. le CD

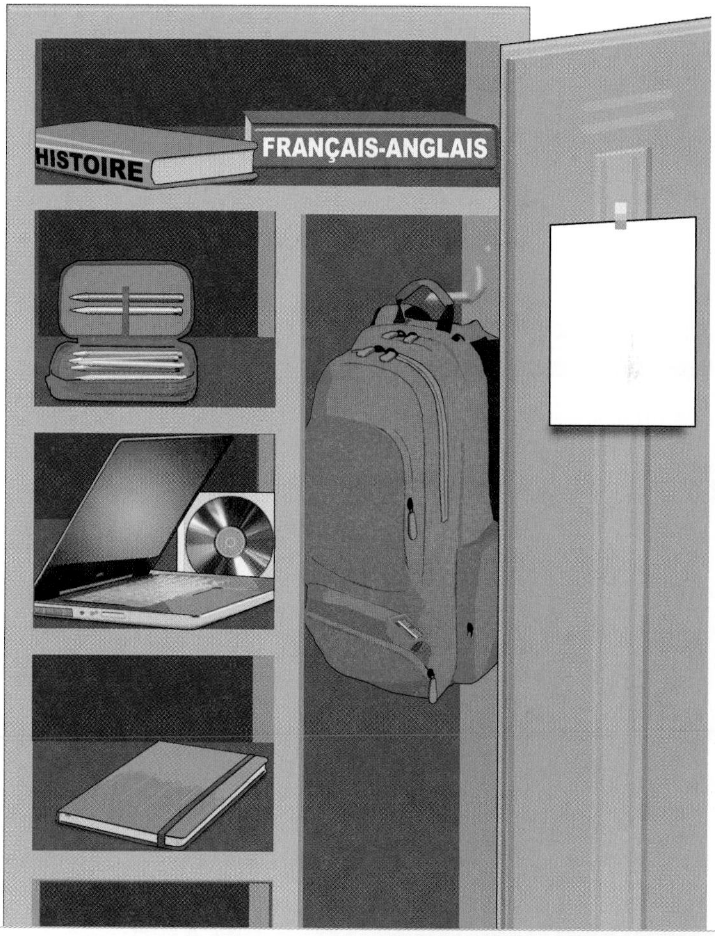

2 Tu aimes dessiner?

*Dessinez (*Draw*) les choses suivantes.*

1. une feuille de papier **sur** un bureau
2. une affiche **sous** une pendule
3. un sac à dos **devant** une porte
4. un stylo **dans** une trousse
5. une élève **avec** une prof

Structure de la langue

Passons en revue!

Indefinite Articles

Indefinite articles indicate whether a noun is masculine or feminine. They mean "a," "an," "one."

- **un** precedes a masculine singular noun
- **une** precedes a feminine singular noun
- **des** precedes a plural noun and is often translated as "some"

Je prends un Orangina, une salade, et des frites.

I'm having an Orangina, a salad, and some fries.

3 Dans ma chambre

Dites ce qu'il y a dans la chambre. (Say what is in the bedroom.)

MODÈLE **Il y a des cédéroms....**

4 Soyez préparé(e) préparé(e)!

Interpersonal Communication

À tour de rôle, dites à votre partenaire ce dont vous avez besoin pour les cours suivants. (Working with a partner, take turns telling each other what you need for the following classes.)

MODÈLE les arts plastiques → **J'ai besoin d'un crayon et d'une feuille de papier.**

1. les maths
2. le français
3. l'anglais
4. les sciences
5. l'informatique
6. l'histoire

5 Au magasin de sport

Interpersonal Communication

Des jeunes footballeurs vont au magasin de sport avec leurs mères. Jouez les rôles du footballeur et sa mère avec un partenaire.

MODÈLE A: **Voici 35€.**
B: **J'achète une écharpe.**

1. Voici 19€.
2. Voici 38€.
3. Voici 152€.
4. Voici 9€.
5. Voici 70€.
6. Voici 43€.

Telling Time

Quelle heure est-il?	*What time is it?*
Il est une heure.	*It is 1:00.*
Il est deux heure**s** cinq.	*It is 2:05.*
Il est trois heures et quart (trois heures quinze).	*It is 3:15.*
Il est quatre heures et demie (quatre heures trente).	*It is 4:30.*
Il est six heures moins dix (cinq heures cinquante).	*It is 5:50.*
Il est sept heures moins le quart (six heures quarante-cinq).	*It is 6:45.*
Il est midi.	*It is noon.*
Il est minuit.	*It is midnight.*
Il est dix-neuf heures vingt. (19h20) *official time*	*It is 7:20 p.m.*
On va au café à quelle heure?	*At what time are we going to the café?*

6 À quelle heure?

State that each of the following people is doing the activity at the indicated time.

MODÈLE

Mme Thibault/à 7h25
Mme Thibault téléphone à sept heures vingt-cinq.

1. Théo/à 6h30

2. Claudine et Raoul/à 10h10

3. nous/à 9h15

4. je/à 2h45

5. vous/à 12h00

6. tu/à 8h55

Communiquez!

7 Votre emploi du temps

Interpersonal Communication

Imaginez que votre emploi du temps ressemble à celui de dessous. À tour de rôle, demandez à votre partenaire quand et à quelle heure il/elle a chaque cours. (With a partner, take turns asking each other when and at what time you have the following classes.)

heures	lundi	mardi	mercredi	jeudi	vendredi
8h30-9h20	sciences	sciences	sciences	sciences	informatique
9h25-10h15	anglais	informatique	anglais	anglais	anglais
10h20-11h10	informatique	histoire	histoire	histoire	histoire
11h15-12h05	maths	maths	musique	maths	maths
12h10-12h40	déjeuner	→	→	→	→
12h45-13h35	littérature	littérature	littérature	musique	littérature
13h40-14h30	EPS	EPS	musique	EPS	EPS
14h35-15h25	français	français	français	français	français

MODÈLE

A: **Quand as-tu ton cours de maths?**
B: **J'ai mon cours de maths le lundi, le mardi, le jeudi, et le vendredi.**
A: **À quelle heure?**
B: **À onze heures et quart.**

Present Tense of *préférer*

The endings for the verb **préférer** follow the same pattern as regular **–er** verbs; however take note of the pattern of its accent marks:

je préfère	nous préférons
tu préfères	vous préférez
il/elle/on préfère	ils/elles préfèrent

The verb **préférer** can be followed by a definite article + noun *(Je préfère le rock)* or by an infinitive *(Je préfère écouter le rock.)*

8 Préférences

*Écrivez des phrases complètes. Utilisez (*Use*) la forme correcte du verbe* ***préférer*** *et l'****article défini*** *qui manque.*

MODÈLE Samuel/préférer/l'EPS
Samuel préfère le cours d'EPS.

1. Pauline/chimie
2. Je/histoire
3. Nous/anglais
4. Bruno et Charles/français
5. Tu/littérature
6. On/maths
7. Vous/arts plastiques
8. Malika et Justine/informatique

Communiquez!

9 Une enquête

Interpersonal/Presentational Communication

Demandez à dix camarades de classe quel cours ils préfèrent. Dites à votre groupe le résultat de votre enquête. (Poll ten classmates to find out their favorite class, and then report to your group which class is the most popular.)

MODÈLE A: **Tu préfères quel cours?**
B: **Je préfère le cours de sciences.**

La majorité préfère...

Present Tense of the Irregular Verb *avoir*

The forms of the verb **avoir** (*to have*) do not follow a predictable pattern. It is an irregular verb.

j'**ai**	nous **avons**
tu **as**	vous **avez**
il/elle/on **a**	ils/elles **ont**

Several expressions use the verb **avoir**:

- avoir besoin de — *to need*
- avoir faim — *to be hungry*
- avoir soif — *to be thirsty*
- avoir... ans — *to be... years old*
- Tu as quel âge? — *How old are you?*
- J'ai treize ans. — *I'm thirteen years old.*

10 Qu'est-ce qu'on a?

Read where people are and say what they have.

un crayon   un dictionnaire   un ordinateur portable   un maillot   un stylo
des CD   un short   une feuille de papier   un livre   un cahier

MODÈLE Jean-François est en cours de géométrie.
Il a un crayon, un cahier, et un livre.

1. Omar est en cours de maths.
2. Nous sommes en cours de physique.
3. Les élèves sont en cours de musique.
4. Je suis en cours d'histoire.
5. Joëlle et Rahina sont en cours d'arts plastiques.
6. Tu es en cours de français.
7. Étienne et toi, vous êtes en cours d'informatique.
8. Je suis en cours d'EPS.

11 On a quel âge?

*Donnez l'âge de chaque personne selon leur date de naissance (*birthdate*).*

MODÈLE moi (1999)
J'ai treize ans.

1. ma mère (1973)
2. mon père (1970)
3. nous (1998)
4. Karim et Olivier (1996)
5. toi (2001)
6. ma prof de français (1981)
7. Yasmine et toi (1990)
8. mon prof de maths (1950)

12 Questions personnelles

Interpersonal Communication

À tour de rôle, posez les questions et répondez.

1. Tu as quel âge?
2. Tu as faim à midi?
3. Tu as besoin d'un ordinateur portable?
4. Tu as beaucoup de DVD?
5. Tu as une piscine chez toi?
6. Tu as besoin d'aller au bureau du proviseur?
7. Toi et ton copain, vous avez des sacs à dos?
8. Ton prof de français a une carte de France?
9. Ta copine a une stéréo?
10. Ton école a une salle d'informatique?

Forming Questions

To ask a yes/no question in French:

1. Raise your voice at the end of a sentence.
   Cléo est à la cantine? (Cléo → est → à → la cantine?)
2. Add the expression **n'est-ce pas** to the end of a sentence.
   Thierry Henry est un bon footballeur, n'est-ce pas? (*isn't he*?)
3. Use the expression **est-ce que** (**est-ce qu'** + vowel sound) before a statement.
   Est-ce que tu as un ticket pour le match? *(do you...?)*
   Est-ce qu'elle a un maillot de foot? *(does she...?)*

To ask an information question, follow this pattern:

interrogative expression + **est-ce que** + a subject + a verb

(where)	**Où est-ce que** l'équipe joue au foot?
(how)	**Comment est-ce que** tu prépares une salade?
(why)	**Pourquoi est-ce qu'**on va au stade?
(when)	**Quand est-ce que** Dominique a son cours de sciences?
(at what time)	**À quelle heure est-ce que** nous avons rendez-vous?
(who)	**Qui est-ce que** vous invitez à la teuf?
(what)	**Qu'est-ce que** Martine achète?

When **qui** is used as a subject, it is followed directly by the verb.

Qui est ton prof d'histoire? *Who is your history teacher?*
Qui marque un but? *Who is scoring a goal?*

To ask "which" or "what," use the interrogative adjective **quel**. It may be followed by a noun or by the verb **être**. It has four forms and agrees in gender (m. or f.) and number (sing. or pl.).

singular		plural	
Masculine	**Feminine**	**Masculine**	**Feminine**
quel	quelle	quels	quelles

Quelle équipe gagne? *What team is winning?*
Quels copains nagent? *Which friends swim?*
Quel est le devoir de maths? *What is the math homework?*

Use inversion as another way to ask a yes/no or an information question. The order of the subject pronoun and the verb is reversed or inverted and connected by a hyphen.

As-tu un ballon de foot? *Do you have a soccer ball?*
Pourquoi aimez-vous le français? *Why do you like French?*

When using inversion with the pronouns **il**, **elle**, **on** and a verb form that ends with a vowel, add a **-t-** between the verb and the pronoun.

Aime-t-elle faire du shopping en ville? *Does she like shopping downtown?*
Pourquoi a-t-il besoin d'une chaise? *Why does he need a chair?*

13 Beaucoup de questions!

C'est la fin du semestre et Élodie a beaucoup de contrôles. Sa mère lui pose beaucoup de questions. Quelles sont les réponses (responses/answers) *d'Élodie?*

1. Quand est ton contrôle d'histoire?
2. Où est-ce que tu désires étudier à 3h30?
3. Qui est ta prof de français?
4. Comment est ton prof d'informatique?
5. Avec qui est-ce que tu dois parler?
6. À quelle heure vas-tu arriver à l'école?
7. Pourquoi est-ce que tu vas apporter ton ordinateur portable à l'école?
8. Quel contrôle va être difficile?
9. Mme Masson est sénégalaise, n'est-ce pas?
10. Est-ce que ton sac à dos est sur ton bureau?

A. Mme Masson
B. à sept heures et demie
C. le contrôle de sciences
D. parce que j'ai besoin de préparer un projet pour mon cours d'informatique
E. vendredi
F. non, ivoirienne
G. à la médiathèque
H. non, sous mon bureau
I. strict
J. avec le proviseur

14 Quelle est la question?

Préparez des questions selon les indices (cues).

MODÈLE  où/ta mère/
Où est-ce que ta mère achète des chaussures?

1. à quelle heure/vous/

2. comment/ton camarade de classe/

3. où/Juliette/

4. quand/nous/

5. que/tu/

6. où/Henri/

7. pourquoi/Paul et Julien

8. qui/tu/

Communiquez!

15 Une réponse logique

Interpersonal Communication

À tour de rôle, posez les questions de l´Activité 14 à votre partenaire. Donnez une réponse logique.

MODÈLE A: **Où est-ce que ta mère achète des chaussures?**
B: **Elle achète des chaussures au centre commercial.**

Communiquez!

16 Plus spécifique, s'il vous plaît!

Interpersonal Communication

*Lisez la phrase. Votre partenaire va poser (*ask*) une question en employant (*using*) une forme de* ***quel****.*

MODÈLE Le contrôle va être facile.
Quel contrôle va être facile?

1. Sonia porte une casquette.
2. Les sacs à dos coûtent (*cost*) vingt euros.
3. Nous apportons les CD à la teuf.
4. Les desserts sont chers.
5. J´achète une écharpe.
6. La fille a soif.
7. On aime les sandwichs à la cantine.
8. Nous préférons la musique alternative.
9. Frédéric invite les filles au café.

17 Skypons!

*Vous avez l'occasion de skyper avec votre nouveau/nouvelle correspondant(e) (*pen pal*) français(e). Écrivez six questions que vous voulez lui poser. Employez (*Use*):* ***où, quand, à quelle heure, comment, pourquoi, qui, avec qui, quel, qu'est-ce que****. Employez l'inversion deux fois (*times*).*

MODÈLE **Quand as-tu ton cours d'anglais?**

18 Répondez, s'il vous plaît!

Interpersonal Communication

*Posez les questions de l'Activité 17 à votre camarade de classe. Il/elle va répondre (*respond*) en jouant (*by playing*) le rôle de votre correspondant(e).*

MODÈLE A: **Quand as-tu ton cours d'anglais?**
B: **J'ai mon cours d'anglais le lundi, mardi, et vendredi.**

Pourquoi ne vas-tu pas en cours de chimie?

Et toi, à quelle heure est-ce tu vas au cours de français?

Quatrième partie

Ados en action!

Vocabulaire

1 Où est-ce qu'on est?

Dites où chaque personne est selon ce qu'il/elle fait. (Say where each person is based on what he/she is doing.)

à la cantine · au stade · en ville · chez moi · à la piscine · au labo · à la médiathèque · au cinéma · à la salle d'informatique

MODÈLE Vous surfez sur Internet. Vous préparez un projet pour le cours d'histoire.
Vous êtes à la salle d'informatique.

1. Kemajou prépare une expérience *(experiment)* de chimie. Il parle à son partenaire.
2. Catherine et son copain nagent, mais ils ne plongent pas.
3. J'aide mon père à faire la cuisine, et je joue avec mon chien.
4. Tu achètes un cadeau pour l'anniversaire de ta copine, et tu vas au café après.
5. Romain porte un maillot de foot. Il marque un but.
6. Nous mangeons un croque-monsieur, et nous parlons à nos camarades de classe.
7. Vous regardez un film de science-fiction. Vous ne parlez pas.
8. Les deux élèves étudient pour un contrôle d'anglais, et ils regardent des cédéroms.

2 Disons quinze minutes plus tard!

Dites où vous allez vous retrouver et à quelle heure. Votre partenaire va suggérer (suggest) *quinze minutes plus tard* (later). *Alternez les rôles.*

MODÈLE Je voudrais acheter /  15h15
A: **Je voudrais acheter une casquette.**
B: **On se retrouve au magasin à trois heures et quart?**
A: **Disons trois heures et demie.**

1. J'ai très  / 13h00
2. J'ai besoin de faire  / 14h30
3. Nous avons un match de  / 16h05
4. Il y a un bon  / 19h15
5. J'ai très 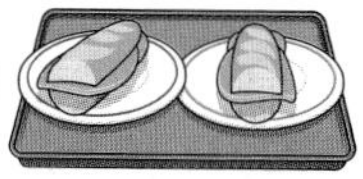 / 12h
6. Nous avons besoin d'étudier 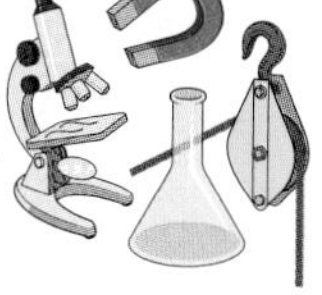 / 10h10

Structure de la langue

Passons en revue!

Present Tense of the Irregular Verb *aller*

***Aller* + near future**

Although the verb **aller** (*to go*) is an **–er** verb, it does not follow the regular pattern. It is an irregular verb.

je	**vais**	nous	**allons**
tu	**vas**	vous	**allez**
il/elle/on	**va**	ils/elles	**vont**

The verb **aller** is used...

1. to say where someone is going.
   Les élèves vont au labo. — *The students are going to the lab.*
2. to talk about how someone is feeling.
   Ça va très mal aujourd'hui. — *Things are going very badly today.*
3. to say what someone is going to do in the near future.
   Suzanne va envoyer un texto à Serge. — *Suzanne is going to send a text message to Serge.*
   Nous n'allons pas parler anglais. — *We're not going to speak English.*

3 Qu'est-ce qu'on va faire samedi?

Dites ce que les gens suivants (following people) *vont faire samedi.*

MODÈLE  Édouard
Édouard va envoyer des textos.

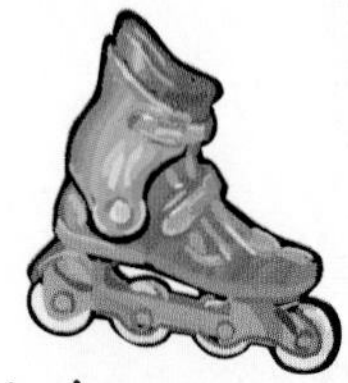

1. je

2. Nadia et moi

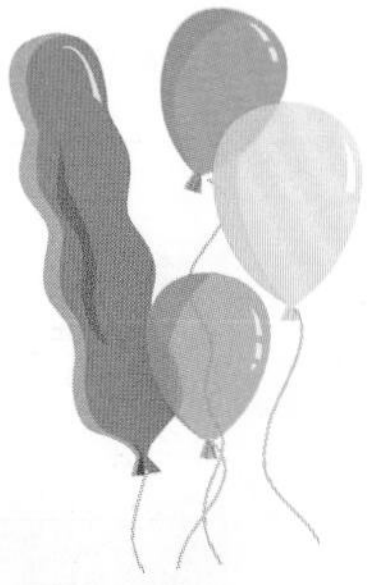

3. Michèle et Richard

4. Normand

5. tu

6. vous

4 On va à Paris ou à New York?

Dites si les gens vont à Paris ou à New York selon (according to) *leur préférence.*

MODÈLE Antoine préfère manger un .
Antoine préfère manger un croque-monsieur. Il va à Paris.

1. Je préfère visiter la .

2. Timéo et Vincent préfèrent regarder les .

3. Nous préférons parler .

4. Tu préfères manger un .

5. Vous préférez parler .

6. M. et Mme Toulon préfèrent visiter la grande .

7. Lucienne et moi, nous préférons regarder le .

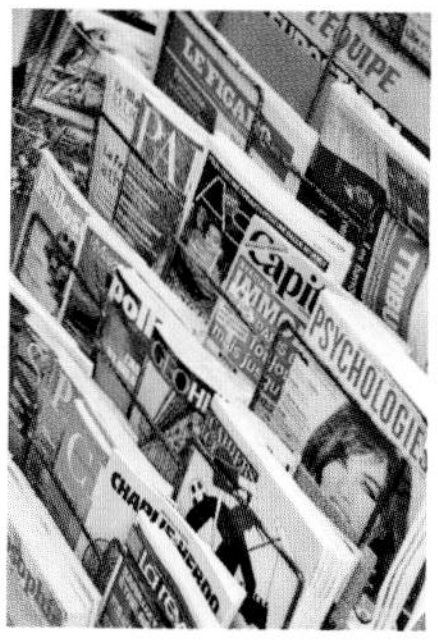

8. Je préfère acheter un .

5 Oui ou non?

*Selon (*According to*) la première phrase, est-ce qu'on va faire l'activité entre parenthèses?*

MODÈLE Béatrice est au stade. (regarder le film policier)
Elle ne va pas regarder le film policier.

1. Nous sommes en France. (parler anglais)
2. Éric a un match de basket. (porter un maillot)
3. Je travaille chez moi. (aider ma mère)
4. Yasmine et Sara préfèrent le tennis. (jouer au volley)
5. Il fait beau. (vous/nager)
6. Tu as un contrôle de maths demain. (sortir avec des copains)
7. Salim est un excellent footballeur. (marquer un but)
8. Demain c'est l'anniversaire de la copine de Gilbert. (acheter un cadeau)

Communiquez!

6 Enfin le weekend!

Interpersonal Communication

À tour de rôle, demandez à votre partenaire s'il ou elle va faire les activités suivantes ce weekend. Écoutez bien ses réponses.

MODÈLE organiser une teuf
A: **Est-ce que tu vas organiser une teuf ce weekend?**
B: **Non, je ne vais pas organiser de teuf. Et toi?**
A: **Oui, je vais organiser une teuf.**

1. téléphoner à un copain
2. acheter une écharpe
3. manger une glace
4. faire le devoir
5. aller au cinéma
6. étudier pour une interro
7. parler français
8. préparer un sandwich
9. jouer aux jeux vidéo
10. faire du shopping

À and *de* plus Definite Articles

The preposition **à** means "to," "at," "in." It forms a contraction when it is followed by **le** and **les**, but not when it is followed by **la** and **l'**.

à + le = **au**	à + la = **à la**
à + les = **aux**	à + l' = **à l**

Corinne va au café.
Jean voyage aux États-Unis.
Philippe est à la maison.
Delphine étudie à l'école.

The preposition **de** means "of," "from." It forms a contraction when it is followed by **le** and **les**, but not when it is followed by **la** or **l'**. When **de** means "of," it indicates possession.

de + le = **du**	de + la = **de la**
de + les = **des**	de + l' = **de l'**

J'aime le maillot du footballeur.
C'est le secret des copains.
C'est l'anniversaire de la cuisinière.
Nous aimons le blason de l'équipe.

7 Choisissez!

*Complétez les phrases avec la forme correcte de la préposition **à + l'article défini.***

au aux à la à l'

MODÈLE **Nous aimons voyager au Canada.**

1. Nous sommes... magasin.
2. Malick et Clément vont... cantine.
3. Jérôme téléphone... fille canadienne.
4. M. Lévesque parle... élèves.
5. Tu n'aimes pas faire les devoirs... école.
6. Vous arrivez... match de basket à l'heure.
7. J'ai besoin de parler... proviseur.
8. Je voudrais voyager... États-Unis.

8 Beaucoup de questions!

Répondez aux questions suivantes avec une réponse de la boîte.

la copine le camarade de classe l'actrice le prof de maths
les élèves la prof de français la dentiste les copains

MODÈL À qui est-ce que tu ressembles?
Je ressemble à l'actrice.

1. À qui est-ce que tu parles français?
2. À qui est-ce que tu téléphones beaucoup?
3. À qui est-ce que tu ne téléphones pas?
4. À qui est-ce que le prof de musique parle?
5. À qui est-ce que le cuisinier donne un gâteau?
6. À qui est-ce que tu apportes un cadeau?
7. À qui est-ce que l'agent de police donne une contravention (*ticket*)?

Communiquez!

9 À quel endroit?

Interpersonal Communication

À tour de rôle, devinez (guess) *où votre partenaire aime aller pour faire les activités suivantes.*

MODÈLE étudier
A: **Est-ce que tu aimes étudier à la maison?**
B: **Non, je préfère étudier à la médiathèque.**

1. jouer au foot
2. danser
3. porter un maillot de sport
4. faire le devoir de sciences
5. regarder un documentaire
6. parler aux copains
7. manger un sandwich
8. acheter des frites

10 À qui est-ce?

Lisez ce que les gens aiment faire. À qui est chaque objet? (To whom does each object belong?)

MODÈLE Le médecin aime aller au cinéma.
C'est l'affiche du médecin.

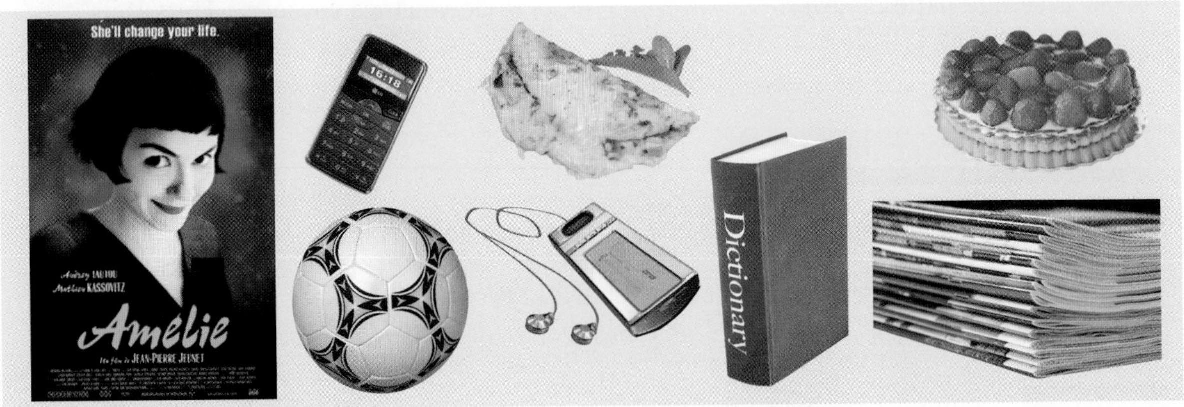

1. La dentiste aime lire.
2. Le copain de Camille aime envoyer des textos.
3. Les élèves aiment étudier l'anglais.
4. La copine d'André aime écouter de la musique.
5. L'homme d'affaires aime beaucoup manger.
6. Les chefs aiment préparer les desserts.
7. L'athlète aime jouer au foot.

Present Tense of the Irregular Verb *Venir*

The verb **venir** (*to come*) does not follow a regular pattern. It is irregular.

je **viens**	nous **venons**
tu **viens**	vous **venez**
il/elle/on **vient**	ils/elles **viennent**

Two verbs that are conjugated like **venir** are **devenir** (*to become*) and **revenir** (*to come back*).

To ask where someone is coming from, use the interrogative expression **d'où**?

11 Qui vient à la fête?

Les jeunes (young) *qui apportent de la nourriture* (food) *ou des boissons viennent à la fête. Dites qui vient et qui ne vient pas.*

MODÈLE Adèle apporte un gâteau.
Elle vient.

Damien apporte un ballon de basket.
Il ne vient pas.

1. Tu apportes une quiche.
2. François et Françoise apportent des sandwichs au jambon.
3. Mon camarade de classe apporte un DVD.
4. Nous apportons de l'eau minérale.
5. J'apporte mon ordinateur portable.
6. Vous apportez des crêpes.
7. Les copains apportent des cédéroms.
8. On apporte une petite table.

Communiquez!

12 Ils viennent d'où?

Interpersonal Communication

À tour de rôle, demandez à votre partenaire d'où viennent les gens suivants.

MODÈLE Mlle Dupuis/le bureau du proviseur
A: **Mlle Dupuis vient d'où?**
B: **Elle vient du bureau du proviseur.**

1. tu/le labo
2. Ahmed et Benjamin/la cantine
3. Magali et moi/les magasins
4. M. Dubourg/la salle d'informatique
5. les élèves/l'école
6. Hervé et toi/le stade

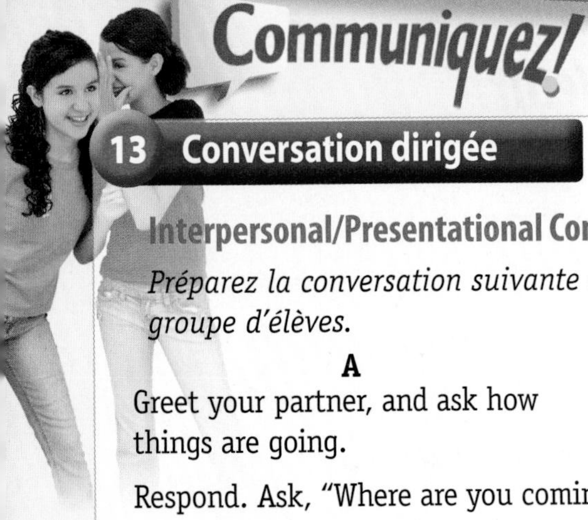

13 Conversation dirigée

Interpersonal/Presentational Communication

Préparez la conversation suivante avec un partenaire, et puis (then) *présentez la conversation à un groupe d'élèves.*

A		B
Greet your partner, and ask how things are going.	→	Respond. Ask, "And you?"
Respond. Ask, "Where are you coming from?"	→	Say that you are coming from the media center.
Ask why.	→	Say because you have a history test tomorrow. Ask, "Where are you going?"
Say that you are going to the store.	→	Ask why.
Explain that you have to buy some shoes.	→	Ask, "Are you going to watch the soccer game at 6:00?"
Say, "Yes."		Say, "Me too!"
Suggest meeting at the stadium at 5:45.	→	Reply, "OK."
Say, "See you soon."	→	Reply.

Present Tense of the Irregular Verb *Voir*

The verb **voir** (*to see*) is irregular. There is an "i" to "y" change in the **nous** and **vous** forms.

je **vois**	nous **voyons**
tu **vois**	vous **voyez**
il/elle/on **voit**	ils/elles **voient**

14 Qu'est-ce qu'on voit?

Interpersonal Communication

À tour de rôle, demandez à votre partenaire ce qu'on voit à chaque endroit. Soyez logique! (Be logical!)

MODÈLE Chloé/au magasin
A: **Qu'est-ce que Chloé voit au magasin?**
B: **Elle voit des blousons.**

1. tu/à la médiathèque
2. nous/à la salle d'informatique
3. Julien et Jérémy/à la cantine
4. vous/au centre commercial
5. Zohra/classe
6. les copains/en ville

15 Tu aimes le cinéma?

Faites correspondre (match) *le titre des films à gauche avec le genre de film à droite. Vous pouvez faire des recherches en ligne.*

1. *Les Pirates des Caraïbes*
2. *Bienvenue chez les Ch'tis*
3. *Les 3 ninjas contre-attaquent*
4. *La Rafle*
5. *E.T. l'extra-terrestre*
6. *Halloween: Résurrection*
7. *Être et avoir*
8. *Amélie*

A. un film d'horreur
B. un documentaire
C. un film de science-fiction
D. une comédie romantique
E. une comédie
F. un drame
G. un film d'action
H. un film d'aventures

16 On va tous au cinéma!

Dites qui voit quel genre de films.

MODÈLE Victor aime rigoler.
Il voit une comédie.

1. Henri et moi, nous aimons voir les monstres, comme Frankenstein.
2. Solange et Hélène aiment pleurer.
3. La copine d'Henri aime les films où les acteurs et les actrices chantent (*sing*).
4. Sylvie adore Johnny Depp et tous les films "pirates."
5. Tu aimes l'histoire et les films biographiques.
6. Moi, j'aime les films où il y a des crimes et du mystère.
7. Georges et toi, vous préférez voir les extra-terrestres.

17 Lisons des textos!

Presentational Communication

Avec un partenaire, lisez les textos suivants. Récrivez-les en français standard.

Phone 1	Phone 2
1. Slt. sava?	bi1. mr6.
2. T ché 3?"	Chui o kfé. Pkoi?
3. Je vé o 6né. Tu vi1?	1posibl. p-ê 2m1?
4. dak. Rdv 2m1 à 7h o 6né.	dak. ab1to!

Cinquième partie

Les gens

Vocabulaire

1 Ma famille

Qui sont les membres de votre famille?

mon père ma mère mon frère ma sœur mon grand-père
ma tante mon oncle ma cousine mon cousin ma grand-mère moi

MODÈLE **La femme de mon grand-père, c'est ma grand-mère.**

1. Le père de ma mère, c'est....
2. La fille de mon oncle, c'est....
3. La sœur de mon père, c'est....
4. Le fils de ma mère, c'est....
5. Le frère de ma cousine, c'est....
6. Le père de mon cousin, c'est....
7. La femme de mon père, c'est....
8. La fille de mon père, c'est....

Structure de la langue

Passons en revue!

Agreement and Position of Regular Adjectives

Adjectives agree in gender (masculine or feminine) and in number (singular or plural) with the nouns or pronouns that they describe.

Most adjectives are made feminine by adding an **e** to the masculine singular form.
Alain est un garçon bavard. **Anne est une fille bavarde.**

Some masculine adjectives end in **e**; consequently, there is no change to the feminine form.
Le cours de maths est facile. **La chimie est facile aussi.**

Some adjectives are irregular and do not follow the patterns above.
Maxime est canadien. **Isabelle est canadienne.**
Bastien est généreux. **Sandrine est généreuse.**

Most adjectives are made plural by adding an **s** to the singular form.
Corinne est une élève drôle. **Sara et Marie sont des élèves drôles.**

Some adjectives end in **s** in the singular, and therefore, there is no change for the plural form.
J'ai un livre français. **Vous avez des livres français.**

In French, adjectives are usually placed after the noun that they describe.
Mon copain a une copine paresseuse.

2 Les meilleurs copains

Les contraires s'attirent. (Opposites attract.) *Décrivez* (Describe) *le meilleur copain ou la meilleure copine des élèves suivants. Utilisez les adjectifs contraires.*

MODÈLE Aurélie est paresseuse.
La meilleure copine d'Aurélie est diligente.

1. Abdou est timide.
2. Pauline est généreuse.
3. Sylvie est méchante.
4. Georges est diligent.
5. Janine est petite.
6. Victor est bête.

3 Comment sont-ils?

Décrivez les gens suivants selon leurs activités. Faites attention à l'accord. (Pay attention to agreement.)

MODÈLE Rosalie a un 17 en sciences, un 18 en maths, et un 16,5 en histoire.
Elle est intelligente.

1. Abdoulaye étudie beaucoup.
2. Evenye donne cinq euros à Méline.
3. Gabriel aide son grand-père le samedi.
4. Clara et Alima parlent beaucoup.
5. Amir et Alain jouent au basket, nagent, et travaillent au magasin.
6. Nicolas n'aime pas parler en public.
7. Sabine et sa sœur aiment dormir et regarder la télé tout le weekend.

Communiquez!

4 Décrivez, s'il vous plait!

Interpersonal Communication

À tour de rôle, demandez à votre partenaire de décrire (describe) *les gens suivants. Décrivez les cheveux, la taille* (size), *la personnalité au minimum. Puis, essayez de deviner* (guess) *l'identité de la personne.*

MODÈLE ta chanteuse préférée
A: **Comment est ta chanteuse préférée?**
B: **Elle a les cheveux blonds. Elle est grande. Elle est drôle. Elle est anglaise.**
A: **C'est Adèle?**
B: **Oui, c'est elle.**

1. un footballeur
2. une actrice
3. un acteur
4. un chanteur
5. un prof
6. une camarade de classe

C'est versus *il/elle est*

C'est and **il/elle est** are used to describe a person or a thing, and they both mean "he is" or "she is" as well as "it is."

Use **c'est**:

- with an article/possessive adjective + noun
  C'est ma prof d'histoire. — *She's my history teacher.*
- with an article + noun + adjective
  C'est un avocat bavard. — *He's a talkative lawyer.*
- with a name
  C'est Justine. — *She's Justine.*

C'est becomes **ce n'est pas** in a negative sentence. The plural form of **c'est** is **ce sont.**

C'est M. Tran. C'est mon médecin. Ce n'est pas mon oncle.
Voici M. et Mme Vigier. Ce sont des graphistes français.

Use **il/elle est**:

- with an adjective by itself
  Il est égoïste. — *He is selfish.*
- with a profession
  Elle est cuisinière. — *She's a cook.*

The plural form of **il/elle est** is **ils/elles sont.**

Voici M. Odier et Mme Renaud. Ils sont agents de police.

Note the use of **c'est** and **il/elle est** with nationalities.

C'est un Français. — *He's a Frenchman.*
Il est français. — *He is French.*

M. Aknouch? C'est un Algérien.

5 Ma dentiste!

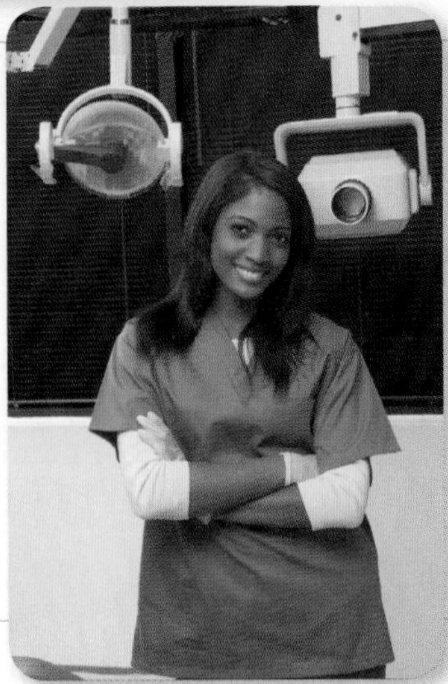

Mme Diouf

Complétez le paragraphe avec ***c'est, ce sont, elle est, ils sont.***

Je vous présente Madame Diouf. __________ ma dentiste. __________ sénégalaise. __________ une femme très intéressante. Ses fils s'appellent Moussa et Kemajou. __________ mes camarades de classe. __________ drôles et sympa. __________ des élèves diligents aussi. Ils ont une sœur. __________ petite, et elle ressemble à ses frères. __________ une fille timide, mais énergique.

Communiquez!

6 Les gens célèbres

Interpersonal Communication

Demandez à votre partenaire avec qui il ou elle veut (wants) *faire les activités suivantes. Choisissez la personne célèbre* (famous) *de la colonne A* (column A) *et la profession de la colonne B. Suivez le modèle.*

MODÈLE faire la cuisine
A: **Avec qui est-ce que tu veux faire la cuisine?**
B: **Avec Emeril Lagasse.**
A: **Pourquoi?**
B: **Parce que c'est un cuisinier drôle.**

A	B
Emeril Lagasse	une actrice sympa
Einstein	une femme généreuse
Bill Gates	un chanteur populaire
Zinédine Zidane	un cuisinier drôle
Le Président des États-Unis	un prof intelligent
J. K. Rowling	un homme d'affaires riche
Vanessa Paradis	un écrivain intéressant
Youssou N'Dour	un homme diligent
Oprah Winfrey	un athlète énergique

1. faire la cuisine
2. jouer au foot
3. chanter
4. lire
5. étudier pour le contrôle de physique
6. parler
7. voir un film
8. travailler
9. aller en ville

Possessive Adjectives

Possessive adjectives are used to show ownership or relationship. In French, they agree in gender and number with the noun that follows them.

	Singular		Plural
	Masculine	**Feminine**	
my	**mon**	**ma**	**mes**
your	**ton**	**ta**	**tes**
his, her, its, one's	**son**	**sa**	**ses**
our	**notre**	**notre**	**nos**
your	**votre**	**votre**	**vos**
their	**leur**	**leur**	**leurs**

Possessive adjectives agree with what is possessed and not with the owner.

Marie, tu aimes **tes** cousins, n'est-ce pas?

Son, sa and **ses** may mean "his," "her," "its," "one's." They agree in gender and number with the noun that follows and not with the owner.

Claire apporte **son** sac à dos à l'école.
Pierre a rendez-vous avec **ses** copains.

Directly before a feminine singular noun beginning with a vowel sound, use **mon, ton, son** rather than **ma, ta, sa.**

Je dois étudier pour **mon** interro d'anglais.

Les enfants aiment visiter leurs grands-parents.

Minouche regarde sa carte.

7 À qui est-ce?

*Dites à qui chaque objet appartient (*belongs*) en utilisant (*by using*) les adjectifs possessifs. Suivez le modèle.*

MODÈLE

toi
C'est ta carte cadeau.

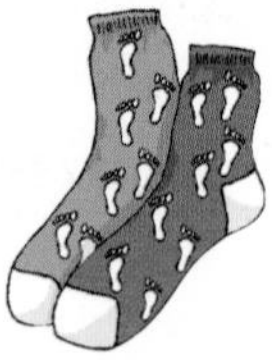

Léa
Ce sont ses chaussettes.

1. moi

2. Virginie

3. nous

4. vous

5. toi

6. Maude

7. moi

8. Romain et Raoul

9. Naya et Emma

10. Dominique et moi

8 On est très généreux!

*Dans la grande famille de Rose, tout le monde offre des cadeaux pour la fête de la St-Valentin. Complétez les phrases avec **son, sa, ses, leur** ou **leurs**.*

1. Mme Colbert offre un blouson à... mari.
2. Les jumelles (*twins*), Juliette et Justine, donnent une carte cadeau à... grands-parents.
3. M. Colbert achète un ballon de foot pour... fils, Xavier et Louis.
4. Cédric offre une écharpe à... mère.
5. Xavier et Louis préparent un gâteau pour... parents.
6. Juliette et Cédric achètent une casquette pour... oncle.
7. M. Colbert donne un nouveau portable à... femme.
8. M. et Mme Colbert achète des roses pour... fille, Rose.

9 Tu es trop curieux!

Interpersonal Communication

*À tour de rôle, jouez le rôle du camarade de classe trop curieux (*curious*). Suivez le modèle. Utilisez les adjectifs possessifs.*

MODÈLE cours de maths/facile
A: **Est-ce que ton cours de maths est facile?**
B: **Oui, mon cours de maths est facile. (Non, mon cours de maths est difficile.)**

1. maison/grand
2. copains/drôle
3. prof de français/sympa
4. cours de sciences/intéressant
5. cousins/timide
6. sac à dos/petit
7. grand-mère/généreux
8. camarade de classe/bavard

10 Une petite enquête

Interpersonal Communication

À tour de rôle et en groupes de trois, posez les questions suivantes et répondez. Utilisez ***votre, vos, notre*** *et* ***nos****.*

MODÈLE école/grand/petit
A: **Est-ce que votre école est grande ou petite?** (une personne)
B: **Notre école est grande.** (deux personnes)

1. cours d'EPS/facile/difficile
2. ordinateurs/être à la maison/à l'école
3. où/copains/à midi
4. prof de français/parler/anglais
5. médiathèque/avoir/beaucoup de tables
6. école/avoir/une piscine

Regular *–ir* verbs

To form the present tense of regular **–ir** verbs, drop the **–ir** from the infinitive to find the stem. Add the ending that corresponds to each of the subject pronouns. Regular **–ir** verbs follow a predictable pattern. Here is the present tense of the verb **choisir** (*to choose*).

je	chois**is**	nous	chois**issons**
tu	chois**is**	vous	chois**issez**
il/elle/on	chois**it**	ils/elles	chois**issent**

Other **–ir** verbs include **finir** (*to finish*), **grandir** (*to grow*), **grossir** (*to put on weight*), **maigrir** (*to lose weight*), **réfléchir (à)** (*to think over*), **réussir (à)** (*to succeed, to pass a test*), and **rougir** (*to blush*).

Communiquez!

11 Parlons!

Interpersonal Communication

*À tour de rôle, utilisez l'information suivante pour former des questions qui emploient (*use*) les verbes **–ir**. Parlez avec votre partenaire.*

choisir réussir maigrir grossir finir rougir

MODÈLE
A: J'aime bien mon cours de musique. (À quelle heure)
B: **À quelle heure est-ce que ton cours de musique finit?**
A: **Il finit à 2h30.**

1. Je mange beaucoup de desserts en été. (Est-ce que)
2. L'anniversaire de ma cousine est dimanche. (Quel cadeau)
3. J'ai six cours le vendredi. (À quelle heure)
4. Gabrielle est très timide, et elle doit parler devant la classe. (Est-ce que)
5. J'étudie un peu pour mon contrôle d'histoire. (Est-ce que)
6. Nous allons déjeuner au café. (Qu'est-ce que)
7. Ma sœur fait beaucoup de sports. (Est-ce qu'elle)
8. Nous allons voir un bon film ce soir. (À quelle heure)

12 Oui ou non?

*Lisez la phrase. Est-ce que l'activité entre parenthèses arrivera (*will happen*)?*

MODÈLE Éléonore adore les desserts. (choisir la glace?)
Elle choisit la glace.

Étienne est très actif (*active*). (grossir?)
Il ne grossit pas.

1. Gabriel mange des hamburgers et des frites. (maigrir?)
2. Nous étudions beaucoup. (réussir?)
3. Vous allez au magasin de sport. (choisir un short?)
4. Anaïs et Lilou vont à la médiathèque. (finir le devoir?)
5. Tu es très timide. (rougir?)
6. Je joue au foot, et je nage. (grossir?)
7. Mon frère regarde la télé de 18h00 à 22h00 lundi soir. (réussir au contrôle mardi?)
8. Tu veux acheter un cadeau pour ta mère. (réfléchir à ses besoins?)

13 Au Café Bon Ami

*Votre oncle va ouvrir (*open*) un nouveau café français en ville. Aidez-le à créer la carte. (*Help him create the menu.*) Mettez les mots (*words*) dans une des trois catégories sur une carte comme celle (*the one*) de dessous: plats (*main dishes*), boissons, ou desserts.*

pizza limonade quiche
glace à la vanille café
crêpe à la confiture
steak-frites coca gâteau
omelette croque-monsieur
eau minérale glace au chocolat
sandwich au fromage
jus d'orange
sandwich au jambon salade

~Café Bon Ami~
Plats
• pizza
Boissons
Desserts

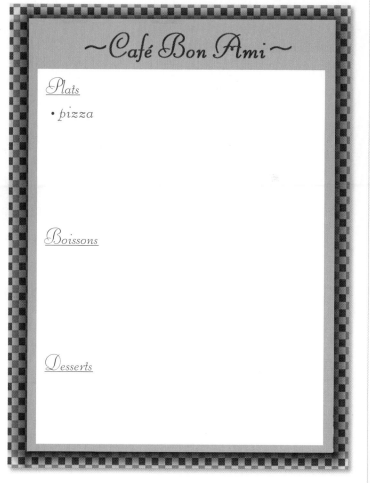

Prendre in the Present Tense

The irregular verb **prendre** means "to take" or "to have" when referring to food or beverage. Its forms are:

je	**prends**	nous	**prenons**
tu	**prends**	vous	**prenez**
il/elle/on	**prend**	ils/elles	**prennent**

Saniyya prend son ordinateur à l'école. *Saniyya is taking her computer to school.*
Mathis prend un sandwich au café. *Mathis is having a sandwich at the café.*

Other verbs that follow the same pattern as **prendre** are **apprendre** (*to learn*) and **comprendre** (*to understand*).

14 Qu'est-ce qu'on prend?

Regardez la carte du Café Bon Ami que vous avez faite, et dites ce que tout le monde prend pour le déjeuner.

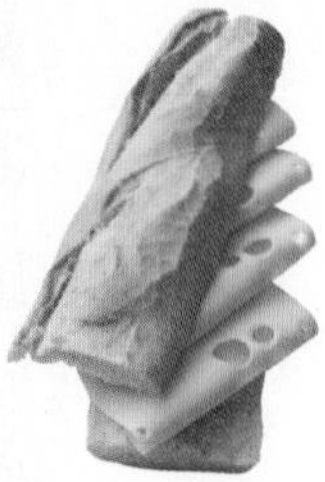

1. Koffi

2. mes parents

3. moi, je

4. ma sœur

5. toi, tu

6. Mégane et moi, nous

7. Noah et Inès

8. Simon et toi, vous

Communiquez!

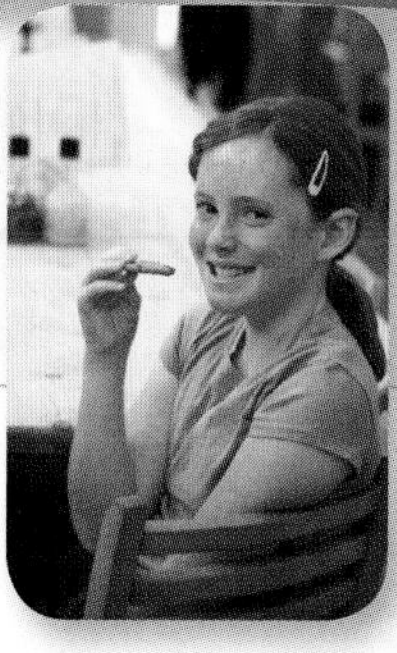

15 Allons au café!

Interpersonal Communication

À tour de rôle, jouez les rôles de deux ados qui parlent de cafés. Suivez le modèle. (Your teacher will tell you what the restaurant names mean.)

MODÈLE René et toi/Café Faim de Loup/Paris
A: **René et toi, vous allez au Café Faim de Loup à Paris. Qu'est-ce que vous prenez?**
B: **Nous prenons des salades, une quiche, un steak-frites, et des glaces.**

1. Marianne/Café Bonne Santé/Marseille
2. Nous/Café New York/New York
3. Emile et Lamine/Café Le Grand Fromage/Lyon
4. Nathalie et toi, vous/Café Choco Chocolat/Nice
5. Moi, je/Café Viva Roma/Nancy
6. Toi, tu/Café Californie/Strasbourg

Communiquez!

16 Conversation dirigée

Interpersonal/Presentational Communication

En groupes de trois (deux clients et un serveur/une serveuse), préparez et présentez la conversation suivante.

Au café

A		**B**
Ask, "Are you hungry?	→	Say that you are hungry and thirsty, too.
Suggest going to the Café Normandie.	→	Agree.

Le serveur

The server asks, "What are you (plural) having?"

Say that you are having an omelet and coffee.	→	Say, "For me, I'm having a ham sandwich and mineral water."

The server asks, "Are you having dessert?"

Say that you would like a crêpe.	→	Say that you choose vanilla ice cream.

The server repeats the order and says, "Very good!"

Say that the server is nice.	→	Say, "Yes, but a little shy."

Communiquez!

17 Trouvez un(e) camarade qui...

Interpersonal Communication

Prenez une feuille de papier, et écrivez les numéros 1–12. Posez les questions suivantes à des élèves différents. Si l'élève répond "Oui" à votre question, il ou elle doit signer à côté de (next to) *ce numéro.*

MODÈLE

Caroline: **Tu as deux frères?**
Paul: **Non, je n'ai pas deux frères.**
Caroline: **Tu prends un coca au déjeuner?**
Paul: **Oui, je prends un coca au déjeuner**. (Il signe à côté de numéro deux.)

Tu...?

1. avoir deux frères
2. prendre un coca au déjeuner
3. aimer l'eau minérale
4. réussir en maths
5. avoir les yeux verts
6. être bavard(e)
7. avoir plus de (*more than*) six cousins
8. avoir ta trousse en classe
9. finir tes devoirs avant (*before*) dix-neuf heures
10. prendre un sandwich à la cantine
11. rougir beaucoup
12. avoir un copain ou une copine très énergique

18 Une lettre autobiographique

*Vous allez passer l'été avec les Artaud, une famille française, et vous devez leur écrire une lettre dans laquelle (*in which*) vous vous décrivez (*describe yourself*).*

Chers M. et Mme Artaud,

- State your name.
- Give your age and your birthday.
- Tell them your hair and eye color, and whether you are tall, short or of medium height.
- Describe your personality with three descriptive adjectives.
- Say how many brothers and sisters you have or if you are **un(e) enfant unique** (*only child*).
- Say if you succeed in school and which two subjects you prefer.
- Name two activities you like to do outside of school.
- Tell them what kind of music you listen to and what genres of movies you see.
- Tell them what you normally have for lunch. (**Pour le déjeuner, je prends...**)
- Finish by saying that you look forward to meeting them. (**J'attends avec impatience le plaisir de faire votre connaissance.**)
- Sign your name.

Unité

6 La rue commerçante

Rendez-vous à Nice!

Épisode 6:

Au travail!

Citation

"La beauté échappe aux modes passagères."

Beauty escapes passing styles.

—Robert Doisneau, photographe français

À savoir

The tradition of the French open-air market dates back to the Middle Ages, and continues today. Meat, candy, flowers, fruit and vegetables, and clothing are some of the most popular items.

Unité 6

La rue commerçante

Question centrale

How is shopping different in other countries?

Why is Jean-Charles upset?

A. Charlotte is ill.
B. He caught Patrick at Charlotte's house.
C. He caught Patrick kissing Charlotte.

In what parts of the francophone world can you find open-air markets like this?

Contrat de l'élève

Leçon A I will be able to:

- shop for clothes.
- talk about shopping online in France, French flea markets, designers, and clothing in West Africa.
- use the verbs **acheter** and **vouloir** and demonstrative adjectives.

Leçon B I will be able to:

- sequence activities.
- talk about French stores, cheeses, and metric measurements.
- use regular –**re** verbs and expressions of quantity.

Leçon C I will be able to:

- make purchases at the market.
- talk about French and North African markets and the slow food movement in France.
- use the partitive in affirmative and negative sentences.

Leçon A

Vocabulaire actif

emcl.com
WB 1–2
LA 1–2
Games

À la boutique

Les vêtements (m.)

emcl.com
WB 1–3
LA
Games

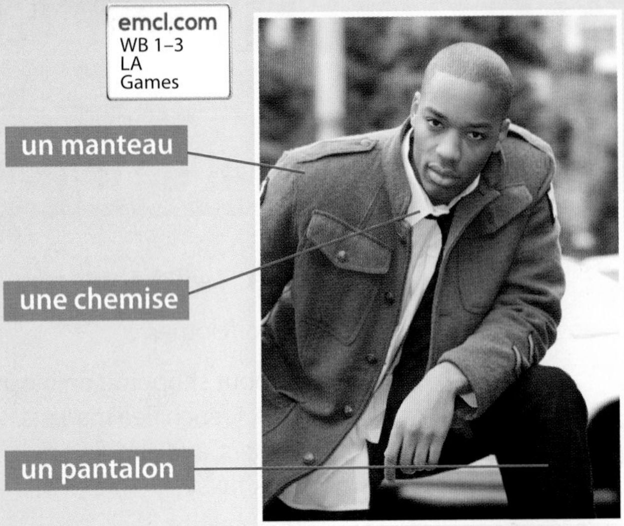

Les chaussures (f.)

Les couleurs (f.)

Le pull **violet** est **joli**.

La chemise **violette** est **moche.**

Pour la conversation

What do I say to find the clothes I want?

› **Je cherche** une jupe.
I'm looking for a skirt.

› **Vous avez** le pantalon **en** gris/**en** 38?
Do you have the pants in gray/in a size 38?

What does the salesperson say?

› **Je peux vous aider?**
May I help you?

› **De quelle couleur?**
What color?

› **Quelle taille faites-vous?**
What's your size?

Et si je voulais dire...?

à la mode	*in style*
un anorak	*ski jacket*
des bas	*(panty) hose*
un costume	*man's suit*
court(e)	*short*
une cravate	*tie*
long(ue)	*long*
un sweat	*sweatshirt*
un tailleur	*woman's suit*

1 Le voyage de Fatima

Fatima va voyager avec un groupe d'élèves qui va donner des concerts en Europe. Comparez les deux listes. Ensuite, dites ce dont (what) *elle a besoin, selon la liste de sa prof et la liste de ce qu'elle a déjà* (already).

MODÈLE **Fatima a besoin d'une chemise blanche....**

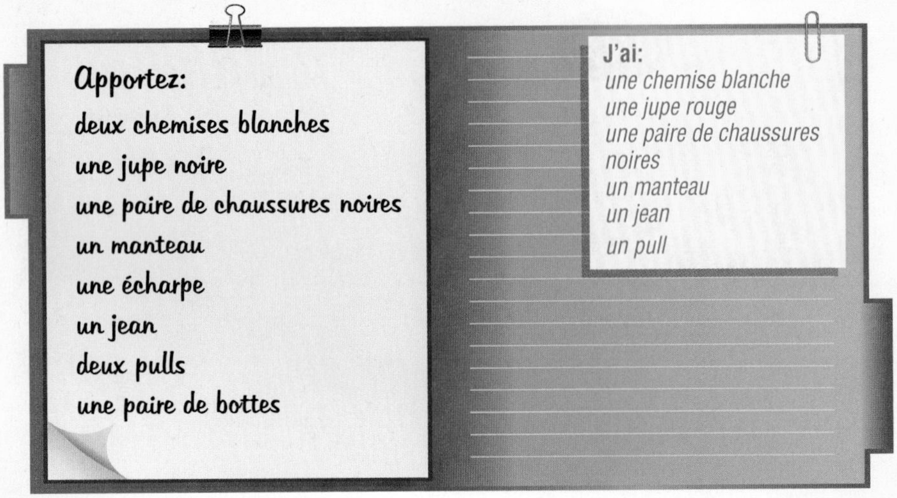

Communiquez!

2 On fait du shopping!

Interpersonal Communication

Vous cherchez les vêtements suivants dans un magasin. Avec un partenaire, jouez les rôles du vendeur et son client.

MODÈLE

A: **Je peux vous aider?**
B: **Oui, je cherche un pull.**
A: **De quelle couleur?**
B: **Un pull vert, s'il vous plaît.**
A: **Voilà un pull vert.**
B: **Combien coûte le pull?**
A: **Trente-six euros.**

3 Qu'est-ce qu'on porte?

Choisissez l'illustration qui correspond à chaque description que vous entendez.

A. 
B. 
C. 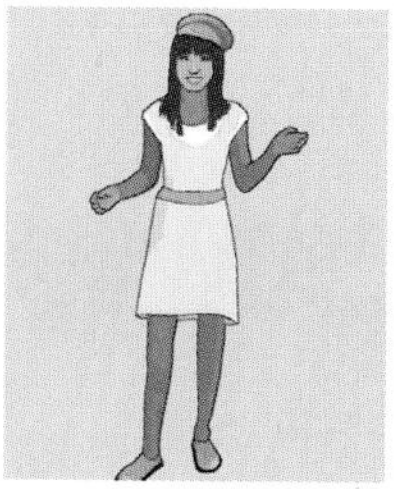
D. 

E. 
F. 
G. 
H. 

4 Qu'est-ce qu'ils portent aujourd'hui?

Choisissez un ado. Dites ce qu'il ou elle porte aujourd'hui. Votre partenaire va identifier la personne basée sur votre description.

5 Questions personnelles

Répondez aux questions.

J'aime acheter les chapeaux!

1. Est-ce que tu aimes faire du shopping?
2. Préfères-tu faire du shopping au centre commercial, au magasin, ou à une boutique?
3. Quels vêtements est-ce que tu cherches d'habitude au magasin?
4. Aimes-tu porter des chapeaux? Des chaussures? Des maillots de bain?
5. As-tu un manteau et des bottes pour le mois de janvier?
6. As-tu besoin d'un nouveau pull? D'un nouveau jean?
7. Qu'est-ce que tes amis et toi, vous portez quand vous allez à l'école?
8. Qu'est-ce que tes amis et toi, vous portez quand vous allez au restaurant avec vos parents?
9. Qu'est-ce que tu apportes quand tu voyages?

Rencontres culturelles

Camille cherche un ensemble.

Yasmine et Camille font du shopping dans une boutique.

Yasmine: Mais, qu'est-ce que tu cherches?
Camille: Je cherche une jupe et un pull pour la teuf vendredi soir.
Vendeuse: Je peux vous aider?
Yasmine: Ma copine cherche une jupe et un pull, taille *small*.
Vendeuse: De quelles couleurs?
Camille: Je veux une jupe noire et un pull rose.
Vendeuse: Alors, c'est là-bas. Allez voir.
Camille: Je veux essayer cette jupe et ce pull.
Yasmine: Vas-y!

(*Camille sort de la cabine d'essayage.*)

Camille: Tu trouves que cet ensemble me va bien?
Yasmine: Tu es très chic, comme un mannequin de Gaultier!
Camille: Donc, j'achète. Ensuite, le marché aux puces pour trouver un foulard bon marché.
Yasmine: Autrement, tu peux trouver un foulard en ligne.

6 Camille cherche un ensemble.

Complétez chaque phrase.

1. Yasmine et Camille sont dans....
2. Camille cherche un ensemble pour....
3. ... aide Camille.
4. Camille désire essayer....
5. Yasmine compare Camille à....
6. Comme accessoire, Camille désire trouver....

Extension **Lucas est chic?**

Lucas fait du shopping dans une boutique avec son copain Théo.

Lucas: Pardon, Monsieur, je cherche un pantalon en coton.
Vendeur: Tu aimes ce jean framboise?
Lucas: Oui, ce jean framboise et ce polo mauve....
Théo: Comme ça, les filles, elles vont s'affoler....
Lucas: Tu penses, vraiment?

Extension How would you describe Lucas' style?

Points de départ

emcl.com
WB 6–8

Question centrale

How is shopping different in other countries?

e-commerce: acheter en ligne

Cinquante-huit pourcent des personnes qui utilisent l'Internet en France font du shopping en ligne. Ils achètent des produits de tourisme (56%); des billets* de concerts, de théâtre, etc.; des CD, des DVD, et des livres (45%); des vêtements (48%); et des produits techniques (type téléviseur, 50%). Il y a aussi des personnes qui achètent des choses à manger au supermarché en ligne. Le e-commerce représente 30.000.000.000 d'euros par an* en France.

Search words: la redoute, 3 suisses, tati

billet *ticket*; **par an** *yearly*

COMPARAISONS

What percentage of your clothing do you and your friends buy online? What else do you buy online?

Les marchés aux puces*

Un marché aux puces est un marché en plein air* où on vend des articles d'occasion* et des antiquités. Il y a environ 10.000 marchés aux puces en France, mais le plus important est le marché de Saint-Ouen, à côté de Paris. C'est le plus grand marché d'antiquités au monde avec 2.000 stands dispersés dans un ensemble de 17 marchés différents. "Aller aux puces" est une promenade* que des millions de Parisiens et de touristes aiment faire chaque année.

Le marché aux Puces de Saint-Ouen est ouvert du lundi au samedi, de 9h00 à 18h00.

Search words: paris puces, marché aux puces de saint-ouen

plein air *open-air;* **d'occasion** *used;* **promenade** *outing;* **marchésaux puces** *Flea Markets*

La haute couture*

Le mannequin porte un manteau rose et bleu Chanel.

Chanel, Dior, Givenchy, Lanvin, Cardin, Saint-Laurent, Balenciaga, Jean-Paul Gaultier, et Christian Lacroix sont les grands noms de la haute couture française. Ils présentent leurs collections de vêtements (été et hiver) deux fois* par an. Chaque robe, tailleur (*suit*), ou ensemble est unique et peut coûter 100.000 euros. Les stars du show business servent souvent d'inspiration pour les collections de certains couturiers*: Madonna et Jean-Paul Gaultier; Catherine Deneuve et Saint-Laurent; Vanessa Paradis, Nicole Kidman, et Audrey Tautou pour Chanel.

Search words: chanel paris, jean paul gaultier

haute couture *high fashion*; **fois** *times*; **couturiers** *designers*

Produits

C'est Coco Chanel qui a créé (*created*) "**la petite robe noire**" dans les années 20. Beaucoup de femmes considèrent cette robe courte et simple un vêtement essentiel. On la porte le soir pour sortir et son dessin classique assure qu'elle va être toujours à la mode (*in fashion*).

La Francophonie

En Afrique: Les vêtements

En Afrique de l'Ouest, les vêtements sont souvent en **pagne**, un tissu* très coloré. Les femmes portent des tailleurs, de grandes robes, et des foulards de tête* en **pagne**. Les hommes portent des **boubous** (une sorte de robe pour homme) et des chemises en **pagne**. Pour les jours de fête, on porte des vêtements en **bazin**, un tissu en coton coloré qui a un aspect de papier glacé*.

tissu *fabric*; **foulards de tête** *headscarves*; **glacé** *glazed*

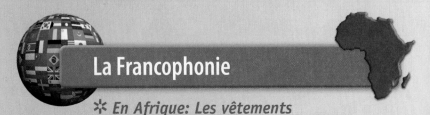

Beaucoup de femmes africaines portent des foulards de tête.

7 Questions culturelles

Répondez aux questions.

1. Au sujet du e-commerce, à quoi correspondent ces chiffres?
   - 56%
   - 45%
   - 48%
2. Qu'est-ce qu'on achète au marché aux puces?
3. Comment s'appelle le plus grand marché aux puces en France?
4. Quels sont les noms de trois grands couturiers en France?
5. Quels couturiers sont associés avec ces stars?
   - Audrey Tautou et Nicole Kidman
   - Madonna
   - Catherine Deneuve
6. Quels sont les vêtements traditionnels pour les femmes et les hommes africains?

La petite fille sénégalaise porte une robe en pagne.

Perspectives

Some French people say they can pick out Americans traveling in France even before they speak. What styles and clothing do you think they consider as "American"?

Du côté des médias

8 Shopping en ligne

Regardez cette page de catalogue. Ensuite, répondez aux questions ou complétez le projet.

1. Ces vêtements sont pour les filles de quel âge?
2. Pour compléter ces ensembles, vous choisissez quelles catégories (à gauche)?
3. Comparez les prix (*prices*) des trois produits avec les prix d'un catalogue américain.
4. Faites votre propre (*own*) page de catalogue Internet. Sélectionnez des images de vêtements, décrivez-les (*describe them*) en français, et dites combien chaque article coûte.

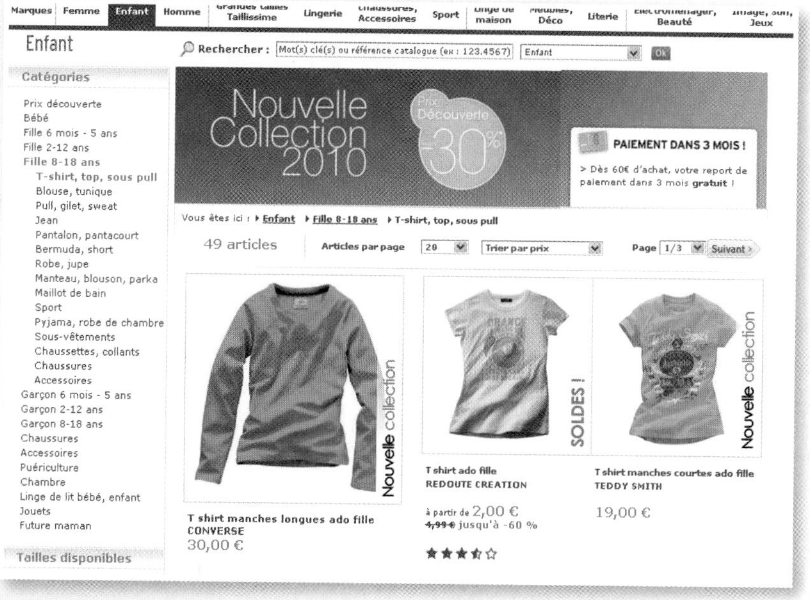

emcl.com
WB 9–10
Games

Present Tense of the Verb *acheter*

Mme Diouf achète une robe pour sa fille ou pour elle-même? Les deux achètent des vêtements?

The endings of the verb **acheter** (*to buy*) are regular, but there is an **accent grave** over the final **e** (**è**) in the stem of the **je**, **tu**, **il/elle/on**, and **ils/elles** forms like in the verb **préférer**.

acheter			
j'	**achète**	nous	**achetons**
tu	**achètes**	vous	**achetez**
il/elle/on	**achète**	ils/elles	**achètent**

Pronunciation Tip

The shaded section shows you which forms have a spelling change in the verb stem. All these forms are pronounced the same way.

COMPARAISONS

Is the verb to buy regular or irregular in English?

I buy, you buy, she buys, we buy, they buy

Tu **achètes** le maillot de bain orange? *Are you buying the orange bathing suit?*

Je n'**achète** pas ça! *I'm not buying that!*

9 À Flunch

Dites ce qu'on préfère et ce qu'on achète à la cafétéria Flunch.

MODÈLE **Sabrina préfère la glace au chocolat, mais elle achète la salade.**

Sabrina

1. Amidou et sa sœur

2. ma tante

3. Noémie et moi, nous

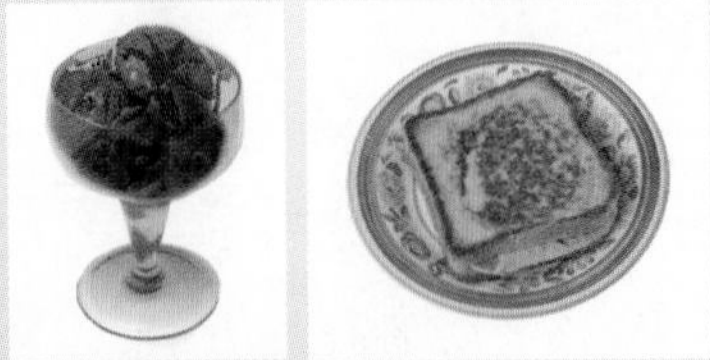

4. Rahina et toi, vous

?

5. moi, je

COMPARAISONS: In English the verb "to buy" is regular.

Communiquez!

10 Qu'est-ce que tu achètes?

Qu'est-ce que tu achètes pour la teuf?
J'achète un pantalon et des tennis.

Interpersonal Communication

À tour de rôle, discutez avec un partenaire de ce que vous achetez pour chaque (each) situation.

MODÈLE A: **Qu'est-ce que tu achètes pour la rentrée?**
B: **J'achète un jean, des tee-shirts, et des pulls.**

1. la rentrée
2. la teuf d'un(e) ami(e)
3. un voyage en décembre
4. un voyage en juillet
5. pour jouer au foot
6. pour faire du footing

Present Tense of the Irregular Verb *vouloir*

emcl.com
WB 11–12
Games

The verb **vouloir** (*to want*) is irregular.

vouloir			
je	**veux**	nous	**voulons**
tu	**veux**	vous	**voulez**
il/elle/on	**veut**	ils/elles	**veulent**

COMPARAISONS

You already know one form of the verb vouloir that you use when you ask for something politely: Je voudrais essayer le pantalon gris. What would the English equivalent of this sentence be? In both French and English, the conjugated verb is in what tense?

Pronunciation Tip

The singular forms of **vouloir (veux, veux, veut)** are all pronounced the same way.

Usage Tip

The verb **vouloir** can be followed by a verb or a noun.

Quand **voulez**-vous faire du shopping? *When do you want to go shopping?*
Je **veux** un nouveau pantalon maintenant! *I want a new pair of pants now!*

COMPARAISONS: **Je voudrais** and "I would like," both translations, are in the conditional tense. In this instance, the conditional is used to make a polite request.

11 On veut faire du shopping.

Alexis, son frère, et sa sœur veulent faire du shopping au marché aux puces. Complétez la note d'Alexis à ses parents avec la forme appropriée du verbe ***vouloir***.

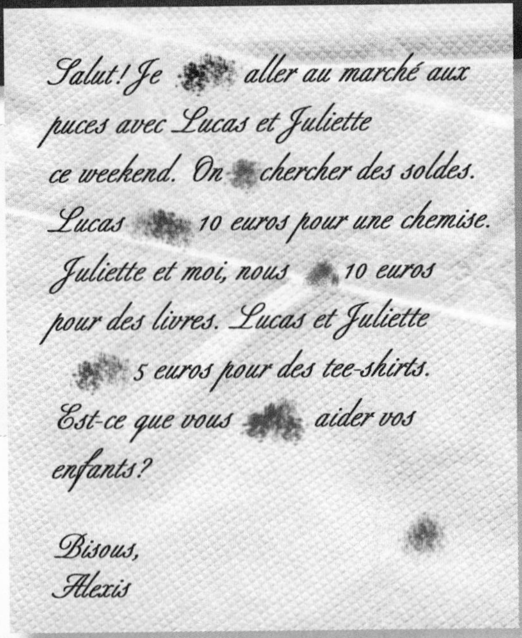
Salut! Je aller au marché aux puces avec Lucas et Juliette ce weekend. On chercher des soldes. Lucas 10 euros pour une chemise. Juliette et moi, nous 10 euros pour des livres. Lucas et Juliette 5 euros pour des tee-shirts. Est-ce que vous aider vos enfants?

Bisous,
Alexis

12 Faisons du shopping!

Choisissez le rayon (department) *du magasin où M. et Mme Chambon et leurs enfants, Gabrielle (5 ans) et Julien (10 ans), trouvent les vêtements.*

A. rayon (*department*) garçons
B. rayon filles
C. rayon hommes
D. rayon femmes

M. et Mme Chambon trouvent une robe pour leur fille au rayon filles.

Communiquez!

13 Qu'est-ce que tu veux d'habitude (*usually*)?

Interpersonal Communication

Interviewez votre partenaire pour trouver ce qu'il ou elle veut dans les situations suivantes.

MODÈLE tu as soif/prendre
A: **Quand tu as soif, qu'est-ce que tu veux prendre d'habitude?**
B: **Je veux prendre une eau minérale. Et toi, qu'est-ce que tu veux prendre d'habitude?**
A: **Je veux prendre un jus d'orange.**

1. tu as faim/manger
2. tu vas à une teuf/porter
3. c'est l'anniversaire de ton ami(e)/offrir
4. tu vas au centre commercial/acheter
5. tu vas au cinéma/voir
6. tu as soif/prendre

Je veux porter une chemise et une jupe. Et toi?
Quand tu vas à une teuf, qu'est-ce que tu veux porter d'habitude?

emcl.com
WB 13–15
Games

Demonstrative Adjectives

Tu veux cette glace, ce yaourt, ou ces bonbons comme dessert?

Demonstrative adjectives are used to point out specific people or things. The demonstrative adjectives in French are **ce**, **cet**, and **cette**, which mean "this" or "that," and **ces**, which means "these" or "those." These adjectives agree with the nouns that follow them.

Singular			Plural (m. + f.)
Masculine before a consonant sound	**Masculine before a vowel sound**	**Feminine**	
ce pull	**cet** ensemble	**cette** jupe	**ces** chaussures

14 Mon album de photos

Faites un album de photos. Écrivez une légende (caption) *pour chaque photo de votre famille réelle ou imaginaire.*

MODÈLE Cet homme est mon oncle, Bill.

Communiquez!

15 C'est combien?

Interpersonal Communication

Avec un partenaire, jouez les rôles d'un(e) client(e) et un vendeur ou vendeuse dans une boutique.

MODÈLE **A: C'est combien, cette robe jaune?**
B: Cette robe jaune coûte 80 euros.

80 €

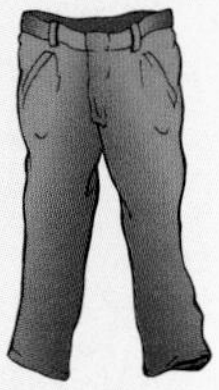
1. 37 €

2. 120 €

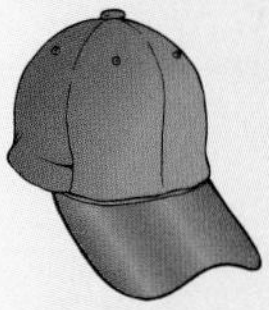
3. 38 €

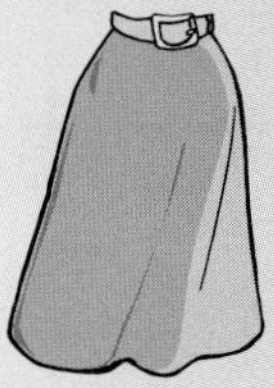
4. 69 €

5. 72 €

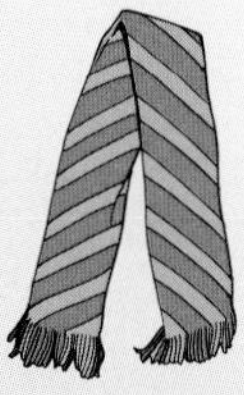
6. 25 €

7. 97 €

8. 77 €

9. 152 €

Communiquez!

16 Comment est-ce que tu trouves...?

Interpersonal Communication

Trouvez huit photos d'athlètes, chanteurs, metteurs-en-scène, et acteurs. À tour de rôle, demandez à votre partenaire son opinion de ces personnes célèbres. Utilisez une profession de la liste dans chacune (each) de vos réponses.

un chanteur	une chanteuse	un acteur	une actrice
un metteur en scène	un(e) athlète		

MODÈLE Shaun White

A: **Comment est-ce que tu trouves Shaun White?**

B: **J'aime bien cet athlète. Il est énergique.**

ou

Je n'aime pas cet athlète. Il est égoïste.

Comment est-ce que tu trouves Audrey Tautou?
J'aime un peu cette actrice. Elle est sympa.

À vous la parole

Question centrale
How is shopping different in other countries?

Communiquez!

17 Le prêt-à-porter

Interpersonal Communication

With a partner, role-play a scene between a salesperson and customer shopping in **un grand magasin**, or department store. In the conversation, the salesperson finds out what the customer is looking for, what color he or she would like, and the customer's size. The salesperson then finds the item and they discuss its price.

Communiquez!

18 Un défilé de mode

Interpretive/Presentational Communication

Follow the steps below to create a plan for a fashion show for your classmates.

- Visit the online catalogues of French stores **La Redoute** or **3Suisses** or **Tati**.
- Select six to eight outfits for different occasions.
- Print photos or create drawings for your selections.
- Prepare a detailed description of each outfit. Present your outfits to a group of classmates.

Search words: la redoute, 3suisses, tati

Prononciation

No Liaison

- As a general rule, words in a sentence are connected. However, liaison does not occur between the **tu** form of **aller** and a verb beginning with a vowel. For example, there is no liaison in **Tu vas° aller° au cinéma**?

A Les endroits

Listen to the question, then replace the location.

MODÈLE

You see: **à la salle d'informatique**
You say: **Tu vas° à la salle d'informatique?**

1. au stade
2. au labo
3. à la piscine
4. à la médiathèque

- Liaison does not occur before or after the word **et**.

B Au café

Repeat the statement, replacing the food items and/or drinks.

S'il vous plaît, **un thé° et° un coca**!

1. un café° et° un coca!
2. un croissant° et° une limonade!
3. un chocolat° et° un café!

Pronunciation of /o/ and /õ/

- The vowel /o/ in **beau** is different from the nasal vowel /õ/in **bon**.

C Les sons /o/ et /õ/

Repeat the sentences, paying careful attention to the sounds /o/ and /õ/.

1. C'est un beau blouson. C'est un beau pantalon.
2. C'est un bon gâteau. C'est un bon cadeau.

D Eh bien, dis donc...!

Pronounced /ebjɛ̃didõ/, ***Eh bien, dis donc*** *expresses surprise. Repeat each of these sentences to practice the sound /õ/.*

Eh bien, dis donc, ce jambon est... spécial!
Eh bien, dis donc, ce melon est... génial!
Eh bien, dis donc, ce saucisson est... original!

E Choisissez le son correct.

Write ***V*** *if you hear the vowel /o/ or* ***N*** *if you hear the nasal vowel /õ/.*

Leçon B

Vocabulaire actif

emcl.com
WB 16–17
LA 1–2
Games

On fait les courses.

la boulangerie

la baguette

le croissant

le pain

la pâtisserie

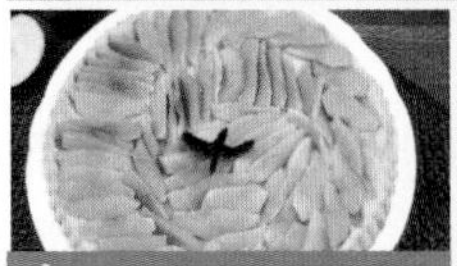

la tarte aux pommes

le gâteau

la crémerie

le beurre

le lait

les œufs (m.)

le fromage

le yaourt

le camembert

la boucherie

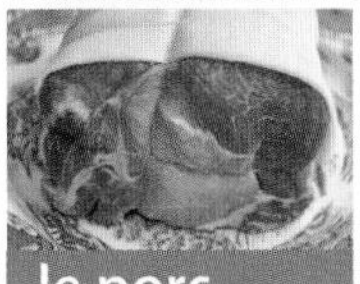

le porc

le bœuf

le poulet

l' épicerie (f.)

la mayonnaise

la moutarde

le ketchup

la confiture

la soupe

la charcuterie

le jambon

le pâté

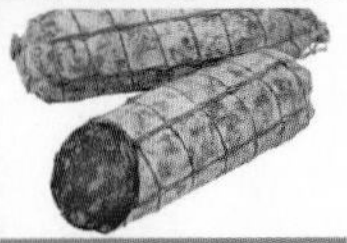

le saucisson

Quelle quantité de mayonnaise a-t-on?

4. M. Durand a trop de mayonnaise.

2. Mme Durand a assez de mayonnaise.

3. Marie-Alix a beaucoup de mayonnaise.

1. Guillaume a un peu de mayonnaise.

Mme Roussin fait les courses au supermarché.

emcl.com
WB 18–20

Liste d'achats

6 tranches (f.) de jambon
un kilo de beurre
un paquet de café
un pot de moutarde
un paquet de pâtes
un morceau de fromage
un litre de lait
une bouteille d'eau minérale
une boîte de soupe

Pour la conversation

How do I sequence my activities?

› Je vais **d'abord** à la crémerie acheter du beurre et du fromage.

First I'll go to the dairy store to buy some butter and cheese.

› **Ensuite**, je vais à la charcuterie.

Then I'll go to the delicatessen.

› **Enfin**, je vais à l'épicerie.

Finally, I'll go to the grocery store.

Et si je voulais dire...?

une barre céréalière	*nutrition bar*
des biscuits (m.)	*cookies*
une brioche	*sweet bread*
la boucherie chevaline	*horse meat shop*
des chips (m.)	*potato chips*
un flan	*custard pie*
une livre de	*a pound of*
un pain au chocolat	*chocolate croissant*
le poisson	*fish*
la poissonerie	*fish shop*

1 Je fais les courses.

Choisissez la description qui correspond à chaque illustration.

1.

2.

3.

4.

5.

6.

7.

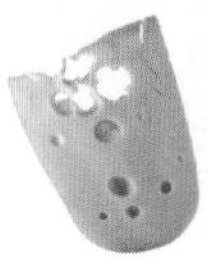
8.

A. six tranches de jambon
B. un kilo de beurre
C. une boîte de soupe
D. un pot de moutarde
E. un paquet de pâtes
F. un morceau de fromage
G. un litre de lait
H. une bouteille d'eau minérale

2 Une tartine pour le petit déjeuner

On prépare le petit déjeuner (breakfast). *Dites quelle quantité de confiture chaque personne a.*

1. Mélanie

2. Paul

3. M. Leroy

4. Mme Leroy

3 Mme Deschanel fait les courses.

Lisez le paragraphe. Ensuite, répondez à la question.

Madame Deschanel a besoin de faire les courses parce qu'elle invite ses parents pour le dîner. Elle préfère acheter ses provisions chez les petits commerçants. D'abord, elle achète cinq cent grammes de fromage et une douzaine d'œufs. Ensuite, elle achète un poulet, une tarte aux pommes, et deux baguettes. Enfin, elle va acheter une tranche de pâté et deux saucissons.

Madame Deschanel va faire les courses à quels magasins?

Mme Deschanel va acheter une tarte aux pommes à la pâtisserie.

Communiquez!

4 Le dîner

Interpersonal Communication

À tour de rôle, demandez à votre partenaire quels aliments (foods) *il ou elle préfère.*

MODÈLE A: **Tu préfères le pâté ou le saucisson?**
B: **Je préfère le saucisson.**

1. 

2. 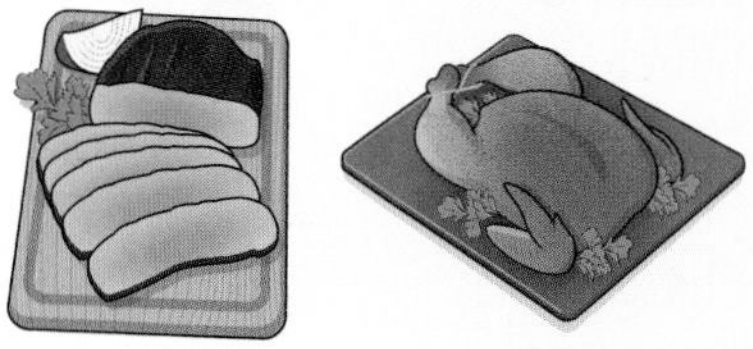

3. 

4. 

5. 

Communiquez!

5 Les petits commerçants

Interpersonal Communication

À tour de rôle, demandez à votre partenaire s'il ou elle a besoin d'acheter l'objet. Votre partenaire va dire "oui" et où il ou elle va pour l'acheter.

MODÈLE A: **Tu as besoin de fromage?**
B. **Oui, je vais à la crémerie.**

1. 

2. 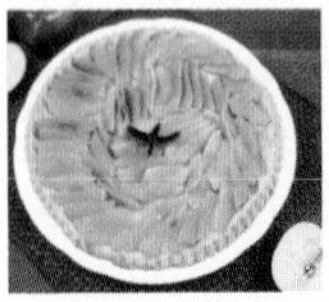

3. 

4. 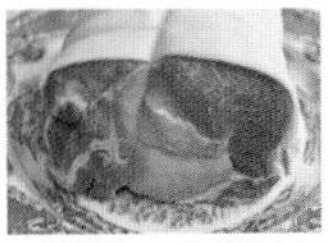

5. 

6. 

7. 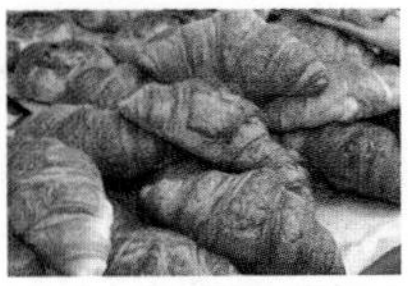

8. 

6 La chronologie

Indiquez le magasin où François achète les choses que vous entendez.

A. la boulangerie
B. la crémerie
C. la boucherie
D. le supermarché
E. la pâtisserie
F. la charcuterie

7 En ville

Dites où vous allez, ensuite ce que vous y (there) *faites.*

MODÈLE Je regarde un match.
D'abord, je vais au stade.
Ensuite, je regarde un match.

1. J'étudie.
2. Je prends un croque-monsieur et un coca.
3. Je nage.
4. J'achète un ensemble bleu.
5. Je surfe sur Internet.
6. Je fais du shopping.
7. Je fais les courses.
8. Je vois un drame français.
9. J'achète un pot de confiture.

8 Au nouveau supermarché

On fait les courses au nouveau supermarché, mais c'est difficile de trouver certains produits. Dites que, enfin, les gens trouvent ce qu'ils cherchent.

MODÈLE M. Roussel
Enfin, M. Roussel trouve le bœuf.

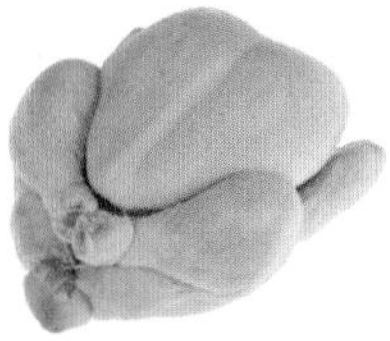

1. Mme Vaillancourt

2. Mlle Fleury

3. M. Moreau

4. Jules

5. Mlle Martin

6. Anne-Marie

9 Questions personnelles

Répondez aux questions.

1. Est-ce que tu préfères le porc, le bœuf, ou le poulet?
2. Manges-tu un peu ou beaucoup de fromage? De yaourt?
3. Dans ta famille, qui aime faire les courses?
4. Est-ce que tu aimes faire les courses?
5. Qu'est-ce que ta famille va acheter au supermarché ce weekend?

Rencontres culturelles

Chez Momo

Julien et Maxime font les courses dans l'épicerie de Momo.

Julien: Bon, mes parents ne sont pas à la maison ce soir. Je t'invite à manger. Qu'est-ce que tu veux?
Maxime: Du couscous. On achète combien de paquets? Deux?
Julien: D'accord.
Momo: Tiens, j'ai des légumes tous prêts pour préparer le couscous.
Maxime: Ils sont frais?
Momo: Tout frais d'aujourd'hui, mon ami.
Julien: Alors, 500 grammes. On prend aussi un litre de coca, s'il vous plaît. Ça coûte combien?
Momo: 9,50 euros. Et prends ce pain pour manger avec, c'est un cadeau.
Julien: Merci, Momo. À bientôt!
Maxime: Dis, Julien, où est-ce qu'on vend des tartes aux fruits?
Julien: À la pâtisserie Giscard.
Maxime: C'est moi qui les offre. Enfin, on cherche une crémerie pour acheter un peu de camembert.

10 Chez Momo

Répondez aux questions.

1. Qui n'est pas à la maison de Julien ce soir?
2. Qu'est-ce que Julien et Maxime vont manger?
3. Combien de légumes frais Julien va-t-il prendre?
4. Julien et Maxime ont-ils soif?
5. Qu'est-ce que Momo offre comme cadeau?
6. Julien et Maxime vont aller à quels magasins maintenant?

Extension **Au rayon charcutier du supermarché**

Apolline et François font les courses.

Apolline: Alors, on prend quoi comme hors-d'œuvre?
François: Coppa et jambon corse, c'est bien, non?
Apolline: Avec le melon, parfait!
François: Ça veut dire pas de melon au dessert....
Apolline: Non, on prend du sorbet avec des fraises et des framboises.
François: Alors, sorbet citron vert et deux bouteilles de Badoit!

Extension Qu'est-ce qu'Apolline et François vont prendre comme hors-d'œuvre et dessert?

Points de départ

emcl.com
WB 21–22

Question centrale
How is shopping different in other countries?

Les hypermarchés et les petits commerces

De plus en plus de Français font les courses aux hypermarchés, des grands magasins qui vendent des produits alimentaires* et non alimentaires. Depuis le début des années 60, les hypermarchés ont influencé comment les Français font leurs courses et ce qu'ils* achètent. Les plus importants sont Carrefour, Auchan, Leclerc, et Intermarché. Aujourd'hui les petits commerces représentent seulement* 15% du total du commerce dans l'alimentation (boucherie, crémerie, épicerie....)

Search words: supermarchés en ligne

Avec Carrefour en ligne vous n'avez pas besoin d'aller au magasin.

alimentaires *food;* **ce qu'ils** *what they;* **seulement** *only*

Produits

Le pâté est une préparation à base de viande hachée (*minced meat*) souvent mélangée (*mixed*) avec du gras (*fat*), des épices (*spices*), des herbes, des légumes, ou du vin (*wine*). On achète du pâté à la charcuterie ou au supermarché. Cherchez des photos et des recettes en ligne.

Les fromages

COMPARAISONS

What cheeses are popular where you live?

"Comment voulez-vous gouverner un pays où il existe 258 variétés de fromage?"

—Charles De Gaulle, président de la France (1959–1969)

Chaque région en France a ses spécialités. La Normandie a le camembert; l'Auvergne, le bleu; le Jura, le comté; la Savoie, la tomme; l'Alsace, le munster.... Mais l'emmental, de Savoie, et le camembert sont les fromages les plus populaires en France.

Le fromage est si important en France qu'il entre dans de nombreuses expressions, comme par exemple: "en faire tout un fromage" qui signifie exagérer et "entre la poire* et le fromage" qui indique le bon moment pour discuter d'une affaire.

Search words: fromage français

Producteurs de fromage: 1. USA 2. Allemagne 3. France

Exportateurs de fromage: 1. France 2. Allemagne 3. Pays-Bas

Consommateurs de fromage (par habitant): 1. Grèce 2. France 3. Italie

si *so;* **poire** *pear*

L'expression des mesures

COMPARAISONS

If you were to buy a maxi bouteille of your favorite soft drink in France, would it be more or less than a gallon?

En France, on utilise le système métrique. Pour le poids* (fruits, légumes, viande), on utilise le kilo (1.000 grammes), la livre (500 grammes), ou la demi-livre (250 grammes). Pour les quantités de moins d'une demi-livre on utilise les grammes. Certaines expressions sous-entendent* des quantités.

Quantité	Mesure métrique
le paquet de café	250 grammes
la plaquette de beurre	125 grammes
la barquette de fruits	Entre 100 et 250 grammes
une maxi bouteille de coca	1,5 litres
une bouteille	1 litre
une demi-bouteille	0,50 litres
une canette / boîte	33 centilitres
un pack ou une boîte de lait	1 litre

Au supermarché, on vend des litres d'Orangina au rayon des boissons.

Search words: tableau système métrique

poids *weight;* **sous-entendent** *imply*

11 Questions culturelles

La vache qui rit est un fromage français qu'on trouve aux États-Unis.

Répondez aux questions.

1. Comment s'appellent les quatre grands hypermarchés français?
2. Le petit commerce représente quel pourcentage du commerce dans l'alimentation?
3. Quel est l'ingrédient principal du pâté?
4. Quelles sont les spécialités de fromage dans ces régions?
   - Normandie
   - Auvergne
   - Alsace
5. Quels sont les deux fromages les plus populaires en France?
6. L'expression "entre la poire et le fromage" suggère quelle activité?
7. Quel pays est le premier exportateur de fromage?
8. Quelles sont les mesures principales pour le poids en France?
9. En quoi est-ce qu'on achète de l'eau ou du coca?

À discuter

What can the small shop owner offer that the **hypermarchés** cannot? What does the increasing popularity of **hypermarchés** suggest about a shift in priorities in France? Which type of store would you prefer if you lived in France? Why?

Du côté des médias

12 Au supermarché

Faites les activités suivantes.

1. Dites pour quel repas on prend ces produits.
2. Dites quelle sorte de produits on achète de la marque:
   - Quaker ou Kellogg's
   - Illy ou Maison du café
   - Grany LU
3. Vous avez 8 euros. Qu'est-ce que vous achetez pour le petit déjeuner?

Structure de la langue

emcl.com
WB 23–25
Games

Qu'est-ce que Samantha attend?

Qui attend Samantha au musée?

Present Tense of Regular Verbs Ending in *–re*

The infinitives of many French verbs end in **-re**. Most of these verbs, such as **vendre** (*to sell*) and **attendre** (*to wait for*), are regular. To form the present tense of a regular **-re** verb, drop the **-re** ending from the infinitive to find the stem, and add the appropriate ending. Note that no ending is added for the **il/elle/on** form.

COMPARAISONS

How does the English version of the verbs in these two sentences differ?

On attend!
On attend le médecin.

What word is omitted in French, but necessary in English in the second sentence?

vendre			
je	**vends**	nous	**vendons**
tu	**vends**	vous	**vendez**
il/elle/on	**vend**	ils/elles	**vendent**

Qu'est-ce que vous **vendez**?	*What do you sell?*
Nous **vendons** du pain.	*We sell bread.*

Pronunciation Tip

The singular forms of **-re** verbs are all pronounced the same way.

Usage Tip

You don't need to add an ending after **il/elle/on**.

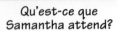

Damien attend Rachida au café.

COMPARAISONS: In the second sentence "for" needs to be added after the verb in English.

13 Les commerçants

Dites ce que ces personnes vendent dans leurs magasins.

MODÈLE Monsieur Dufort
Monsieur Dufort vend du poulet.

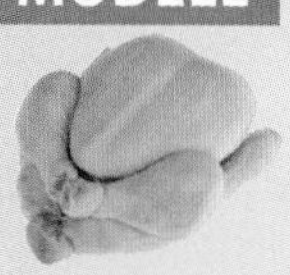

1. Madame Salomé et son fils

2. Sarah et moi, nous

3. toi, tu

4. Hamza et toi, vous

5. on

6. moi, je

7. mon amie Élodie

Communiquez!

Est-ce que tu attends les jeux Olympiques d'été?
Non, j'attends le match des Lakers.

14 Qu'est-ce que tu attends?

Interpersonal Communication

Demandez à votre partenaire s'il ou elle attend la chose suivante. Ensuite, changez de rôles.

MODÈLE le nouveau livre de Stephanie Meyer
A: **Est-ce que tu attends le nouveau livre de Stephanie Meyer?**
B: **Oui, j'attends le nouveau livre de Stephanie Meyer.**
ou
Non, je n'attends pas le nouveau livre de Stephanie Meyer. J'attends le nouveau livre de Stephen King.

1. le nouveau CD de Snow Patrol
2. le nouveau film de Robert Pattinson
3. le match des Red Sox
4. la fête de ton ami(e)
5. les Jeux Olympiques d'été
6. le nouveau film de Kristen Stewart
7. le match des Lakers

emcl.com
WB 26–27
Games

Vous voulez un morceau de fromage, monsieur? Un peu de pain?

Expressions of Quantity

To ask "how many" or "how much," use the expression **combien de (d')** before a noun.

Combien de tartes est-ce que tu veux?	*How many pies do you want?*
Il y a **combien d'**œufs dans cette omelette?	*How many eggs are there in this omelette?*

To tell "how many" or "how much," use one of these general expressions of quantity before a noun:

(un) peu de	*(a) little, few*
assez de	*enough*
beaucoup de	*a lot of, many*
trop de	*too much, too many*

Je voudrais **un peu de** fromage.	*I would like a little cheese.*
Non, merci, j'ai **assez d'**eau.	*No thanks, I have enough water.*

Certain nouns express a specific quantity. They are followed by **de (d')** and a noun.

une boîte de	*a can of*
une bouteille de	*a bottle of*
un gramme de	*a gram of*
un kilo de	*a kilogram of*
un litre de	*a liter of*
un morceau de	*a piece of*
un paquet de	*a package of*
un pot de	*a jar of*
une tranche de	*a slice of*

Est-ce que Jean a acheté une bouteille d'eau?

Donnez-moi **une tranche de** jambon.	*Give me a slice of ham.*
Je vais acheter **un litre d'**eau minérale.	*I am going to buy a liter of mineral water.*

COMPARAISONS

What do these sentences mean in English?

J'aime **beaucoup** le fromage.
J'aime **beaucoup de** fromages.

What part of speech is each boldfaced word or expression?

COMPARAISONS: The sentences mean "I like cheese a lot" and "I like a lot of cheeses." In the first sentence, **beaucoup** is an adverb; in the second, **beaucoup de** expresses a quantity.

15 Maman fait les courses.

*Dites si votre mère achète **trop de**, **assez de**, ou **pas assez de** provisions pour les membres de votre famille.*

MODÈLE **Maman achète trop de jambon.**

1. 

2. 

3. 

4. 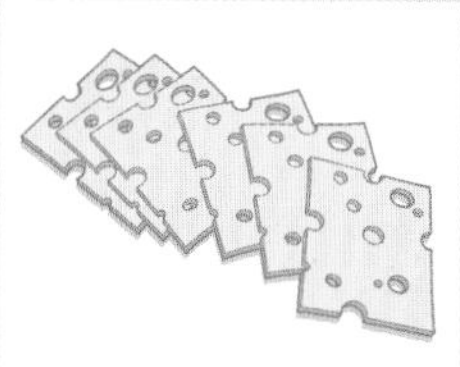

5. 

6. 

7. 

8. 

9. 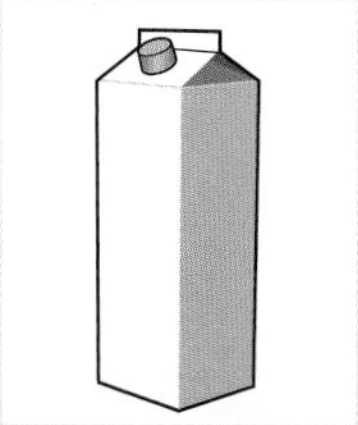

10. 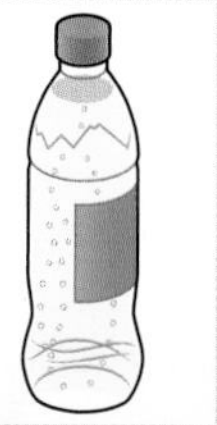

Communiquez!

16 Le pique-nique

Interpersonal Communication

Vous faites un pique-nique avec quatre amis. À tour de rôle, demandez à votre partenaire combien il y a de chaque aliment.

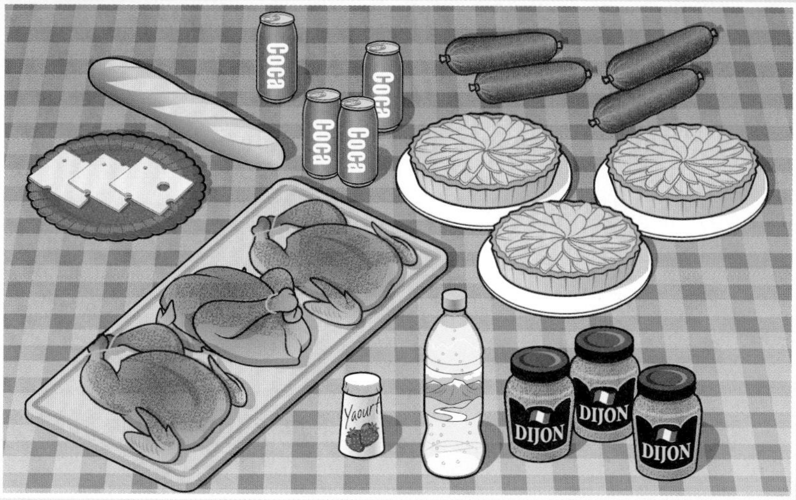

MODÈLE
A: **Il y a combien de tartes?**
B: **Il y a beaucoup de tartes.**

A: **Il y a combien de cocas?**
B: **Il y a assez de cocas.**

17 Quelle quantité?

Choisissez la quantité appropriée.

un litre de · une bouteille de · six tranches de · une boîte de
un morceau de · 250 grammes de · un pot de · un kilo de · un paquet de

MODÈLE pommes
un kilo de pommes

1. pâtes
2. fromage
3. beurre
4. moutarde
5. café
6. lait
7. eau minérale
8. jambon
9. soupe

J'ai un kilo de pommes et 500 grammes de poivrons dans mon panier.

18 Dans mon panier

Interpersonal Communication

Dessinez un panier (basket) *avec six aliments différents.*
À tour de rôle, demandez ce que votre partenaire a dans son panier.

un kilo de · un paquet de · un pot de · un morceau de
une bouteille de · un litre de · une tranche de · une boîte de

MODÈLE A: **Tu as un litre de lait?**
B: **Oui, j'ai un litre de lait. Tu as un pot de confiture?**
ou
Non. Tu as un pot de confiture?

19 Au supermarché

Choisissez l'expression de quantité qui correspond à l'aliment (food) *que Nicole achète.*

A. une boîte
B. une bouteille
C. un kilo
D. un litre
E. un morceau
F. des tranches
G. un paquet
H. un pot

À vous la parole

Question centrale

How is shopping different in other countries?

Communiquez!

20 Les mesures métriques

Presentational Communication

In this lesson, you have learned to express some units of measurements in the metric system. Bring in an item or a photo of an item that is given in a metric measurement, for example, the odometer in your car or a product from the grocery store. (Since Canada uses metric measurements, you might easily find a Canadian product.) Present your product or photo to your group, giving the measurements of your product in the metric system and our system. Finally, discuss how you would feel if the United States adopted the metric system and for what careers knowing the metric system would be useful.

Search words: convertisseur métrique

Communiquez!

21 Je fais les courses en ligne.

Interpretive/Interpersonal Communication

Make a grocery store flyer with this week's specials. Draw, cut out, or download pictures of at least ten different items, then visit an online grocery store to find out how much each item costs in euros. Write the quantity and cost of each item on the flyer. Then with a partner, role-play placing a telephone order for groceries. Your partner will use your flyer to tell you how much money each item costs and how much you owe for your order.

Search words: carrefour shopping en ligne, mon supercasino, auchan en direct

Communiquez!

22 La recette

Interpretive/Interpersonal Communication

Find a recipe of a French dish online, then role play a conversation with a partner in which you discuss the ingredients you need to buy to make the dish. Be sure to talk about the amount of each ingredient you need and which stores you will go to in order to purchase the items.

Search words: recettes

On a besoin de cerises pour faire un clafoutis.

Stratégie communicative

Telling a Story through Pictures

One way to develop your speaking skills is to practice telling a story. Use the following strategies to describe the sequence of pictures that follows.

1. Study the pictures. Think about the people in the picture, where they are, and what they are doing.
2. Review the vocabulary and structures you have learned in this and previous units. This will help you to describe what you see.
3. Use as many of the words and expressions that you know to tell the story. You may be surprised by just how much you can say!

Vocabulaire utile

parler de *to talk about;* **une photo** *photo;* **du fast-food** *some fast-food*

When you told the story, did you include everything you saw in the pictures? Did you use your imagination to make up details about the story? Did you use vocabulary from Unit 6 and from previous units? Read the following paragraphs to see how one student told the story.

Marianne et son amie Françoise sont à la maison de Marianne. Marianne parle de sa famille à son amie. Son père a 50 ans. Il a les yeux noirs et les cheveux bruns. Il est homme d'affaires. Sa mère est médecin. Elle a aussi 50 ans. Elle a les cheveux blonds et les yeux bleus. Ses grand-parents viennent du Sénégal. Ils sont généreux et sympa. Son frère ressemble à leur père. Il a 20 ans et il est testeur de jeux vidéo. Il est timide, mais très intelligent. Il travaille beaucoup. Il n'est pas paresseux!

Françoise étudie les maths parce qu'elle va être prof de maths. Elle est très diligente. Marianne achète des vêtements à Tati en ligne. Les filles mangent une pizza, des hamburgers, et des frites. Elle prennent aussi des cocas.

23 Je raconte une histoire!

Les rues commerçantes are often filled with shoppers on the weekends. Carefully study the following storyboard featuring two girls doing their weekend shopping. Then with a partner, tell a story based on the pictures. In the first frame, name the characters; describe their relationship, physical appearance, clothing, and character; tell how old they are, and what they like to do. Then move on to describing the events. Remember to use the strategies you just learned.

1.

2.

3.

4.

Vocabulaire utile

dit *says;* **la liste** *list*

Leçon C

Vocabulaire actif

emcl.com
WB 28–30
LA 1
Games

Au marché

Les légumes (m.)

les salades (f.)
les champignons (m.)
les pommes de terre (f.)
les tomates (f.)
les carottes (f.)
les courgettes (f.)
les haricots verts (m.)

les petits pois (m.)

les oignons (m.)

les aubergines (f.)

les poivrons (m.)

les concombres (m.)

Les fruits (m.)

les pommes (f.)
les poires (f.)
les oranges (f.)
les cerises (f.)
les fraises (f.)
les bananes (f.)
les melons (m.)

les ananas (m.)

les pêches (f.)

les raisins (m.)

les pamplemousses (m.)

Pour la conversation

How do I make a purchase at the market?

> Les pêches **sont mûres?**
>
> *Are the peaches ripe?*

> **C'est combien le kilo?**
>
> *How much is it per kilo?*

> **Je prends 500 grammes.**
>
> *I'll take 500 grams.*

What will the vendor say?

> **Et avec ça?**
>
> *And with that?*

> **C'est tout?**
>
> *Is that all?*

Et si je voulais dire...?

l'ail (m.)	*garlic*
les framboises (f.)	*raspberries*
les mangues (f.)	*mangoes*
les myrtilles (f.)	*blueberries*
les patates (f.) [slang]	*potatoes*
les poireaux (m.)	*leeks*

1 Les marchands de légumes

Dites quels légumes chaque marchand vend.

MODÈLE **Mlle Rousseau vend des aubergines, des tomates, et des haricots verts.**

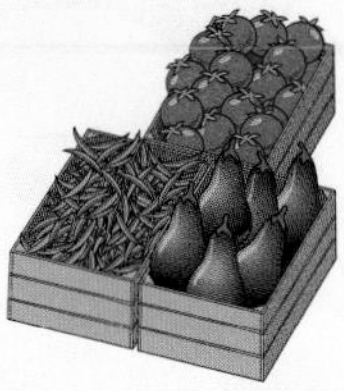

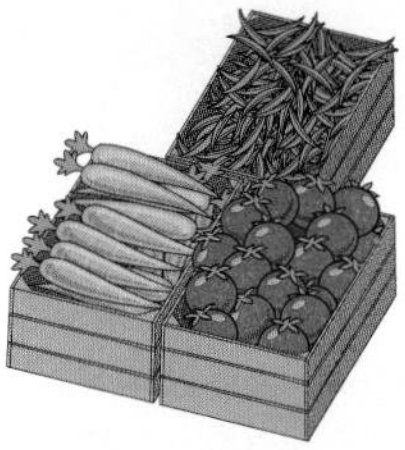

1. M. Gaumont

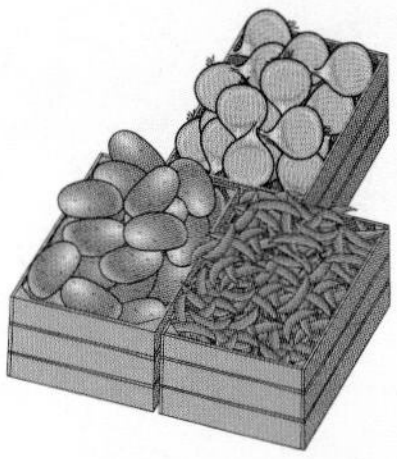

2. Mme Bernier

3. Mlle LeForestier

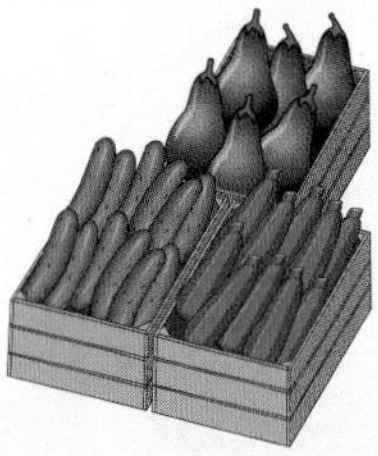

4. M. Sofralot

2 C'est combien le kilo?

Pour chaque aliment, répondez à la question.

MODÈLE **Les oranges coûtent 4,55 euros le kilo.**

1.

2.

3.

4.

5.

6.

7.

3 À l'épicerie

Choisissez l'illustration qui correspond à ce que les clients achètent au marché.

A.

B.

C.

D.

E.

F.
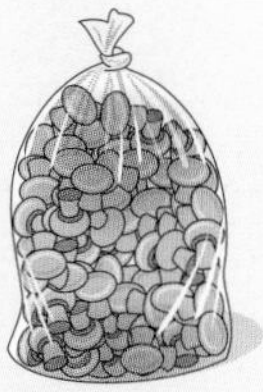

G.

H.

I.

J.

4 De petites conversations au marché

Choisissez la lettre qui correspond à la bonne (correct) *réponse.*

1. Nous n'avons pas de pêches aujourd'hui.
2. Bonjour, Monsieur. Vous désirez?
3. C'est combien le kilo?
4. Vos poires sont fraîches?
5. On achète combien de haricots verts, maman?

A. Cinq cent grammes.
B. C'est trois euros quatre-vingt-dix.
C. Donc, je prends 500 grammes de cerises.
D. Toutes fraîches d'aujourd'hui.
E. Un kilo d'oignons, s'il vous plaît.

5 Le marché vient au quartier.

Tout le monde achète des fruits et des légumes frais pour préparer un repas (meal). *D'abord, lisez le paragraphe. Ensuite, choisissez un plat de la liste pour dire ce que chaque personne prépare.*

une soupe aux champignons | une salade de fruits | un ragoût (*stew*) de bœuf
un smoothie aux fruits | une salade | une soupe de légumes

Les Boucher achètent des haricots verts, des pommes de terre, des carottes, et une courgette. M. Boyer achète une pastèque, un melon, trois pêches, et des raisins. Les Charpentier achètent du bœuf, des carottes, des petits pois, et des pommes de terre. Julie achète un kilo de fraises et 500 grammes de bananes. Marcel achète des champignons et des oignons. Aurélie achète des concombres, des carottes, et un poivron vert.

MODÈLE les Boucher
Les Boucher préparent une soupe de légumes.

1. Marcel
2. les Charpentier
3. M. Boyer
4. Aurélie
5. Julie

Je n'aime pas
les carottes!

6 Questions personnelles

Répondez aux questions.

1. Préfères-tu les melons ou les poires?
2. Quels légumes est-ce que tu n'aimes pas?
3. Est-ce que tu manges assez de fruits et de légumes?
4. Qu'est-ce que tu achètes pour faire une bonne salade?
5. Quels légumes est-ce que tu préfères dans une soupe?
6. Est-ce que ta famille va au marché pour acheter des fruits et des légumes frais?

Rencontres culturelles

Camille et sa mère au marché

Camille et sa mère font les courses pour le déjeuner.

Marchand: Bonjour, Madame! Vous désirez?
Mère: Vos tomates sont mûres?
Marchand: Oui, oui.
Mère: C'est combien le kilo?
Marchand: C'est 3,89 euros.
Mère: Alors, un kilo de tomates, s'il vous plaît. Des concombres, une livre; deux poivrons, un vert et un orange.
Camille: Des olives noires, Maman! Et, du thon.
Marchand: Ah! Y'a de la salade niçoise dans l'air.
Mère: On achète du thon et des olives à l'épicerie.
Camille: Et, pour la salade de fruits, Maman?
Mère: Oh! Alors, je prends un kilo de pêches, une livre de fraises, et un melon.
Marchand: Nous n'avons pas de pêches aujourd'hui.
Mère: Tant pis. Ça fait combien?
Marchand: 22 euros, Madame.

(La mère de Camille donne un billet de 50 euros.)

Marchand: Ah! Vous êtes toutes les mêmes avec vos gros billets, hein?

7 Camille et sa mère au marché

Dites si la phrase est vraie ou fausse. Corrigez (correct) les phrases qui sont fausses.

1. La mère de Camille achète 500 grammes de tomates.
2. Elle achète deux poivrons verts.
3. Camille et sa mère vont préparer une quiche.
4. Elles vont acheter du thon à l'épicerie.
5. La mère de Camille prend une livre d'olives vertes.
6. Comme dessert, Camille et sa mère vont manger une glace à la vanille.
7. Le marchand n'est pas content (*happy*).

Extension Au marché

Sarah s'arrête devant le marchand de fruits.

Marchand: Je vous fais un prix sur les cerises... profitez-en!
Sarah: Combien?
Marchand: Quatre euros 50 le kilo, sept euros les deux kilos.
Sarah: C'est beaucoup trop! Qu'est-ce que je vais en faire?
Marchand: Des clafoutis! Des tartes! Des yaourts! Tout le monde aime les cerises....
Sarah: Ah! Oui, c'est une idée. Je prends un kilo de cerises.
Marchand: Trois euros 75 et c'est bien, parce que je suis gentil!

Extension Que fait le vendeur pour vendre son produit à Sarah?

Points de départ

emcl.com
WB 31–32

Question centrale
How is shopping different in other countries?

Au marché

En général, il y a des marchés une ou deux fois* par semaine dans les villes et villages de la France. On trouve sur les marchés des produits alimentaires*, surtout* des fruits et des légumes. Mais on peut aussi acheter des spécialités locales ou régionales, des produits bio*, des spécialités étrangères (italiennes, africaines) ou exotiques, de la viande et de la charcuterie, des fromages et des produits laitiers*, des fleurs*, et du pain ou des gâteaux. Les prix sont souvent moins chers que dans les épiceries, mais plus chers que dans les supermarchés ou hypermarchés.

Search words: **marchés de paris, marchés provence**

Au marché, le marchand de fruits et légumes vend beaucoup de pêches.

COMPARAISONS

How many farmers' markets are there where you live? How is it different from shopping at a supermarket? How is it similar to French markets?

---

fois *times*; **alimentaires** *food*; **surtout** *especially*; **bio** *organic*; **laitiers** *milk*; **fleurs** *flowers*

Le mouvement slow food en France

D'origine italienne, le mouvement *slow food* existe en France depuis* 2003. C'est une réaction à la restauration rapide ou le *fast-food*. Le mouvement encourage la consommation* de produits régionaux, une alimentation* diversifiée, et des traditions gastronomiques. Des associations *slow food* sont surtout présentes dans le sud de la France.

Search words: **slow food france**

---

depuis *since*; **consommation** *consumption (eating)*; **alimentation** *diet*

La Francophonie: le marché

Au Maghreb

Au Maghreb (Tunisie, Algérie, Maroc), le marché s'appelle **le souk.** On y vend des produits alimentaires, des vêtements, des poteries, et des produits artisanaux. Une différence entre les souks et les marchés français est qu'il est nécessaire au souk de marchander* le prix des produits. On discute avec le vendeur pour acheter un produit à un prix moins cher. Mais le souk, c'est surtout un lieu* de rencontres et de relations humaines. Parfois*, c'est au **souk** qu'un homme fait sa demande en mariage.

Search words: souk tunis photos de souks de marrakech

marchander *to bargain;* **lieu** *place;* **Parfois** *Sometimes;* **fait sa demande** *ask for the hand of someone in marriage*

Les Algériens, les Marocains, et les Tunisiens sont populaires pour leurs poteries, tapis (*carpets*), bijoux (*jewelry*), sacs, et autres **produits artisanaux** faits selon (*according to*) des techniques traditionnelles et avec des dessins géométriques.

Il y a des marchés, ou souks, comme ça en Tunisie, en Algérie, et au Maroc.

8 Questions culturelles

Répondez aux questions.

1. En général, combien de fois par semaine est-ce qu'il y a des marchés en France?
2. Quels sont les produits spécifiques que vous pouvez trouver sur un marché?
3. Est-ce que les prix sont moins chers au marché ou au supermarché?
4. Comment s'appelle le mouvement qui encourage les traditions gastronomiques et la consommation des produits régionaux?
5. Qu'est-ce que c'est un **souk**?
6. Qu'est-ce qu'on fait pour marchander dans un souk?

Au Maroc, le **souk** est aussi un lieu de rencontres.

Perspectives

"J'aime le marché parce que je peux voir, sentir, et toucher la nourriture et il y a une ambiance sociale." Pourquoi est-ce que cette Française ne va pas au supermarché pour ses fruits, légumes, et certains autres produits alimentaires?

Du côté des médias

Lisez les informations sur le Marché de Chambéry.

Marché, Commerces et entreprises

Marché de Chambéry

Le marché de Chambéry situé à l'ouest de Lyon, place du marché, propose une diversité de produits de consommation : fruits et légumes, viande et fromages frais, fleurs et plantes, produits d'habillement et artisanaux.

- le mercredi et le dimanche matin

Tous les mercredis matins, un car desservant les quartiers de Givros, Chambéry et Villeurbanne, est gratuit pour les personnes âgées désirant se rendre au marché.

- départ à 8h30, rue Camailleux, arrivée au centre-ville à 9h 15
- retour à 11h30

9 Marché de Chambéry

Répondez aux questions.

1. Où est-ce qu'on trouve Chambéry?
2. Le marché de Chambéry ressemble à quoi?
3. Qu'est-ce qu'on trouve sur ce marché?
4. Quels jours a lieu (*takes place*) le marché de Chambéry?
5. Quelles facilités sont offertes aux habitants pour venir au marché?

La culture sur place

Je fais du shopping en ligne.

Introduction

Faire du shopping en ligne est un passe-temps qui est populaire dans tout le monde (*world*), surtout dans les pays (*especially in countries*) où les individus ont accès à l'Internet. Mais quels "looks" est-ce qu'on peut acheter?

LES LOOKS FRANÇAIS

Il y a beaucoup de "looks"en France, mais voilà trois exemples:

- **Le look BCBG**, qui ressemble à notre look "*preppy.*"
- **Le look fashion**, qui représente tout ce qui est à la mode (*in style*) en ce moment.
- **Le look bobo**, qu'on peut décrire (*describe*) comme "bohème bourgeois" (*hippy chic*).

Isabelle a un look BCBG.

Emma aime le style bobo.

Marc a un look fashion.

10 Acheter en ligne

Suivez ces étapes pour trouver des vêtements en ligne:

1. Cherchez des exemples des trois looks en ligne.

Search words: le look BCBG, le look fashion, le look bobo

2. Trouvez deux exemples de chaque look en ligne dans ces compagnies.

Search words: www.laredoute.fr
www.les3suisses.fr
www.tati.fr

3. Complétez une grille comme celle-ci avec des détails pour chaque vêtement.

Numéro et compagnie	Le look	Description	Prix	Couleur	Taille	Autre (accessoires....)

4. Imprimez (*Print*) une copie de chaque vêtement que vous choisissez.

11 Ma présentation

Présentez les vêtements que vous avez choisis (that you chose) *à vos camarades de classe en montrant* (showing them) *les images.*

Faisons l'inventaire!

12 Une discussion

Répondez individuellement en anglais aux questions suivantes. Ensuite, discutez vos idées avec vos camarades de classe.

1. Were you always aware that you were looking at a website in French, or did you sometimes forget? Was there something specific that reminded you that you were looking at a website in French? If so, what?
2. In what ways is French fashion the same as in North America? In what ways is it different?
3. Did you learn anything about the cultures of French-speaking countries during your online shopping experience? If so, what?

Structure de la langue

emcl.com
WB 33–36
LA 2
Games

The Partitive Article

Maintenant prenez du chocolat....
Ensuite, du sucre et de la crème.

For nouns that can't be counted, like bread, ice-cream, and water, use **du**, **de la**, or **de l'** to express the idea of "some" or "any." These are called partitive articles.

On va acheter **du** pain. *We're going to buy (some) bread.*
Vous avez **de la** glace? *Do you have (any) ice cream?*
Je voudrais **de l'**eau. *I would like (some) water.*

For nouns that can be counted, such as potatoes and carrots, use **des** to express the idea of "some" or "any." Remember, **des** is the plural of the indefinite article **un(e)**.

Je veux **des** pommes de terre. *I want (some) potatoes.*

Partitive articles are often used after the verbs and expressions **acheter**, **avoir**, **désirer**, **donner**, **manger**, **prendre**, **vouloir**, **voilà**, and **il y a** to indicate a quantity. Partitive articles are not used after the verbs **aimer** and **préférer**. The definite articles **le**, **le**, **l'**, and **les** are used.

Il y a **de la salade**? *Is there (any) salad?*
Catherine aime bien **les** carottes. *Catherine really likes carrots.*

some, any	in general, for ex., after *aimer*
du pain (before a masculine noun)	**le** pain
de la mayonnaise (before a feminine noun)	**la** mayonnaise
de l'eau minérale (before a noun beginning with a vowel)	**l'**eau minérale
des pommes de terre (before a plural noun)	**les** pommes de terre

13 Les mini-dialogues

Complétez chaque phrase avec l'article approprié.

du de la des le la les

1. Mme Thomas: Vous voulez... tarte?
   Mlle Robert: Non, merci. Je n'aime pas... pommes.
2. Mme Lefevre: Et pour le dessert, il y a... glace à la vanille.
   Annick: Je voudrais... fruits frais. J'aime bien... pommes.
3. Serveuse: Vous désirez, Monsieur?
   M. Guerin: Un steak avec... pommes de terre, s'il vous plaît.
4. Mme Roussel: Qu'est-ce qu'on prépare? Tu aimes bien... couscous?
   M. Roussel: Non, je préfère... quiche.
5. Karine: Voilà... légumes!
   Léon: On achète... aubergines et... tomates?
6. Émilie; J'ai un sandwich au poulet pour toi.
   Chantal: Merci. Tu as... mayonnaise?

14 À la cantine

Dites ce qu'on va manger cette semaine à la cantine.

MODÈLE **Lundi, on va manger des carottes....**

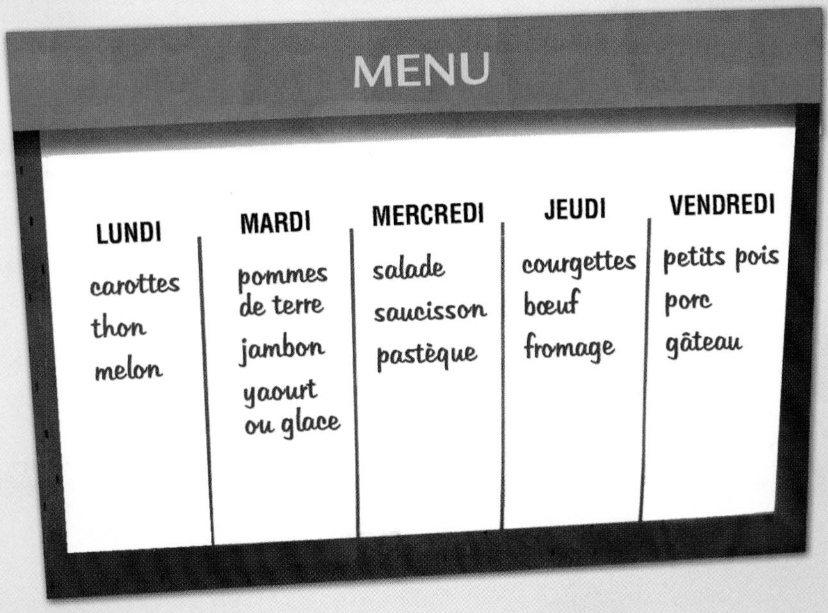

MENU
LUNDI
carottes
thon
melon
MARDI
pommes de terre
jambon
yaourt ou glace
MERCREDI
salade
saucisson
pastèque
JEUDI
courgettes
bœuf
fromage
VENDREDI
petits pois
porc
gâteau

15 Les trois repas

Dites ce que vous prenez du placard (cupboard) *ou du frigo* (refrigerator) *pour faire chaque repas indiqué. Vous n'allez pas utiliser tous les mots.*

la mayonnaise   les fraises   le beurre   le jambon   la confiture de fraises
le poulet   la confiture de pêches   le pain   la salade   le bœuf   le chocolat

1. 

2. 

3. 

MODÈLE **Je prends du pain avec du beurre et....**

16 Le marché

Choisissez l'image qui correspond à la quantité de l'aliment qu'on décrit (describes).

MODÈLE **Vous entendez:** M. Martin prend du pain.
Vous écrivez: **A**

A

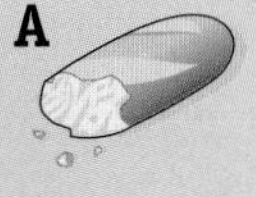

B

1. **A**  **B** 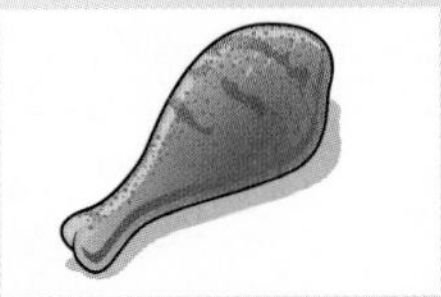

2. **A** 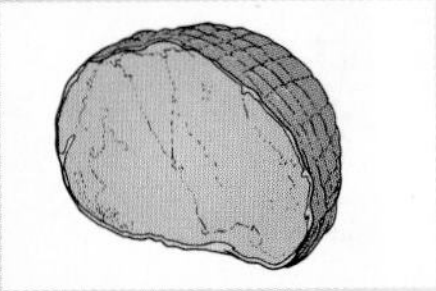 **B** 

3. **A**  **B** 

4. **A**  **B** 

5. **A**  **B** 

6. **A**  **B** 

7. **A** 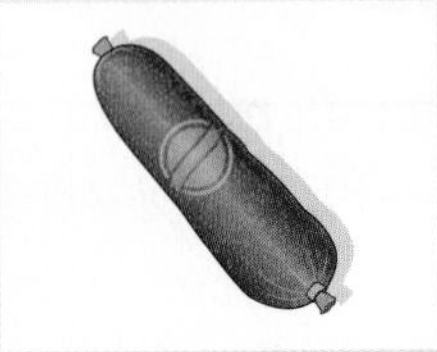 **B** 

Tu veux prendre de la tarte aux pommes?

emcl.com
WB 37–38
Games

The Partitive in Negative Sentences

You've already learned that in negative sentences (except with **être**), **des** becomes **de** or **d'**.

The partitive article becomes **de** or **d'** after negated verbs.

Tu achètes **du** fromage? *Are you buying some cheese?*	Non, je n'achète pas **de** fromage. *No, I'm not buying any cheese.*
Vous avez **de la** glace? *Do you have (any) ice cream?*	Nous n'avons pas **de** glace. *We don't have any ice cream.*
Tu veux **de l'**eau? *Do you want some water?*	Je ne veux pas **d'**eau. *I don't want any water.*
Est-ce qu'il y a **des** pommes de terre? *Are there any potatoes?*	Il n'y a pas **de** pommes de terre. *There aren't any potatoes.*

17 L'intolérance au lactose

Brigitte ne peut pas manger de produits laitiers (milk products). *Dites si elle mange ou non les aliments suivants.*

MODÈLES melons
Elle mange des melons.

yaourt
Elle ne mange pas de yaourt.

1. poulet
2. glace
3. fraises
4. camembert
5. champignons
6. petits pois
7. saucisson
8. fromage
9. aubergines
10. beurre

18 Des plats populaires

Dites quels aliments principaux manquent (are missing) *pour faire ces plats. Soyez logique!* (Be logical!)

MODÈLE les spaghetti bolognaise
Il n'y a pas de bœuf ou de pâtes.

concombres	bœuf	chocolat	carottes	jambon
fromage	pâtes	pommes de terre	œufs	thon

1. une omelette au fromage

2. un steak-frites

3. une salade niçoise

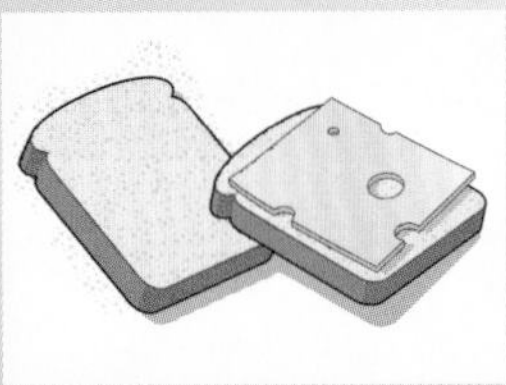

4. un croque-monsieur

5. une crêpe au chocolat

6. une soupe aux légumes

Communiquez!

19 Activité sur la culture française

Interpersonal Communication

Dessinez huit objets ou aliments français sur une feuille de papier. Ensuite, posez des questions à votre partenaire pour voir s'il ou elle a les mêmes objets ou aliments.

MODÈLE A: **Est-ce que tu as une trousse?**
B: **Oui, j'ai une trousse.**
ou
Non, je n'ai pas de trousse.

À vous la parole

Question centrale

How is shopping different in other countries?

Communiquez!

20 Au marché

Interpersonal Communication

Role play a conversation between a customer and a vegetable or fruit vendor at the market. In the conversation:

- Greet each other.
- Ask each other how things are going.
- Ask a question about the produce.
- Respond.
- Ask the price of three items.
- Give prices.
- Say what quantity you need.
- Say how much the customer owes.
- Thank the merchant.
- Say good-bye.

21 Un sondage

Interpersonal/Presentational Communication

Create a chart like the one below, listing three fruits and three vegetables that you like or dislike. Then ask ten students if they like each fruit or vegetable a lot (**beaucoup, +**), a little (**un peu, =**), or not at all (**ne... pas, -**). Note your classmates' responses in the chart, as indicated by the symbols in parentheses.

MODÈLE A: **Est-ce que tu aimes les pommes?**
B: **Oui, j'aime beaucoup/un peu les pommes.**
ou
Non, je n'aime pas les pommes.

Fruit/Légume	1	2	3	4	5	6	7	8	9	10
Pommes	+	+	-	=	+	-	=	-	=	+
Oranges										
Fraises										

Write a summary of your five most interesting results and share it with your classmates.

MODÈLE **Trois élèves aiment un peu les pommes. Quatre élèves aiment beaucoup les pommes. Trois élèves n'aiment pas les pommes.**

22 Au supermarché en ligne

Interpretive Communication

Answer the following questions about the supermarket advertisement.

1. Quels sont deux fruits dans cette publicité que tu aimes beaucoup?
2. Quel est un fruit que tu n'aimes pas?
3. Ça coûte combien deux kilos de bananes?

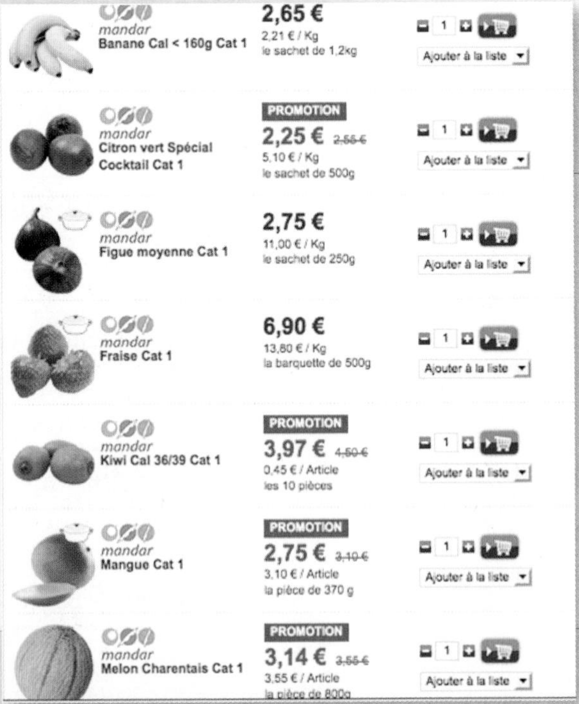

Lecture thématique

Le fils du boulanger

Rencontre avec l'auteur

Maurice Pons (1925–) est un écrivain français dont l'œuvre a servi d'inspiration pour beaucoup de metteurs en scène et de chorégraphes. *Le fils du boulanger* est la première des onze nouvelles (*short stories*) qui composent le recueil (*collection*) *Douce Amère* (1985). Qu'est-ce que vous comptez (*plan*) lire dans une nouvelle qui s'appelle "Le fils du boulanger?"

Pré-lecture

Décrivez une visite réelle ou imaginaire à une boulangerie-pâtisserie. Qu'est-ce que vous voyez? Qu'est-ce que vous sentez (*smell*)?

Stratégie de lecture

Setting

The setting of a story is the time, place, and circumstances in which the action takes place. In this selection, the setting is revealed through descriptive details. Create a chart like the one below. Then, as you read, note what each adjective or noun tells you about the bakery where the story take place.

Descriptions	Explication
1. prospère	
2. bien placée	
3. régulière	
4. cette initiative	
5. un succès	

Outils de lecture

Word Families

Sometimes a noun, a verb, an adjective, or another part of speech may share the same root. For example, the adjective **aimable** (*amicable*) and the nouns **amitié** (*friendship*) and **ami(e)** all share the root **ami-** from Latin. You know what **une boulangerie** is. What do you think **un boulanger** does for a living?

Mon père était* boulanger et fils de boulanger. J'étais* gamin* quand il reprit à son compte* l'unique boulangerie de Saint-Gratien, dans la Creuse*. Je me souviens* de façon très précise de notre installation dans ce nouveau pays*, dans cette nouvelle maison, cette nouvelle boutique. (...)

La boulangerie de Saint-Gratien était une affaire* prospère. Elle était bien placée au centre du village et attirait* une clientèle régulière. Le dimanche, ma mère et sa vendeuse écoulaient* un nombre considérable de tartes et de pâtisseries.

Mon père avait vite remarqué que les jeunes ouvrières* de la fabrique,* pendant la pause de midi, plutôt que d'aller déjeuner à la cantine, se rendaient* en bande à la boulangerie pour acheter des pains au chocolat et des croissants. (...) Il décida d'engager un commis* et se mit à* faire des friands à la viande,* des croque-monsieurs au jambon et au fromage, et même des pizzas. Cette initiative, rarement entreprise à l'époque*, connu un succès considérable dans tout Saint-Gratien.

Pendant la lecture
1. Quelle est la profession du père du narrateur?

Pendant la lecture
2. Que vendent sa mère et son assistante le dimanche?

Pendant la lecture
3. Pour quelle raison le père du narrateur est-il un entrepreneur?

était/étais *was*; **gamin** enfant; **reprit à son compte** *bought back his business*; **la Creuse** *department in central France?*; **Je me souviens** *I remember*; **pays** région; **une affaire** un business; **attirait** *attracted*; **écoulaient** *moved*; **ouvrières** personnes qui travaillent; **la fabrique** *factory*; **se rendaient** *went*; **d'engager un commis** *to hire a helper*; **se mit à** *began*; **friands à la viande** *meat pies*; **à l'époque** *at that time*

Post-lecture

Est-ce que le narrateur aime vivre dans ce village et travailler dans cette boulangerie? Justifiez votre réponse.

Le monde visuel

Sabine Weiss (1924-) est connue (*known*) pour ses photos en noir et blanc de la France après la deuxième Guerre Mondiale (*WWII*), une période difficile pour le pays économiquement, psychologiquement, et moralement. Elle fait partie des photographes humanistes qui aident la reconstruction de l'identité française. Ces photographes célèbrent et documentent les institutions et les événements ordinaires et habituels. Quel aspect de la vie de tous les jours et quelle institution française sont représentés sur cette photo?

Enfant à la sortie de la boulangerie, 1960. Sabine Weiss.

23 Activités d'expansion

1. Écrivez une description du milieu (*setting*) de cette lecture, incorporant l'information de votre grille. La boulangérie représente une réussite (*success*)? Expliquez.
2. Commencez des phrases avec ces expressions pour faire un poème sur un endroit:
   A. Je vois....
   B. Je sens (*smell*)....
   C. J'entends (*hear*)....
   D. Je goûte (*taste*)....
   E. Je pense (*think*)....

   Pensez à un titre. Ensuite, lisez votre poème à votre groupe.
3. Dessinez l'image d'une boulangerie-pâtisserie. Ou bien, imprimez des photos que vous trouvez en ligne et mettez des légendes (*captions*).

Search words: boulangerie patisserie bonneau paris

Les copains d'abord: Au marché de Saint-Ouen

T'es branché?

Projets finaux

A Connexions par internet: Les finances personnelles

Imagine you have saved 100 euros to throw a party. Follow these steps to plan your party.

- With a partner, make a list in French of beverages, snacks, and other items that you will need for the party.
- Research and compare prices for the items on your list at three French supermarket sites online to get the best deals.
- Create a document to show the results of your research.
- What did you purchase? Were you able to stay within your budget? Share your results with your partner.

Search words: carrefour shopping en ligne, mon supercasino, auchandirect

B Communautés en ligne

Un appartement à Paris

Imagine your family has rented an apartment for a month in Paris. Your parents belong to one of the food movements below. Look for a blog and/or articles online to find out which stores sell foods that will meet your needs, which restaurants and cafés serve those foods, and which outdoor markets have them available.

Search words: bio-organique (organic), **végétalien** (vegan), **manger slow, le fooding**

Nous allons acheter la nourriture bio-organique à Vitalibio.

C Passez à l'action!

Les marchés en France

In groups of three, research the following topics to find out more about markets in France. Each person in your group should research two topics.

Question centrale
How is shopping different in other countries?

- regional and seasonal specialties, such as different cheeses, herbs from the south of France, camembert from Normandy
- the history of French markets
- compare and contrast an American farmers' market with a **marché**
- compare and contrast a French supermarket with a **marché**
- what Rungis is and what you can buy there
- **les Halles** in Paris, yesterday and today

Share what you learn with the members of your group and create a presentation to share with the class. You might create a website, podcast, slide presentation, booklet, or use some other media for your presentation.

D Faisons le point!

Your teacher will give you a chart like the one below. Fill it in with what you've learned about how shopping is different in other cultures.

Je comprends	Je ne comprends pas encore	Mes connexions

What did I do well to learn and use the content of this unit?	What should I do in the next unit to better learn and use the content?
How can I effectively communicate to others what I have learned?	What was the most important information I learned in this unit?

Évaluation

emcl.com
LA *Synthèse*

A Évaluation de compréhension auditive

Jean-Luc and Christian are going to the market in a village while on vacation. Make a list in English of what they buy.

B Évaluation orale

You and a friend are talking about what you plan to buy on **la rue commerçante** today. You will each make three stops. In your conversation, state what you need and where you are going to buy it. For clothing include colors and for grocery items include quantities.

Tu as besoin de chaussures?
Oui, allons au magasin de chaussures.

C Évaluation culturelle

In this activity, you will compare francophone cultures with American culture. You may need to complete additional research about American culture.

1. **On fait du shopping.**
   Where do you and your friends typically buy clothes? Where else can you buy clothes in France and the United States other than at the stores themselves?
2. **Les essentiels**
   How does France's "little black dress" compare with American jeans? In what ways are they used similarly? In what ways are they used differently?
3. **Les vêtements en Afrique**
   What does West Africa's traditional style of dress reveal about Western influences on the culture regarding clothing? In what ways would you expect West African clothing to be different from what people wear in France and the United States?
4. **L'exportation de l'alimentation**
   The French export many food products, such as cheese. What packaged foods does the United States export?
5. **On fait les courses.**
   Where do people in France and North Africa traditionally prefer to buy fresh food? Where do you and your family grocery shop? Are there any outdoor markets in your area? If so, what are some local specialties you would find there?
6. **Le mouvement *slow food***
   What kinds of food should people buy, according to the slow food movement? Does the United States have a slow food movement? Are both France and the United States trying to maintain food traditions, or start new ones?

In France, people prefer to shop in small boutiques along **la rue commerçante**.

7. **Les mesures métriques**
   Explain the differences between how most francophone nations measure weight and volume, and compare it to the system used in the United States. Make a list of products you buy on a weekly basis with the metric weight or volume you would need in francophone countries.
8. **Les marchés francophones**
   Look at photos of French markets and North African *souks* online. How do they compare? How different are these markets from your shopping experience? In which places would you need to learn to negotiate the price? Would that be a new experience for you? How comfortable or uncomfortable would you be bargaining?

D Évaluation écrite

Write your family's grocery list (**liste d'achats**) for the week in French. Be sure to include appropriate quantities.

E Évaluation visuelle

Use your answers to the questions below to write a paragraph about the fashion show (**le défilé de mode**) in the illustration.

1. On est où?
2. C'est le défilé de mode de qui?
3. Que porte la première femme?
4. Que porte la deuxième femme?
5. Que porte la troisième femme?

F Évaluation compréhensive

Create a storyboard with six frames. Write captions for each frame, telling about your shopping day on **la rue commerçante**. Share your story with a group of classmates.

Vocabulaire de l'Unité 6

un **achat** purchase *B*
l' **air (m.)** air *C*
aller: Tu trouves que… me va bien? Does this… look good on me? *A*; **Vas-y!** Go for it! *A*
assez (de) enough (of) *B*
autrement otherwise *A*
une **baguette** long thin loaf of bread *B*
beaucoup de a lot of *B*
le **beurre** butter *B*
un **billet** bill (money) *C*
le **bœuf** beef *B*
une **boîte de** a can of *B*
bon marché cheap *A*
la **boucherie** butcher shop *B*
la **boulangerie** bakery *B*
une **bouteille (de)** bottle (of) *B*
une **boutique** shop *A*
la **cabine: cabine d'essayage** dressing room *A*
le **camembert** camembert cheese *B*
ce, **cet**, **cette**; **ces** this, that, these, those *A*
la **charcuterie** delicatessen *B*
chercher to look for *A*
chic chic *A*
combien: C'est combien le kilo? How much per kilo? *C*
commerçant(e) shopping, business *A*
une **couleur** color *A*; **De quelle(s) couleur(s)?** In what color(s)? *A*
le **couscous** couscous *B*
une **crémerie** dairy store *B*
un **croissant** croissant *B*
d'abord first of all *B*
en: en ligne online *A*
un **ensemble** outfit *A*
ensuite next *A*
une **épicerie** grocery store *B*
essayer to try (on) *A*
faire: faire les courses to go grocery shopping *B*
fait: Ça fait combien? How much is it? *C*
faites: Quelle taille faites-vous? What size do you wear? *A*
frais, fraîche fresh *B*
un **fruit** fruit *C*
un **gramme (de)** gram (of) *B*
gros, grosse big, fat, large *C*
joli(e) pretty *A*
le **ketchup** ketchup *B*
un **kilo (de)** a kilogram (of) *B*
le **lait** milk *B*
un **légume** vegetable *B*
ligne: en ligne online *A*
un **litre (de)** a liter (of) *B*
une **livre** pound *C*
un **mannequin** model *A*
un(e) **marchand(e)** merchant *C*
le **marché** outdoor market *C*; **marché aux puces** flea market *A*
la **mayonnaise** mayo *B*
même same *C*
moche ugly *A*
un **morceau (de)** a piece (of) *B*
la **moutarde** mustard *B*
mûr(e) ripe *C*
niçoise: la salade niçoise tuna salad *C*
un **œuf** egg *B*
une **olive** olive *C*
le **pain** bread *B*
un **paquet (de)** a packet (of) *B*
le **pâté** pâté *B*
la **pâtisserie** bakery/pastry shop *B*
peu: un peu (de) a little (of) *B*
peux: Je peux vous aider? May I help you? *A*
le **porc** pork *B*
un **pot (de)** a jar (of) *B*
le **poulet** chicken *B*
prêt(e) ready *B*
la **rue** street *A*
le **saucisson** salami *B*
sort: sortir to come out *A*
la **soupe** soup *B*
le **supermarché** supermarket *B*
la **taille: Quelle taille faites-vous?** What size are you? *A*
tant pis too bad *C*
une **tarte**: pie *B*; **tarte aux fruits** fruit pie *B*; **tarte aux pommes** apple pie *B*
le **thon** tuna *C*
Tiens! Hey! *B*
tous all *B*; **toutes** all *C*
une **tranche (de)** a slice (of) *B*
trop (de) too much (of) *B*
trouver to find *A*
un **vendeur, une vendeuse** salesperson *A*
vendre to sell *B*
des **vêtements (m.)** clothes *A*
vouloir to want *A*
le **yaourt** yogurt *B*

Clothing… see p. 276
Colors… see p. 277
Fruits and vegetables… see p. 310

Unité 6 Bilan cumulatif

Listening

I. You will hear a short conversation. Select the reply that would come next. You will hear the conversation twice.

1. A. C'est quatre euros le kilo.
   B. J'ai besoin de quatre tranches.
   C. C'est mon supermarché là, devant le cinéma.
   D. Je voudrais une jupe blanche en 38.

II. Listen to the conversation. Select the best completion to each statement that follows.

1. Marion cherche....
   A. Céline
   B. une pâtisserie
   C. un centre commercial
   D. un vêtement noir pour samedi

2. Céline n'aime pas....
   A. le noir
   B. le blanc et le rose
   C. Mademoiselle Lecourt
   D. les robes

3. Céline veut d'abord....
   A. acheter une robe noire
   B. aller à la pâtisserie
   C. manger
   D. faire les devoirs

Reading

III. Read the letter that Alexis, a Canadian studying at a French university, writes to her parents describing what she likes about life in France. Then select the best completion to each statement.

Chers papa et maman,

Voilà, je suis à Lyon! J'adore la France! J'aime l'université de Lyon et j'aime beaucoup parler français. Les weekends en France sont super. Le vendredi, je cherche souvent des CD à la médiathèque. La musique française et la musique algérienne sont géniales. Le samedi, je vais à la boulangerie chercher des croissants et du pain. Ils sont fantastiques à huit heures du matin. Ensuite, je vais au café avec ma baguette et mes deux croissants. Je prends un jus d'orange et je mange mes croissants. Au café, j'adore lire mon magazine, regarder et aussi écouter les Français parler. À dix heures, je vais au marché. Je n'aime pas faire mes courses au supermarché. Je préfère le marché parce que les fruits et les légumes sont frais. À midi, mes copains et moi, on se retrouve au restaurant. Enfin, à deux heures, on va au cinéma regarder un film américain ou un film français. Après le film, j'achète souvent de petits gâteaux à la pâtisserie derrière le cinéma, et je mange mon dessert à la maison devant la télé. J'adore la France!

Et vous, ça va à Montréal?

Bises,
Alexis

1. Alexis est....
   A. avec ses parents
   B. à Lyon
   C. dans une université américaine
   D. à Los Angeles

2. Le samedi matin Alexis mange....
   A. à la boulangerie
   B. au café
   D. au restaurant

3. Alexis aime....
   A. la musique française
   B. le pain et les gâteaux français
   C. les films français
   D. A, B, et C

Writing

IV. Complete this conversation at Carrefour with appropriate words or expressions.

Maxime: On va faire du __1__, maman? J'ai besoin __2__ vêtements pour l'école.
Maman: Et moi, je __3__ acheter des fruits et des __4__ d'abord. Ensuite on va __5__ Carrefour.
Le vendeur: Je peux __6__ aider, Madame?
Maman: Je prends un __7__ de tomates. __8__, je prends des bananes.
Le vendeur: Madame, c'est l'été! __9__ pêches sont très __10__ et délicieuses!
Maman: C'est __11__ la livre?
Le vendeur: Un euro cinquante. Ce n'est pas __12__!

Complete the paragraph with the correct form of the verbs.

Quand on __13__ au marché aux puces,	13. (aller)
nous __14__ des vêtements.	14. (chercher)
C'est amusant quand on __15__ ensemble.	15. (être)
Xavier __16__ des tennis noires.	16. (vouloir)
Sophie et Sarah __17__ les robes.	17. (regarder)
Elles __18__ top!	18. (être)
Maxime __19__ besoin de jeans.	19. (avoir)
Le vendeur __20__ sympa.	20. (être)
Nous __21__ essayer les vêtements et les chaussures!	21. (vouloir)

Composition

V. It's your birthday, and you are at a restaurant with family and friends celebrating. Write a paragraph describing the celebration. In your paragraph:

- tell which family members are there.
- state the names and ages of your friends.
- describe the clothes you are wearing.
- tell what you are having to eat.
- tell what people are giving you.

Speaking

VI. Étienne and Salim are buying a shirt to give to their friend Abdoulaye for his birthday. In groups of three, play the roles of Étienne, Salim, and the saleswoman.

Unité 7
À la maison

Rendez-vous à Nice!

Épisode 7:

Changement de cœur

Citation

"Chacun est roi en sa maison."

Everyone is a king in his own house.

—Proverbe français

À savoir

Three out of four French people have a garden or terrace.

Unité 7

À la maison

Question centrale

What makes a house a "home"?

What is Patrick showing Charlotte?

A. a secret that Jean-Charles has been hiding

B. a poster

C. an award from a contest in English

In what city is this port located?

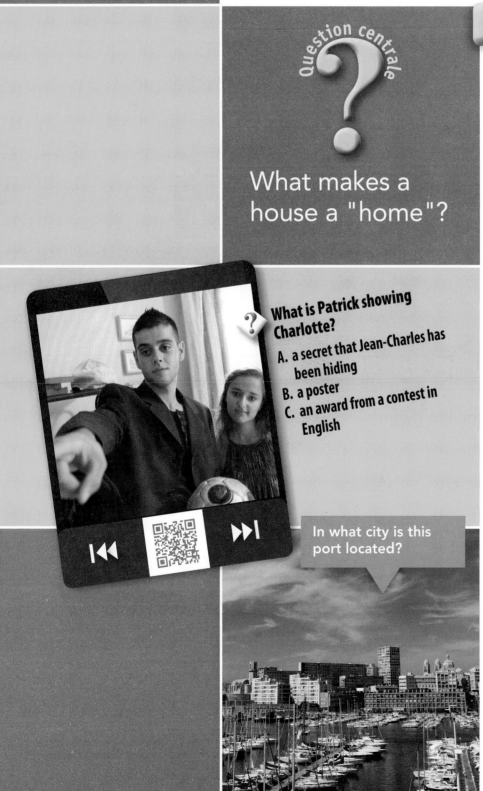

Contrat de l'élève

Leçon A I will be able to:

- give a tour of my home and ask where someone lives.
- talk about housing in France and **le Maghreb** and share facts about Algeria.
- use ordinal numbers.

Leçon B I will be able to:

- give directions in the kitchen.
- talk about Marseille and Provence.
- use the verbs **devoir** and **mettre** in the present tense and make comparisons with adjectives.

Leçon C I will be able to:

- talk about the computer and say I don't understand something.
- talk about technology that young French people use, the province of New Brunswick in Canada, and the singer Natasha St-Pier.
- use the verb **pouvoir** in the present tense.

Leçon A

Vocabulaire actif

emcl.com
WB 1–6
LA 1
Games

La maison

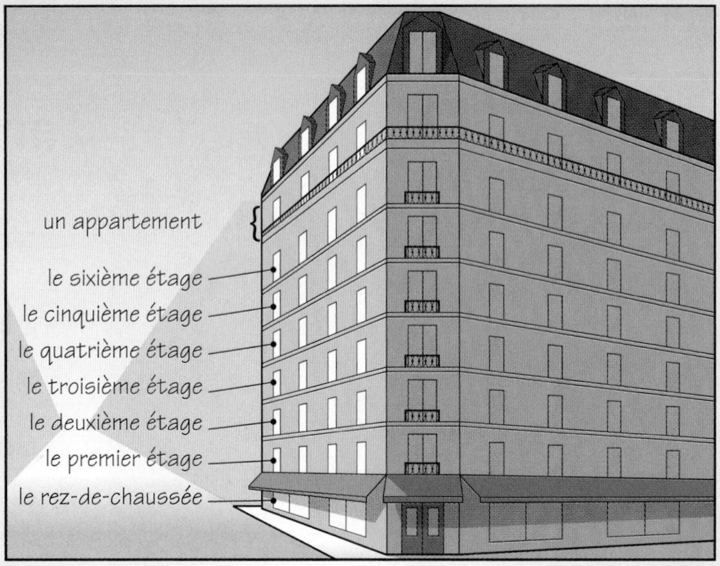

un immeuble

Les pièces (f.):

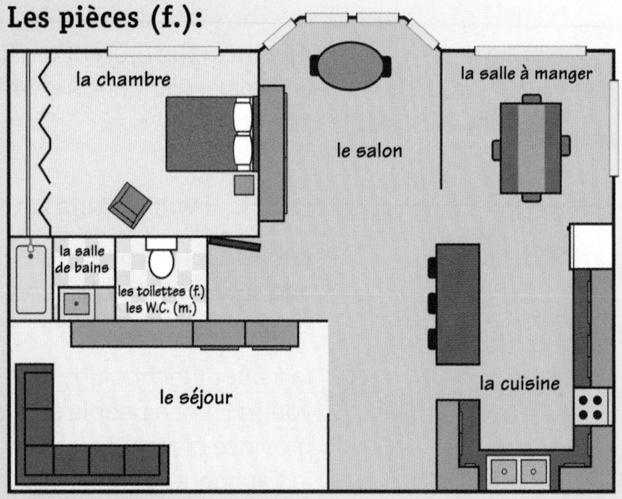

Les meubles (m.):

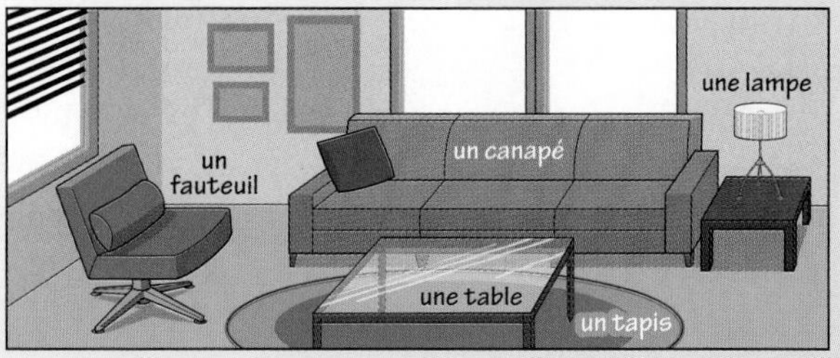

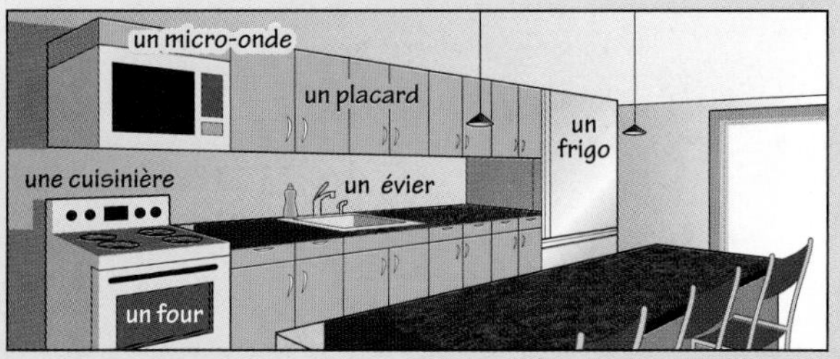

Pour la conversation

How can I give a tour of my house or apartment?

› **Là, c'est** le séjour où nous regardons des DVD.
That's the family room where we watch DVDs.

› **À côté, c'est** la salle à manger où nous dînons ce soir.
Next to it is the dining room where we'll dine tonight.

› **Au fond du couloir, c'est** ma chambre.
At the end of the hallway is my bedroom.

How do I ask where someone lives?

› **Où est-ce que tu habites?**
Where do you live?

How do I agree and disagree?

› **Je pense que** oui.
I think so.

› **Je pense que** non.
I don't think so.

Et si je voulais dire...?

la banlieue	*suburb*
une cafetière	*coffee maker*
un congélateur	*freezer*
une cuisine aménagée	*equipped kitchen*
un grille-pain	*toaster*
un jardin	*garden*
une maison de campagne	*country house*
un mixeur	*blender*

1 Les maisons des Roux

Les Roux ont déménagé (moved) *avec chaque promotion de M. Roux. Choisissez la légende* (caption) *qui correspond à chaque photo.*

1.

2.

3.

A. leur deuxième maison
B. leur première maison
C. leur troisième maison

2 Nous déménageons!

Dites dans quelle pièce va le meuble (piece of furniture) *ou l'appareil électroménager* (appliance).

MODÈLE la lampe
La lampe va dans la chambre.

la chambre — la cuisine — la salle à manger — le séjour — le bureau

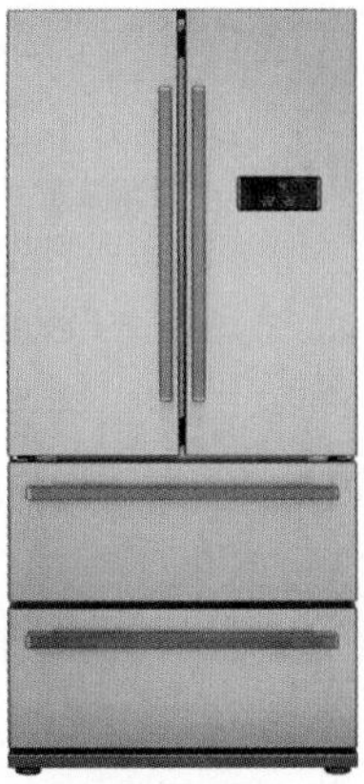
1.

2.

3.

4.

5.

6.

7.

8.

9.

10.

11.

Communiquez!

3 Dans quelle pièce?

Interpersonal Communication

À tour de rôle, demandez à votre partenaire dans quelle pièce il ou elle aime faire les activités suivantes.

Dans quelle pièce est-ce que tu aimes lire?
Dans le salon.
Ville de Limoges

MODÈLE écouter de la musique

A: **Dans quelle pièce est-ce que tu aimes écouter de la musique?**

B: **J'aime écouter de la musique dans ma chambre.**

1. dormir
2. manger
3. étudier
4. regarder la télé
5. téléphoner
6. voir un film
7. surfer sur Internet
8. lire
9. envoyer des textos
10. jouer aux jeux vidéo

4 Complétez!

Choisissez le mot logique qui complète chaque phrase.

lampe pièces cuisine canapé séjour
immeuble frigo tapis

1. L'appartement des Moreau est dans un... à Marseille.
2. Il y a six... dans l'appartement.
3. Dans le salon, il y a un... et deux fauteuils.
4. Sur la table il y a une lampe rouge; sous la table, il y a un... Algérien qui est rouge aussi.
5. Dans la..., un micro-ondes est sous le placard.
6. On regarde la télé dans le....
7. Pour faire ses devoirs, Maxime a un bureau et une... sur le bureau.
8. M. Moreau est en retard et va manger; sa salade est dans le....

5 L'appartement de Sabrina

Sabrina a besoin de meubles pour son nouvel appartement et demande de l'aide à sa grand-mère. Lisez sa liste et la réponse à son e-mail. Ensuite, répondez à la question.

3 lampes
1 canapé
1 micro-ondes
4 chaises
1 tapis
1 table de nuit

À: Sabrina
Cc:
Sujet: Je peux t'aider.

Ma chère Sabrina,

Je regarde ta liste. Je peux te donner la table de nuit de ta mère quand elle était (*was*) petite, un tapis rouge algérien, une chaise bleue, et une jolie lampe jaune pour ton salon. Je sais que ça coûte cher d'acheter des meubles pour un appartement. C'est pourquoi je t'envoie ce chèque pour 100 euros. Envoie-moi une photo de ton premier appartement!

Je t'embrasse,
Mémé

Enfin, qu'est-ce que Sabrina a besoin d'acheter?

6 Chez moi!

*Écrivez **L** si la description de la maison est **logique** ou **I** si la description est **illogique**.*

7 La maison de mes rêves

Votre famille achète la maison de vos rêves. De quoi est-ce que vous avez besoin pour chaque pièce? Faites un dessin de la maison et écrivez le nom des pièces, des meubles, et des appareils électroménagers.

8 Questions personnelles

Répondez aux questions.

1. Est-ce que c'est ta première année dans ta maison ou ton appartement?
2. Est-ce qu'il y a une télé dans ta chambre?
3. Dans quelle pièce est-ce que tu aimes faire tes devoirs?
4. Où est-ce que tu manges?
5. De quelle couleur est ton frigo?
6. Où est-ce que ta famille regarde la télé?

Il n'y a pas de télé dans ma chambre.

Rencontres culturelles

Une invitée

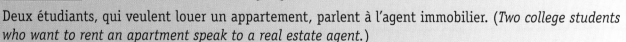

Camille arrive chez Yasmine, où elle va passer la nuit, et elles parlent dans le salon.

Camille:	Oh, tu habites près du parc? Quelle belle vue!
Yasmine:	Oui, nous sommes au septième étage. On voit tout—le parc, les magasins, la mosquée.
Camille:	C'est beau cette pièce! C'est le séjour?
Yasmine:	Oui. Ça a un petit air du pays, n'est-ce pas?
Camille:	Je pense que oui. J'aime les tapis!
Yasmine:	Ce sont des tapis berbères... ils viennent de Kabylie, le pays de mes grands-parents. Regarde, c'est une photo de leur riad.
Camille:	Charmant! Les meubles, les lampes, les coussins, ils viennent aussi de là?
Yasmine:	Il y a des meubles de mes grands-parents, une lampe aussi. Les autres lampes, les tissus, on peut tout trouver ici....
Camille:	Et ça sent quoi?
Yasmine:	Ah ça, c'est du jasmin. À droite, c'est la salle à manger où nous dînons avec ma famille ce soir. Là, au fond du couloir, c'est ma chambre.
Camille:	Où sont les toilettes?
Yasmine:	À gauche de ma chambre.
Camille:	J'arrive dans cinq minutes!

9 Une invitée

Complétez la phrase.

1. ... invite son amie à passer la nuit.
2. Yasmine et sa famille ont une vue du....
3. On va dîner avec....
4. Les tapis de la maison viennent de....
5. En Kabylie, c'est possible d'habiter dans un... comme les grands-parents de Yasmine.
6. Ça sent le....
7. Camille a besoin de....

Extension **Les futurs colocataires**

Deux étudiants, qui veulent louer un appartement, parlent à l'agent immobilier. (*Two college students who want to rent an apartment speak to a real estate agent.*)

L'agent:	Entrez. Alors vous voyez, c'est un deux pièces classique; il est refait à neuf. C'est ce que vous cherchez?
Alexandre:	Euh oui... un grand séjour à tout faire et une chambre.
L'agent:	À tout faire?
Julie:	Oui, on va mettre deux bureaux face à face devant la fenêtre et ici une table pour déjeuner.
Alexandre:	Il y a une prise internet?
L'agent:	L'immeuble est câblé: vous n'avez qu'à choisir l'opérateur.
Julie:	Contre ce mur la bibliothèque et au milieu, le canapé.
Alexandre:	On peut accrocher la télé au mur?
L'agent:	Commençons par votre dossier. Il est complet?

Extension Alexandre et Julie sont-ils sûrs d'avoir cet appartement? Justifiez votre réponse.

Points de départ

emcl.com
WB 7–8

Question centrale

What makes a house a "home"?

Les logements

Individualistes, 57% des familles françaises choisissent d'habiter dans une maison individuelle et 43% seulement dans un immeuble. Il existe aussi des logements sociaux (des HLM—habitations à loyer modéré*). Ils sont occupés surtout par de jeunes couples, des gens qui ont de faibles revenus*, et des retraités*. Beaucoup de jeunes continuent aujourd'hui à habiter chez leurs parents après l'âge de 20 ans, mais ils sont indépendants financièrement et émotionnellement. D'autres jeunes choisissent la colocation*, qui permet* d'avoir plus d'espace et de payer aussi un loyer* moins cher.

Un HLM en banlieue a en moyenne (*average*) douze étages; le plus grand a 29 étages.

Search words: immobilier paris, immobilier lyon, immobilier marseille

habitations à loyer modéré *low-rent housing;* **faibles revenus** *low incomes;* **des retraités** *retired people;* **la colocation** *sharing of an apartment;* **permet** *allows;* **un loyer** *rent*

COMPARAISONS

How does the rate of home ownership in the United States compare to that in France?

La salle de bains et les toilettes

D'habitude, la salle de bains (la douche* ou la baignoire*) est séparée des toilettes (ou W.C.) en France. C'est un espace pour faire sa toilette*, s'habiller*, etc. Des fois, les baignoires sont même* remplacées par des douches avec jet. Les constructions les plus modernes ont tendance aussi à inclure les toilettes dans la salle de bains.

douche *shower:* **baignoire** *bathtub;* **faire sa toilette** *wash up;* **s'habiller** *get dressed;* **même** even

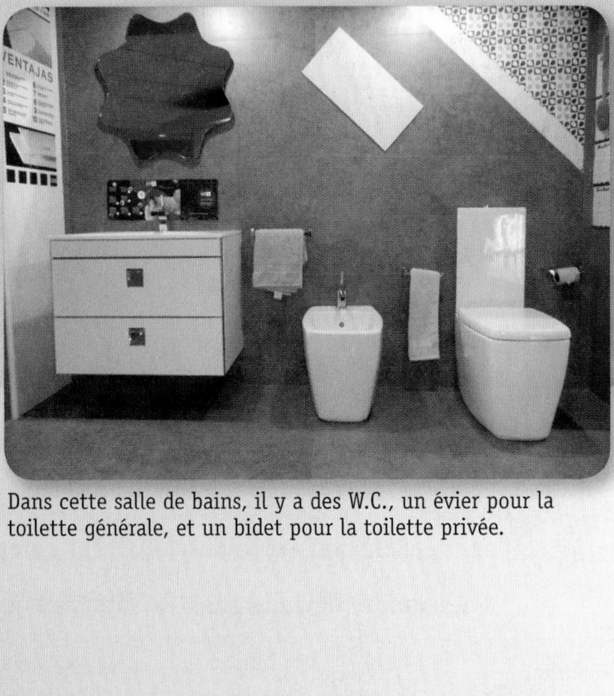

Dans cette salle de bains, il y a des W.C., un évier pour la toilette générale, et un bidet pour la toilette privée.

La Francophonie

emcl.com
WB 9

L'Algérie

L'Algérie fait partie* du Maghreb. (Les autres pays de cette région sont la Tunisie et le Maroc.) Colonie française pendant 130 ans, l'Algérie est devenue* indépendante en 1962. La guerre de libération a duré huit ans, de 1954 à 1962. L'économie algérienne est basée essentiellement sur les ressources pétrolières*, mais un chômage très élevé* force beaucoup de gens à émigrer. La langue officielle est l'arabe, mais souvent l'expression au cinéma, dans la littérature et la musique (le raï) est en français.

Search words: **tourisme algérie**
state department travel advisory algérie

fait partie *belongs to;* **est devenue** *became;* **pétrolières** *oil;* **un chômage très élevé** *high unemployment*

Produits

Le raï est une musique qui vient de l'Algérie. Aujourd'hui, il est populaire partout au Maghreb. On peut trouver cette musique en France aussi. Parfois ces chansons sont en arabe et français. Vous pouvez trouver des chansons et vidéos de raï sur Internet; cherchez les noms "Cheb Bilal" et "Cheb Khaled," par exemple.

Mon dico maghrébin

un bédouin: un homme (du désert)
un bled: un petit village
cheb: titre (*title*) pour un chanteur de raï
le couscous: un plat à base de semoule de blé (*wheat grain*), servi avec viande et légumes
un souk: un marché
un toubib: un médecin

La Francophonie: Habitations au Maghreb

Les trois types d'habitation traditionnelle sont les *riads*, les *khaimas* (tentes), et les *kasbahs*. Les riads sont des maisons construites autour* d'un patio en forme de jardin. Les khaimas sont de grandes tentes. L'espace intérieur est divisé* en deux, l'un, caché*, réservé aux femmes; l'autre, ouvert*, réservé aux hommes et aux visiteurs. Il y a souvent des tapis et des coussins au sol*. Les kasbahs sont de superbes mais fragiles bâtisses en terre* avec un rez-de-chaussée pour les activités agricoles*, un premier étage pour la cuisine et les femmes, et un deuxième étage qui sert de salon de réception.

Perspectives

How are the values and traditions of **le Maghreb** reflected in its traditional housing?

construites autour *constructed around;* **divisé** *divided;* **caché** *hidden;* **ouvert** *open;* **sol** *ground;*
bâtisses en terre *clay buildings;* **agricoles** *agricultural*

10 Questions culturelles

Répondez aux questions.

1. Où habitent les jeunes en France?
2. Comment sont les salles de bains en France?
3. Remplissez (*Fill out*) la fiche d'identité de l'Algérie.
   - Langue officielle
   - Ressource principale
   - Date de l'indépendance
   - Langue de l'expression du cinéma, dans la littérature et la musique
   - Genre de musique populaire
4. Comment appelle-t-on les habitations suivantes au Maghreb?
   - une maison construite autour d'un patio
   - une tente
   - une bâtisse en terre
5. Qu'est-ce que c'est que le raï? Faites une recherche sur Internet sur l'origine, les caractéristiques, les chanteurs, ou les tendances du raï. Chaque membre du groupe choisit un sujet et fait une présentation au groupe.

On appelle une bâtisse en terre une kasbah; à l'origine elle servait de protection pour la ville.

Du côté des médias

Voici des petites annonces (want ads) *pour des appartements à Paris. Remarquez toutes les abréviations!*

1. Paris, 14ème
Bel imm, appt de 90 m2. Entrée, double séj. proche de la cuis. 2 ch., 1 SdB avec wc. Parquet, cheminée. **750.00 €**

2. Paris, 8ème
Bel imm. PdT: 2 pces, 50 m2, 5ème ét., dche. **180.000 €**

3. Magnif. Appt 4 pces avec espaces verts. Séj., 2 chs, SdB, wc, parc. **225.000 €**

4. Paris, 9ème
Appt avec entrée, cuis, séjour, 3 chs, balcon. RdC. Park. Proche de toutes commodités! **280.000 €**

11 Les petites annonces

Pour chaque expression suivante, écrivez une abréviation.

1. appartement
2. cuisine
3. rez-de-chaussée
4. salle de bains
5. parking
6. pièces
7. séjour
8. immeuble
9. étage

12 On cherche un appartement à Paris!

Aidez les personnes suivantes à trouver un appartement à Paris. Dites le numéro de l'annonce qui les intéresserait (would interest them).

1. Éric a besoin d'un bureau parce qu'il travaille à la maison. Il a besoin d'espaces verts pour promener son chien (*dog*).
2. Les Clément ont deux filles de 14 et 8 ans; donc, on a besoin de deux chambres pour elles. Ils veulent avoir un garage pour leur voiture (*car*). Ils voudraient être proches (*near*) de la rue commerçante.
3. Anne-Marie a 23 ans et elle est célibataire (*single*). Elle a besoin d'un petit appartement bon marché. Elle n'a pas besoin d'un ascenseur (*elevator*).
4. Les Bonnet ont un petit garçon, Mathieu. Ils ont besoin d'un grand séjour parce que Mathieu aime jouer à l'intérieur. Ils désirent un appartement de 100 m^2 approximativement.

EN TERRAIN DE CONFIANCE
À DUNKERQUE
Venez découvrir cette nouvelle résidence de standing, comprenant 11 logements de 2 à 4 pièces, avec de très belles prestations: chauffage individuel, au gaz par condensation, normes THPE, terrasses, jardins privatifs, parkings, garages et caves, dans un cadre verdoyant exceptionnel.
Portes ouvertes
tous les dimanches
et sur RDV en semaine.
LA RÉSIDENCE DES TOURNESOLS
AVANTAGES FISCAUX SUR CES PROPRIÉTÉS

Structure de la langue

emcl.com
WB 10–13
LA 2
Games

Ordinal Numbers

Nicole est deuxième dans le marathon.

Numbers like "first," "second," and "third" are called ordinal numbers. They show the order in which things are placed.

All ordinal numbers in French, except **premier** and **première** ("first"), end in **-ième**. To form most ordinal numbers, add **-ième** to the cardinal number. If a cardinal number ends in **-e**, drop the **e** before adding **-ième**. Note that "first," "fifth," and "ninth" are irregular.

un, une	→	**premier (m.), première (f.)**
deux	→	**deuxième**
trois	→	**troisième**
quatre	→	**quatrième**
cinq	→	**cinquième**
six	→	**sixième**
sept	→	**septième**
huit	→	**huitième**
neuf	→	**neuvième**
dix	→	**dixième**

COMPARAISONS

How would you express this sentence in English?
Mon appartement est au cinquième étage.

Mon **premier** jour en Algérie, je vais manger du couscous. *On my first day in Algeria, I'm going to eat couscous.*

Le **deuxième** jour, nous allons à un concert de raï. *On the second day, we are going to a rai concert.*

Culture Note

In French-speaking countries, **le rez-de-chaussée** is the equivalent of the ground or first floor in English-speaking countries. **Le premier étage** refers to the second floor.

13 C'est quel étage?

Dites à quel étage ces personnes habitent.

MODÈLE Cédric
Cédric habite au deuxième étage.

1. Noémie et Jean-Luc
2. Charlotte
3. Karim et Claude
4. Sabrina
5. Sarah et Lucas

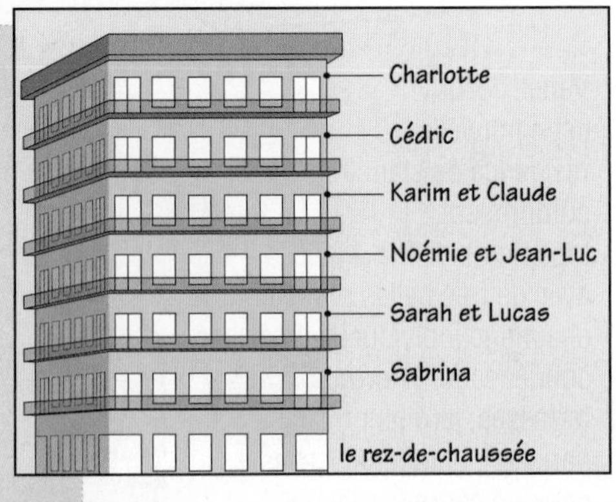

COMPARAISONS: "My apartment is on the sixth floor."

14 Mme Fournier fait les courses au supermarché.

À Monoprix, il y a une caméra à l'extérieur et à l'intérieur, mais les photos de Mme Fournier sont dans le désordre (in disorder). *Retrouvez l'ordre des photos d'après* (according to) *les phrases ci-dessous.*

MODÈLE **Photo A: C'est la première photo.**

A.

B.

C.

D.

E.

F.

1. Elle arrive au supermarché Monoprix.
2. Elle prend un chariot (*cart*).
3. Elle regarde les annonces (*adds*) de Monoprix.
4. Elle met du poulet dans le chariot (*cart*).
5. Elle achète la nourriture.
6. Elle met un sac dans sa voiture.

15 La maison de Coralie

Coralie parle de sa maison à Julie. Écrivez ***0*** *si la pièce que Coralie décrit* (describes) *est au rez-de-chaussée et* ***1*** *si c'est au premier étage.*

À vous la parole

Question centrale

What makes a house a "home"?

Communiquez!

16 L'immeuble

Presentational Communication

Draw a diagram of **un immeuble** with five floors and two apartments on each floor. For each apartment, write the names of the people who live there and their ages, for example, **Michèle, 15 ans.** Introduce one of the families to your small group, including answers to these questions:

- Les membres de la famille s'appellent comment?
- Quel âge ont-ils?
- Est-ce qu'ils habitent dans une maison individuelle?
- À quel étage est-ce qu'ils habitent?
- Il y a combien de pièces?
- Comment est la chambre de l'ado de la famille?
- Qu'est-ce qu'il ou elle aime faire?

La famille Fournier habite au troisième étage de l'immeuble.

Communiquez!

17 La visite

Tu veux un coca ou une limonade?

Interpersonal Communication

With a partner, roleplay the following conversation between an American host student (**A**) and an exchange student from Algeria (**B**). Then switch roles.

Je voudrais une limonade, merci.

A: Welcome your guest and asks if he or she would like a sandwich or a salad, a cola or a mineral water.
B: Say which food and beverage you would like.
A: Give a tour of your house or apartment, ending in the exchange student's bedroom. Ask if he or she needs anything.
B: Respond and thank the host.
A: Say good night (**Bonne nuit!**) and see you tomorrow.
B: Say good night (**Bonne nuit!**) and see you tomorrow.

Communiquez!

18 Un appartement ou une maison en France?

Interpretive/Presentational Communication

You and your family plan to spend a month in France this summer. Since your parents don't speak French, they have asked you to help them find a furnished apartment or house to rent. Follow these steps to complete this task.

- Choose a city or region of France you would like to visit.
- Then find vacation rental agency sites in French on the Internet and select three possible rentals.
- Complete the chart, ranking your choices in order of preference.

	Ville ou région?	Appartement ou maison?	Nombre de pièces?	Nombre de chambres?	Piscine? Jardin ou terrasse?	Attractions de la région?	Prix?
1.							
2.							
3.							

Now, explain your choices in French to a partner, using your diagram to organize your presentation.

Search words: location de maisons de vacances en France

Prononciation

Unpronounced Internal /ə/

- Sometimes the sound /ə/, as in **je** and **de**, is unpronounced in the middle of words.

A Le /ə/ interne non prononcé

Repeat each sentence. Do not pronounce the sound /ə/ except when it is in bold.

1. Au revoir!
2. À samedi!
3. Au revoir! On revient demain matin.
4. Au revoir! On revient le samedi quinze.
5. La boulangerie est près d**e** la crémerie.
6. La boucherie est près d**e** la charcuterie.

B Je la fais tout de suite!

Answer the question according to the example. ***Tout de suite*** *means "right away."*

MODÈLE Vous entendez: **Tu prépares la salade?**
Vous dites: **Je la prépare tout de suite!**

1. Tu fais la sauce? Je la fais tout de suite!
2. Tu coupes les pommes? Je les coupe tout de suite!
3. Tu mets les serviettes? Je les mets tout de suite!

C Style standard, familier, ou relâché?

Listen to the same sentences pronounced in different styles, and repeat.

Excusez-moi, j**e** suis en retard! (standard)
Excusez-moi, j**e** suis en retard! (familiar)
Excuse-moi, je suis en retard! (relaxed)
Excuse-moi, je suis en retard! (relaxed)

The Sound /R/

- The French **r** is made by closing the back of the throat almost completely as if gargling or preventing liquid from passing, then pushing air through. Exceptions to the /R/ sound include **monsieur** and the infinitive form of **-er** verbs.

D Pratiquons le son /R/!

Repeat the following words and phrases.

1. mon père, ma mère, mon frère, ma sœur
2. Bonjour. Bonsoir. D'accord. Bien sûr.
3. le sport
4. un tournoi de rugby
5. le Tour de France
6. Roland Garros

E Tu vas...?

Answer according to the example.

MODÈLE Vous entendez: **Tu vas lire?**
Vous dites: **Ça oui! Je voudrais lire!**

1. Tu vas dormir? Ça oui! Je voudrais dormir!
2. Tu vas partir? Ça oui! Je voudrais partir (*to leave*)!
3. Tu vas sortir? Ça oui! Je voudrais sortir!

F Il y a un "r"?

Write ***R*** *if you hear /R/ or* ***O*** *if you do not hear /R/.*

MODÈLES Vous entendez: **C'est un four.**
Vous écrivez: **R**

Vous entendez: **C'est une affiche.**
Vous écrivez: **O**

Vocabulaire actif

emcl.com
WB 14–17
LA 1
Games

Les repas

La fourchette est à gauche de l'assiette.

Le couteau est à droite de l'assiette.

La cuiller est au-dessus de l'assiette.

le petit déjeuner

le goûter

le déjeuner

le dîner

Pour la conversation

How do I give directions in the kitchen?

› **Tu peux couper** les courgettes **en rondelles.**

You can cut the zucchini in rounds.

› **Ensuite, tu mets le couvert.**

Next, you set the table.

Et si je voulais dire...?

une assiette à soupe	*soup plate*
le couvert	*silverware*
une cuiller à soupe	*tablespoon*
une cuiller à café	*teaspoon*
une poêle	*frying pan*
grignoter	*to snack*
un hors-d'œuvre	*appetizer*
des chips (m.)	*chips*
les snacks (m.)	*snacks*

1 Nicole met le couvert.

Lisez comment Nicole met le couvert, puis répondez à la question.

Je mets la nappe et une assiette. Le couteau est à droite de l'assiette. La fourchette est à gauche de l'assiette avec la serviette. Le verre est au-dessus du couteau. La tasse est à droite du couteau. La petite cuiller et la cuiller à soupe sont au-dessus de l'assiette.

Nicole est-elle américaine ou française?

2 À table!

La mère de Maxime explique comment mettre le couvert. Faites un dessin selon ses explications.

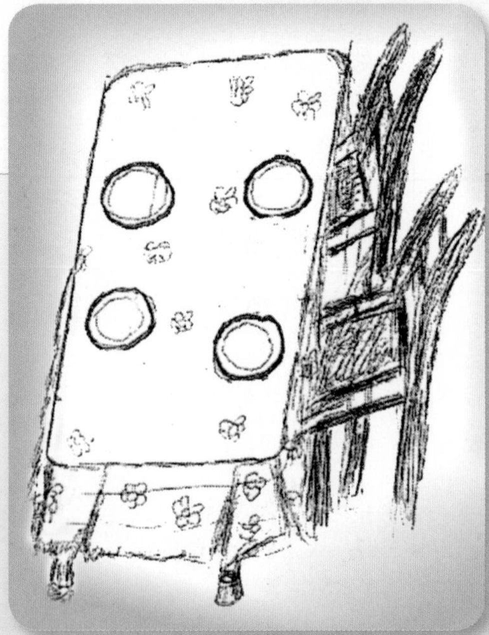

3 Je prépare le dîner!

Dites quels ustensiles de la liste vous prenez pour préparer ces plats.

un couteau   une fourchette   une cuiller   un bol

MODÈLE **Je prends un bol, une fourchette, et un couteau.**

1. 
2. 
3. 
4. 

4 Mets le couvert!

Selon le repas, dites ce dont vous avez besoin pour mettre le couvert. N'oubliez pas la nappe, la serviette, le sel, le poivre, et le sucre!

MODÈLE une soupe aux légumes, une crêpe au poulet et au fromage, une salade, et un café
J'ai besoin d'un bol, d'une cuiller, d'une assiette, d'une fourchette, d'une tasse, d'une nappe, d'une serviette, du sel, du poivre, et du sucre.

1. une omelette au jambon, des petits pois, de l'eau minérale, et un yaourt
2. du bœuf avec des pommes de terre, des haricots verts, un gâteau, et un café
3. une soupe aux carottes, du porc, des courgettes, du café au lait, et une glace au chocolat
4. une soupe aux champignons, un sandwich au fromage, une pomme, une limonade, et une crêpe

5 Questions personnelles

Répondez aux questions.

Je prends le déjeuner à l'école.

1. Qu'est-ce que tu prends au petit déjeuner?
2. À quelle heure est-ce que tu prends le déjeuner?
3. Où est-ce que tu prends le déjeuner?
4. Qu'est-ce que tu prends comme dessert?
5. Qu'est-ce que tu prends comme goûter après l'école?
6. Est-ce que ta famille prend un grand dîner?
7. Est-ce que tu aides ta famille à préparer le dîner?
8. Quel est ton dîner préféré?

Rencontres culturelles

Un repas provençal

Dans la cuisine, Maxime attend la ratatouille que sa mère prépare pour le déjeuner.

Maxime: Je veux prendre le déjeuner maintenant. C'est trop long à préparer ta recette de grand-mère.
Mère: Ah, c'est sûr! On n'est pas chez McDo!
Maxime: Bon alors, qu'est-ce que je fais pour t'aider?
Mère: Eh bien, tu coupes les aubergines et les courgettes. Je vais couper des poivrons et des tomates.
Maxime: Comment?
Mère: Comment quoi?
Maxime: Ben, les courgettes et les aubergines, je les coupe comment?
Mère: Tu peux couper les courgettes en rondelles. Attention! Tu fais des rondelles fines, les aubergines en carrés.
Maxime: Et les carrés comment?
Mère: Les carrés comme des carrés, pardi! Ensuite tu mets le couvert dans la salle à manger. Prends les assiettes de ta tante de Marseille. Elles sont plus jolies que nos assiettes jaunes.
Maxime: Je dois tout faire dans cette maison!

6 Un repas provençal

Repondez aux questions.

1. Qu'est-ce que la mère de Maxime prépare?
2. Quels sont les légumes que Maxime et sa mère préparent?
3. Que fait Maxime pour aider sa mère dans la cuisine?
4. Comment doit-il couper les courgettes?
5. Comment doit-il couper les aubergines?
6. Qui va mettre le couvert?
7. Dans quelle pièce est-ce qu'on va prendre le déjeuner?
8. On va utiliser quelles assiettes? Pourquoi?

Extension **Bon appétit!**

Des participants de la télé-réalité show "Bon appétit" essaient de mettre la table.

Maître d'hôtel: Non, Lauren, on recommence....
Lauren: La fourchette à droite, c'est sûr. Donc... le couteau à gauche. Ah oui, la cuiller à gauche à l'extérieur, et la petite cuiller entre les verres et l'assiette, bien au centre.
Maître d'hôtel: Très bien, Lauren, vous voyez, vous y arrivez quand vous faites attention.... Bon, Matéo, le verre et la serviette maintenant.
Matéo: Je mets le verre d'eau au-dessus du couteau?
Maître d'hôtel: C'est ça. Et la serviette?
Matéo: À gauche de la fourchette.
Maître d'hôtel: Bravo, tous les deux!

Extension Quand Lauren et Matéo mettent le couvert, qui fait quoi?

Points de départ

emcl.com
WB 18–20

Question centrale
What makes a house a "home"?

Marseille

Marseille est la deuxième ville de France. C'est le plus grand port de la Méditerranée et le quatrième port européen. Elle est un centre économique pour le transport maritime et les hélicoptères, pour les explorations sous-marines*, et pour la restauration*. L'agglomération* marseillaise a 1,4 millions d'habitants. Ils viennent de pays différents, surtout d'Italie, d'Arménie, d'Espagne, de Turquie, et des pays nord-africains.

Search words: visiter marseille
tourisme marseille

Avec son port qui facilite les migrations on appelle Marseille "le carrefour des mondes" (*world crossroads*).

sous-marines *underwater;* **la restauration** *restaurant business;* **L'agglomération** *urban area*

La Provence

Quand on pense à la Provence, on imagine des oliviers au soleil*, de beaux paysages*, et des ruines romaines. Deux artistes qui ont peint* des sujets provençaux sont Vincent Van Gogh et Paul Cézanne. La Provence est fameuse aussi pour ses spécialités comme la bouillabaisse, une soupe de poissons *; la ratatouille; et la salade niçoise.

oliviers au soleil *olive trees in the sunshine;* **paysages** *landscapes;* **ont peint** *painted;* **poissons** *fish*

Produits

Rouget de Lisle a composé une chanson pour l'armée qui est devenue l'hymne national (*national anthem*) en 1792. On l'appelle ***La Marseilleise***.

Mon dico provençal

un calu: *une personne bête*
un pitchoun: *un petit garçon*
une pitchounette: *une petite fille*
Je suis escagassé(e)! *Je suis fatigué(e)!*
mon collègue: *mon copain*
Pardi! *Bien sûr!*

Produits

Van Gogh a peint son célèbre tableau (*famous painting*) *The Starry Night* à Saint-Rémy-de-Provence en 1889 dans un style post-impressionniste.

Nuit étoilée, 1889.
Vincent Van Gogh.

Gastronomie: spécialités régionales

Chaque région de France a ses spécialités qui illustrent la diversité des climats et des terroirs (*lands*). Voici des exemples:

Les crêpes (Bretagne).

La bouillabaisse (Marseille).

COMPARAISONS

For what special foods and beverages is your city or region famous?

7 Questions culturelles

Faites les petits projets suivants.

1. Retrouvez les informations suivantes sur Marseille pour faire un profil.
   - Importance en France et en Europe
   - Activités économiques
   - Population
   - Principaux pays d'origine des immigrants
2. Quels sont les ingrédients pour une bouillabaisse marseillaise? Faites des recherches en ligne et écrivez une liste.
3. Écrivez le nom de la région associée avec ces plats:
   - les crêpes
   - le camembert
   - la ratatouille
   - la choucroute garnie
   - les escargots
   - le cassoulet
   - la fondue savoyarde
   - la quiche lorraine
   - le roquefort
4. Écrivez un petit dialogue en français avec des mots en provençal.

La ratatouille.

À discuter

What is the most important room in your house?

Du côté des médias

Lisez la recette.

Most Visited · Getting Started · Latest Headlines

Google Image Result for http://w...

Recettes SEARCH

Home · About · Recipe Index · Subscribe · Shop

Salade niçoise

Durée de préparation: 20 minutes
Nombre de personnes servies: 3

Ingrédients pour la salade:
4 tomates
1 concombre
1 oignon
1 poivron vert
2 œufs
1 gousse d'ail*
un pot de filets d'anchois*
100 grammes d'olives noires
la salade

Ingrédients pour la vinaigrette:
6 cuillers à soupe d'huile d'olive
2 cuillers à soupe de vinaigre
1 gousse d'ail*
sel, poivre
Mélangez l'huile, le vinaigre, l'ail, le sel, et le poivre.

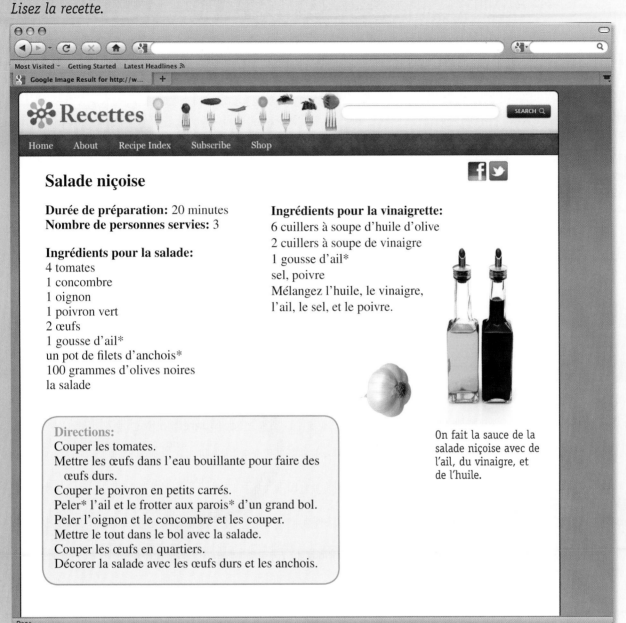

On fait la sauce de la salade niçoise avec de l'ail, du vinaigre, et de l'huile.

Directions:
Couper les tomates.
Mettre les œufs dans l'eau bouillante pour faire des œufs durs.
Couper le poivron en petits carrés.
Peler* l'ail et le frotter aux parois* d'un grand bol.
Peler l'oignon et le concombre et les couper.
Mettre le tout dans le bol avec la salade.
Couper les œufs en quartiers.
Décorer la salade avec les œufs durs et les anchois.

Done

gousse d'ail *garlic clove;* **anchois** *anchovy;* **peler** *to peel;* **frotter aux parois** *rub against the sides*

8 Une recette pour la salade niçoise

Répondez aux questions.

1. On a besoin de combien de minutes pour faire cette salade?
2. Cette recette sert combien de personnes?
3. On a besoin de quels légumes pour faire une salade niçoise?
4. On prépare combien d'œufs? Et si on double la recette?
5. On décore la salade avec quoi?
6. Comment s'appelle la sauce pour la salade?

emcl.com
WB 21–22
LA 2
Games

Comparative of Adjectives

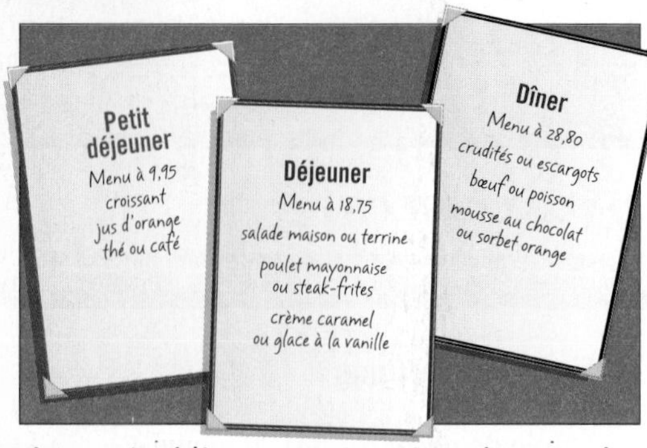

Le petit déjeuner est moins cher que le déjeuner. Le dîner est plus cher que le déjeuner.

To compare people and things in French, use the following constructions.

plus (*more*)	+	adjective	+	**que** (*than*)
moins (*less*)	+	adjective	+	**que** (*than*)
aussi (*as*)	+	adjective	+	**que** (*as*)

In the following examples, note how the adjective agrees with the first noun in the comparison.

La ratatouille **est plus délicieuse que** la salade niçoise.	*Ratatouille is more delicious than nicoise salad.*
Les assiettes **sont moins jolies que** les verres.	*The plates are less pretty than the glasses.*
Fatima est **aussi charmante qu'**Aïcha.	*Fatima is as charming as Aïcha.*

Spelling Tip

Remember that **que** becomes **qu'** before a vowel or vowel sound.

COMPARAISONS

How are two things or people compared in English?

Nathalie is taller than David.
A lemon is more sour than an orange.

9 Comparons les gens!

Comparez la première personne à la deuxième. Utilisez la forme correcte d'un adjectif de la liste suivante.

+	plus
–	moins
=	aussi

MODÈLE Anne/Delphine (– grand)
Anne est moins grande que Delphine.

1. mon meilleur ami ou ma meilleure amie/moi (+ généreux)
2. mon cousin/ma cousine (– intelligent)
3. les acteurs/les artistes (= passionné)
4. ma mère/ma grand-mère (– bavard)
5. mon prof de français/mon prof de gym (= énergique)
6. moi/mon frère ou ma sœur (+ sympa)

COMPARAISONS: To make comparisons in English, add **–er** to the adjective or place "more" before the adjective. This compares to French comparisons made with **plus**.

10 À Carrefour

*Utilisez **plus cher que**, **moins cher que**, ou **aussi cher que** pour comparer les prix à Carrefour.*

MODÈLE **Le yaourt est moins cher que le fromage.**
Le fromage est plus cher que le yaourt.

1. 

2. 

3. 

4. 

5. 

Communiquez!

11 À mon avis

Tu penses que la world est plus culturelle que le hip-hop?

Interpersonal Communication

À tour de rôle, demandez l'opinion de votre partenaire.

MODÈLE Jon Stewart/drôle/Stephen Colbert
A: **Tu penses que Jon Stewart est plus drôle que Stephen Colbert?**
B: **Non, je pense que Jon Stewart est moins drôle que Stephen Colbert.**

1. ton prof d'anglais/strict/ton prof d'histoire
2. les élèves d'espagnol/diligent/les élèves de français
3. l'équipe de foot/passionné/l'équipe de basket
4. les pommes/délicieux/les bananes
5. Ben Stiller/drôle/Tina Fey
6. la world/culturel/le hip-hop
7. U2/généreux/Bill Gates
8. les sciences/intéressant/les langues

emcl.com
WB 23–25
Games

Present Tense of the Irregular Verb *devoir*

The verb **devoir** (*to have to*) is irregular. It is usually followed by an infinitive to express obligation.

devoir			
je	**dois**	nous	**devons**
tu	**dois**	vous	**devez**
il/elle/on	**doit**	ils/elles	**doivent**

Qu'est-ce que vous **devez** faire? *What do you have to do?*
Je **dois** préparer une ratatouille. *I have to make ratatouille.*

Annie doit faire les courses.

12 Les bulletins de notes

Tous les élèves ont leurs bulletins de notes. Pour le cours d'histoire, dites ce que chacun doit ou ne doit pas faire pour améliorer (improve) *sa note.*

MODÈLE Stéphanie
Elle ne doit pas arriver en retard.

Élève(s)	Commentaires de M. Mathieu:
Modèle Stéphanie	Arrive en retard.
1. tu	N'étudie pas pour les contrôles.
2. Nayah et toi, vous	Envoient des textos en classe.
3. Olivier	Ne finit pas ses devoirs.
4. Timéo et moi, nous	Parlent en classe.
5. je	Regarde par la fenêtre.
6. Maude et Clément	Ne participent pas aux discussions.

13 Des conseils

Donnez deux ou trois conseils aux personnes suivantes. Utilisez le pronom ***tu***.

MODÈLE Ton cousin veut être un bon athlète.
Tu dois manger beaucoup de fruits et de légumes.
Tu dois jouer aux sports tous les jours.

1. Ton cousin veut devenir chanteur et compositeur de la musique world.
2. Ton voisin (*neighbor*) veut ouvrir (*open*) un restaurant français.
3. Ta petite sœur veut être une bonne amie.
4. Ton grand frère veut être un bon prof un jour.
5. Ta copine veut être une bonne élève.

Tu veux être une bonne amie? Tu dois me parler.

emcl.com
WB 26–27
Games

Present Tense of the Irregular Verb *mettre*

The verb **mettre** (*to put, to put on, to set*) is irregular.

mettre			
je	**mets**	nous	**mettons**
tu	**mets**	vous	**mettez**
il/elle/on	**met**	ils/elles	**mettent**

Amidou met le couvert dans la salle à manger.

Où **mets**-tu les cuillers? — *Where are you putting the spoons?*
Je **mets** les cuillers au-dessus des assiettes. — *I'm putting the spoons above the plates.*

Pronunciation Tip

The singular verb forms all sound the same.

COMPARAISONS

What is the English equivalent of this sentence?

En hiver, je mets un manteau.

14 Un dîner important

Mathieu choisit des vêtements, et son grand frère Guillaume offre des conseils. Complétez la conversation avec la forme appropriée du verbe ***mettre****.*

Mathieu: Je vais dîner chez les parents de Romane. Est ce que je __1__ un tee-shirt ou une chemise, et un jean ou un pantalon?
Guillaume: Tu __2__ une chemise et un pantalon, c'est sûr.
Mathieu: Vraiment? Mais on ne va pas au restaurant. On __3__ des vêtements de tous les jours à la maison, n'est-ce pas?
Guillaume: Quand les parents invitent les copains à dîner, les copains __4__ un pantalon et une chemise. C'est simple!
Mathieu: Mais Romane et moi, nous __5__ toujours un jean. Pourquoi est-ce différent?
Guillaume: Parce que les parents t'invitent. Je suis sûr que ce soir Romane __6__ un pantalon ou une jupe.
Mathieu: Et toi et Virginie, qu'est-ce que vous __7__ quand vous dînez chez ses parents?
Guillaume: Nous __8__ un jean, mais c'est différent. On n'a pas besoin de faire bonne impression!

COMPARAISONS: This sentence says "In winter, I put on a coat." Note that while no preposition is needed in French, the preposition "on" is needed in English.

15 Au lac du bois

En colonie de vacances, tous les ados doivent mettre le couvert. Vous êtes le chef ce soir. Dites ce que chacun met.

MODÈLE Raphaël
Raphaël met les assiettes.

1. tu

2. Mohammed

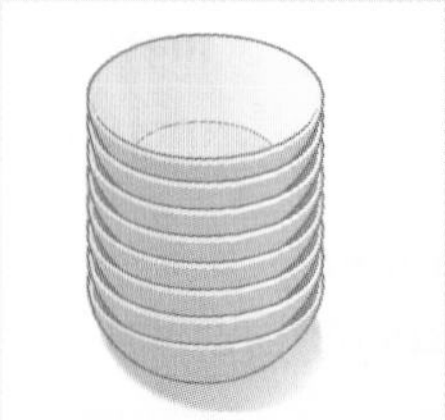

3. Paul et toi, vous

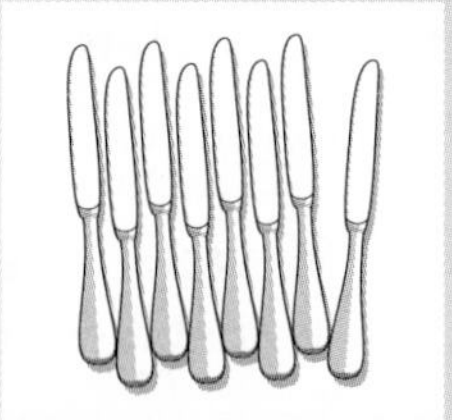

4. Martine

5. Karim et moi, nous

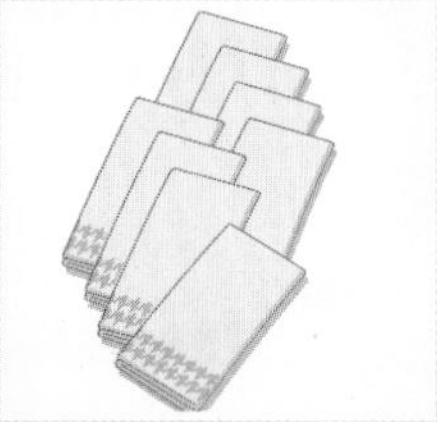

6. Angèle et Héloïse

7. je

8. Noémie et Nayah

9. Hervé

16 La recette de grand-mère

Écrivez les numéros 1–7 sur votre papier. Écoutez la grand-mère de Romane donner une recette d'une ratatouille. Choisissez l'illustration qui correspond à chaque phrase.

Vocabulaire utile

l'huile *oil;* **une poêle** *frying pan;* **des herbes** *herbs/seasonings*

A.
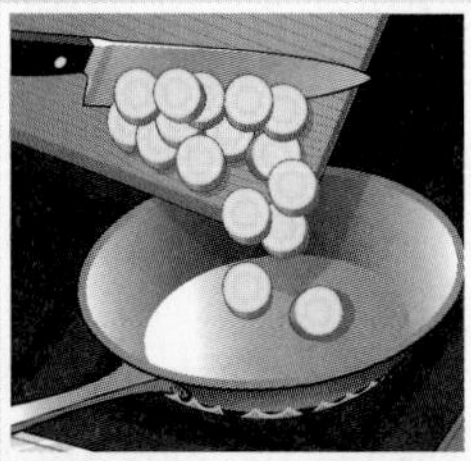

B.

C.

D.

E.
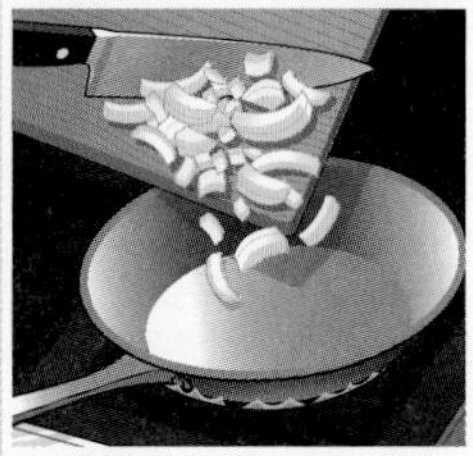

F.

G.

17 Dans le frigo

Dites ce qu'on met dans le frigo.

MODÈLE Marc
Marc met les oranges dans le frigo.

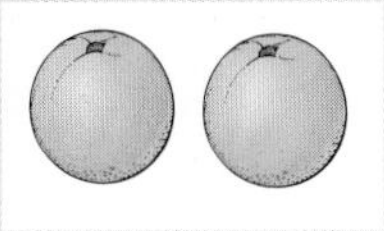

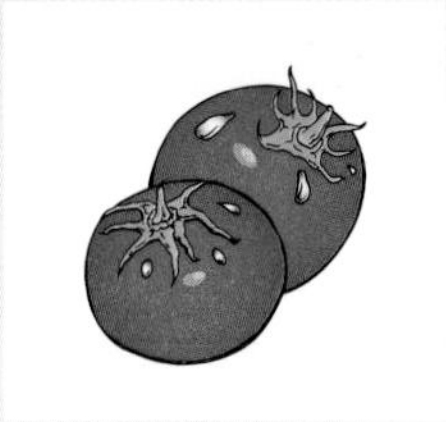

1. Julie et moi, nous

2. tu

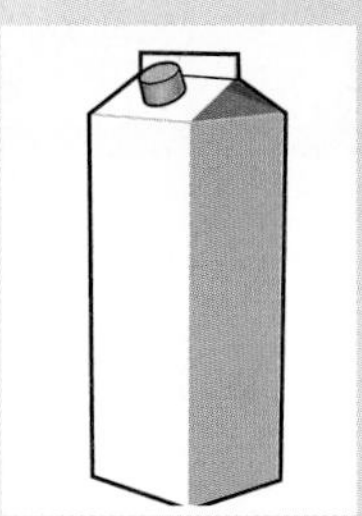

3. Julien

4. mes parents

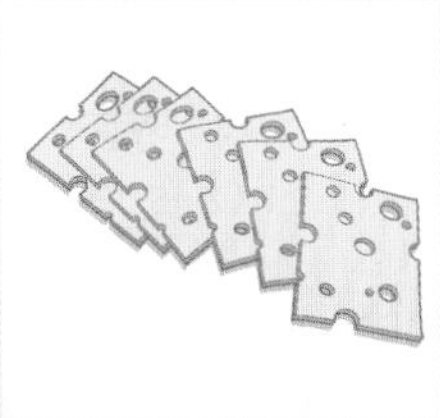

5. je

6. Éric et toi, vous

Communiquez!

18 Qu'est-ce que tu mets?

Interpersonal Communication

À tour de rôle, demandez à votre partenaire ce qu'il ou elle met pour faire chaque activité.

MODÈLE dîner au restaurant avec tes parents
A: **Qu'est-ce que tu mets quand tu dînes au restaurant avec tes parents?**
B: **Je mets un pantalon, une chemise, et des chaussures noires.**

1. aller à la piscine
2. faire la cuisine
3. jouer au foot
4. faire du footing
5. aller au cinéma
6. faire du camping
7. aller à l'école
8. faire les courses

Qu'est-ce que tu mets quand tu fais la cuisine?
Je mets un jean et un tee-shirt.

À vous la parole

Question centrale
What makes a house a "home"?

Communiquez!

19 Un livre de recettes

Interpretive/Presentational Communication

In small groups, decide on an American recipe to create for a Francophone teen. Write each step of the recipe on a separate note card, including the necessary quantities of the ingredients. Then turn in your cards to your teacher, who will mix up all the cards from the class and give a couple to each student, along with the name of a dish. Ask your classmates if they have a card for your recipe. You will need to anticipate the steps of the recipe in order to do this. Finally, put the cards for your recipe in order and type up the ingredients and instructions to make a recipe page for the cookbook for a French-speaking teen.

MODÈLE Recipe: banana split
Est-ce que tu as la carte "Couper les bananes"?

Vocabulaire utile

mélanger	*to mix*
ajouter	*to add*
peler	*to peel*
faire cuire	*to cook*
laver	*to wash*

Communiquez!

20 À table aux USA!

Presentational Communication

Prepare a demonstration in French for Francophone exchange students about the way your family sets the table. Remember to use props such as silverware, plates, bowls, and glasses. Present your demonstration to the class live or via video or podcast.

Communiquez!

21 Bon Appétit!

Interpersonal/Presentational Communication

Working with a partner, choose an easy recipe and demonstrate how to prepare it for a French cooking show. As you demonstrate, be sure to state the quantities of the ingredients you are using. The class will be your audience. Dishes you might prepare include: a banana split, tacos, a smoothie, burgers or veggie burgers, a casserole, or a taco salad.

Stratégie communicative

Descriptive Writing

Effective descriptive writing depends on the writer's ability to paint pictures with words, and then organize those pictures into an effective pattern. To describe where things are in relationship to each other, use prepositions such as: **dans**, **derrière**, **devant**, **sous**, **sur**, **à droite de**, **à gauche de**, **à côté de**, **au fond de**.

Once you establish relationships among items, you can add adjectives describing colors, sizes, and nationalities to make your description more vivid. Here is a review of how adjectives are formed in French.

Remember, nouns are either masculine or feminine and singular or plural in French. Adjectives agree in gender and number with the nouns they modify. There are some exceptions, however, such as the adjective **marron**, which is invariable.

Masc. singular	Fem. Singular	Masc. plural	Fem. plural
intelligent	intelligente	intelligents	intelligentes
algérien	algérienne	algériens	algériennes
généreux	généreuse	généreux	généreuses
marron	marron	marron	marron

In addition, French adjectives are usually placed after the noun they modify: **une lampe algérienne**.

Communiquez!

22 Je décris ma vie.

Interpersonal Communication

Ask your partner to describe people and things in his or her life.

Comment est ton acteur préféré?
Il est drôle comme toi.

MODÈLE ton ami(e)
A: **Comment est ton amie, Élisabeth?**
B: **C'est une amie sympa et intelligente.**

1. ta maison ou ton appartement
2. ton film préféré
3. ta mère
4. ton cours d'anglais
5. ton prof préféré
6. ton frère ou ta sœur
7. ton acteur ou ton actrice préféré(e)

23 Je dessine!

Your partner will describe a living room orally. Draw the room that he or she describes. Then switch roles.

24 Ma chambre

Draw a picture of your real or imaginary bedroom that includes furniture and other items that make your bedroom special. Write a description of your actual or dream bedroom using the prepositions and adjectives you already know. For additional adjectives and prepositions, use a bilingual dictionary. Be creative!

Vocabulaire actif

emcl.com
WB 28–29
LA 1
Games

La chambre

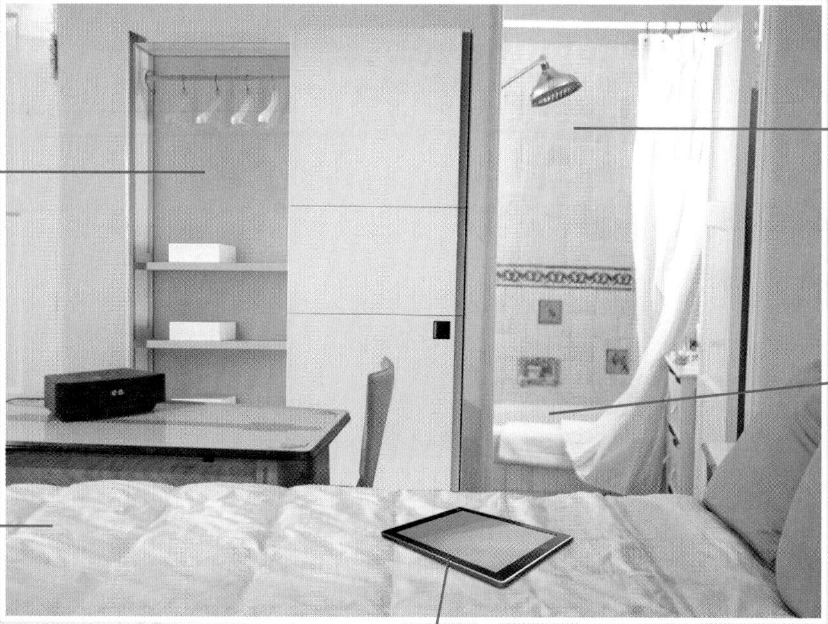

La technologie:

Qu'est-ce que Sophie fait pour télécharger une chanson?

emcl.com
WB 30–32

1. Elle démarre l'ordinateur.
2. Elle clique avec la souris.
3. Elle ouvre le logiciel.
4. Elle navigue sur le site.
5. Elle paie.
6. Elle télécharge sa chanson préférée.
7. Elle synchronise son lecteur MP3.
8. Elle ferme le logiciel.

Pour la conversation

How do I say that I don't understand?

› **Je ne comprends pas** ce problème de maths.
I don't understand this math problem.

How do I talk about the computer?

› La chanson de Natasha St-Pier? **Je la télécharge.**
Natasha Saint-Pier's song? I'm downloading it.

› **Tu imprimes** les paroles?
Are you printing the lyrics?

Et si je voulais dire...?

une armoire à pharmacie	*medicine cabinet*
un bidet	*bidet*
une commode	*dresser*
un lavabo	*bathroom sink*
un réveil-matin	*alarm clock*
une table de nuit	*night stand*

1 La chambre de Karim

Dites ce que Karim a dans sa chambre.

MODÈLE **Il a une affiche de film.**

1. 

2. 

3. 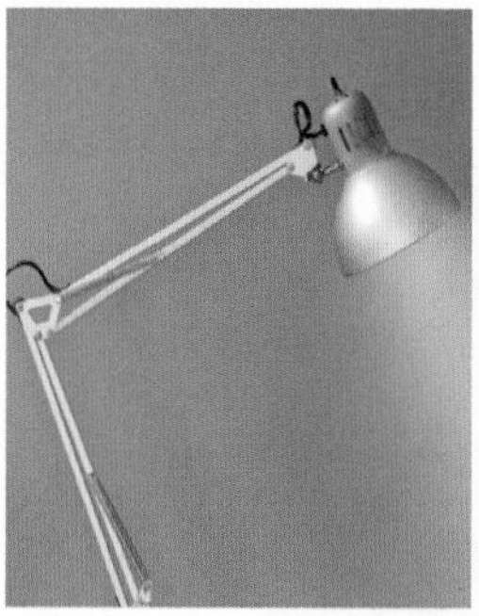

4. 

5. 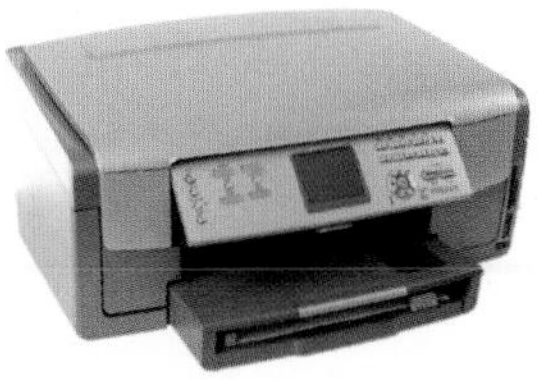

6. 

7. 

2 La chambre de Rahina

Lisez la description de la chambre de Rahina, puis faites un dessin avec tous les détails.

La chambre de Rahina est jaune. Dans sa chambre, elle a un grand lit. Son lecteur MP3 et des photos de ses copains sont sur le lit. Elle a un bureau où elle fait ses devoirs. Devant le bureau, il y a une chaise confortable. Sur le bureau, il y a un ordinateur, des cahiers, des livres, et une trousse. Sur la table de nuit, il y a une lampe orange. Le tapis dans sa chambre est orange et marron. Elle collectionne des affiches de films. Elle met ses vêtements dans un placard.

3 La chambre de Julien

Écrivez les lettres des illustrations qui représentent les meubles et les accessoires que Julien a dans sa chambre.

A.

B.

C.

D.

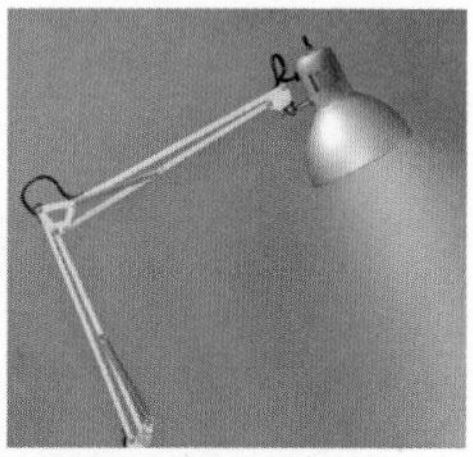

E.

F.

G.

4 En ordre, s'il vous plaît!

Mettez les phrases suivantes dans l'ordre logique.

1. Je télécharge la chanson.
2. Je trouve ma chanson préférée.
3. Je navigue sur le site.
4. Je démarre mon ordinateur.
5. Je synchronise mon lecteur MP3.
6. Je ferme le logiciel.

5 Moussa télécharge une chanson.

Complétez chaque phrase avec un verbe de la liste.

synchronise   ferme   clique
télécharge   démarre   paie   navigue

1. D'abord, Moussa... son ordinateur.
2. Ensuite, il... avec la souris pour ouvrir le logiciel.
3. Il... sur le site pour trouver sa chanson préférée.
4. Il... pour la chanson.
5. Il... la chanson.
6. Il... son lecteur MP3.
7. Enfin, il... le logiciel.

6 J'achète des billets de cinéma en ligne.

Mettez les phrases suivantes dans l'ordre pour expliquer ce que vous faites pour acheter des billets de cinéma en ligne.

1. Je paie avec ma carte de crédit.
2. Je démarre mon ordinateur.
3. Je choisis "AlloCiné."
4. Mais je clique sur le lien "Billetterie et sorties de cinéma," et "Réservez."
5. J'imprime la page web.
6. Je ne télécharge pas le film sur mon ordinateur.
7. Je navigue sur le web pour trouver un bon site.

7 Questions personnelles

Répondez aux questions.

1. De quelle couleur est ta chambre?
2. Est-ce que tu as un grand lit ou un petit lit?
3. Où est-ce que tu mets tes vêtements?
4. Est-ce que tu as des affiches? De quoi sont-elles?
5. Qu'est-ce qu'il y a sur ton bureau?
6. Qu'est-ce que tu fais pour trouver une chanson que tu aimes en ligne?

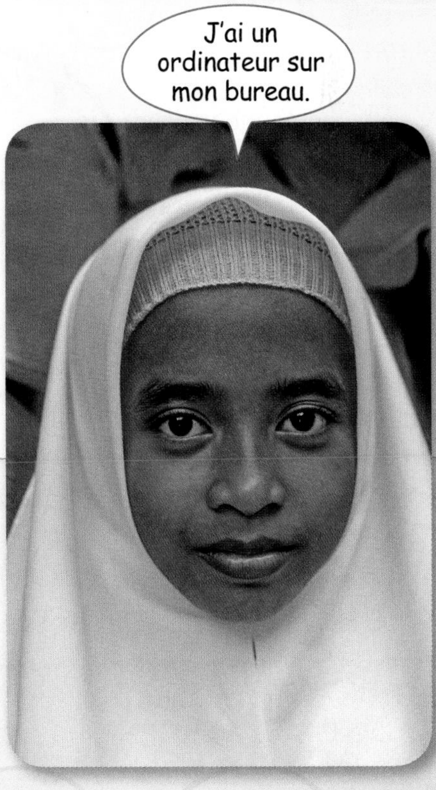
J'ai un ordinateur sur mon bureau.

Rencontres culturelles

Une chanson téléchargée

Julien et Maxime sont en train d'étudier dans la chambre de Maxime.

Julien: Je ne comprends pas ce problème de maths. À qui est-ce qu'on peut demander?
Maxime: À Thomas, il est fort en maths. Tu as ton portable?
Julien: Et qu'est-ce que je...?
Maxime: Ben, un texto!
Julien: Alors... "Taf impossible en maths. Viens!"

(*Julien regarde son portable.*)

Il arrive.

Maxime: Super!
Julien: Qu'est-ce que tu fais?
Maxime: Je vais sur un site de musique. Nous allons écouter une chanson de Natasha St-Pier.
Julien: Qui?
Maxime: Une chanteuse du Nouveau-Brunswick. Tu vas voir. La chanson est géniale.

(Ils écoutent la chanson.)

Julien: Je suis d'accord avec toi. Elle est géniale. Tu peux m'envoyer le lien?
Maxime: Non, donne-moi ton portable. Il est là-bas, sur le lit. Je télécharge la chanson.
Julien: Merci. Tu imprimes les paroles? Tu vas chanter la chanson à qui?
Maxime: À... ça commence par un "Y," ça finit par un "E"!

8 Une chanson téléchargée

Identifiez ces personnes.

1. Cette personne va venir aider Julien et Maxime avec leurs devoirs de maths.
2. Cette personne envoie un SMS.
3. Cette personne télécharge une chanson.
4. Cette personne aime la chanson de Natasha St-Pier.
5. Cette personne va chanter une chanson à son amie.

Extension Un problème électronique

Marie et Alyssa sont dans la salle d'informatique.

Alyssa: Planté!
Marie: Eh bien, ferme tout et redémarre.
Alyssa: Qu'est-ce que j'ai fait encore?
Marie: Pas de panique... tu cliques ici, tu tapes là, et le tour est joué!
Alyssa: Heureusement, j'ai fait une sauvegarde sur ma clé USB juste avant.
Marie: Tu as trop de programmes inutiles. Ton ordinateur, il rame et il plante. C'est aussi simple....
Alyssa: Alors, éliminons! Avant, je peux vérifier si je n'ai rien perdu....
Marie: Bien sûr que non! Tu as fait une sauvegarde! Ah! L'informatique avec toi, ce n'est pas simple!

Extension Que fait Alyssa pour sauvegarder son travail?

Points de départ

emcl.com
WB 33–34

Question centrale
What makes a house a "home"?

Les jeunes et les technologies

Il y a combien d'écrans dans cette pièce?

Les jeunes Français habitent un univers des technologies de l'information et de la communication: textos, blogues, téléchargements *peer to peer*, web 2.0, flux vidéo et audio. C'est une culture du "tout, tout de suite." Les différents types d'écrans (télévision, ordinateur, console de jeux, téléphone portable) occupent une place très importante dans les loisirs* des jeunes Français. Dans la maison, il y a en moyenne* dix écrans par famille.

loisirs *leisure activities;* **en moyenne** *an average of*

La Francophonie: Le Nouveau-Brunswick

Le Nouveau-Brunswick est une province canadienne dans l'est du pays. C'est la seule* province d'être officiellement bilingue (anglais et français). (Le Québec est officiellement francophone.) Plus de 30% des habitants parlent français. Le Nouveau-Brunswick est l'ancien pays des Acadiens, les ancêtres des Cajuns de Louisiane. Aujourd'hui, sa population est assez multiculturelle avec des personnes d'origine acadienne et indigène* parmi* d'autres.

seule *only;* **indigènne** *native;* **parmi** *among*

COMPARAISONS

What people in America were forced to abandon their lands? What was the Trail of Tears?

Le Grand Dérangement

Les Cajuns, habitants de la Louisiane, et les Acadiens, habitants du Nouveau-Brunswick et de la Nouvelle Écosse*, sont très marqués par ce qu'ils appellent **le Grand Dérangement.** En 1755, 13.000 Acadiens Francophones sont chassés* par les Anglophones de ces provinces canadiennes. Entre 7.000 et 8.000 meurent* et beaucoup de familles sont séparées. Dispersés sur les territoires britanniques, ils sont nombreux à se réfugier* aux États-Unis où ils forment la communauté des Cajuns qui est aujourd'hui située principalement au sud* des États-Unis en Louisiane.

Nouvelle Écosse *Nova Scotia;* **chassés** *chased out;* **meurent** *die;* **ils sont nombreux à se réfugier** *many take refuge;* **sud** *south*

Produits

Zydeco, ou **Zarico** en français, est un exemple de la musique folklorique de Louisiane et d'autres états du Sud. Cette musique est liée (*tied*) à la musique de l'Acadie. Deux instruments de musique qu'on emploie (*uses*) en faisant cette musique sont l'accordéon et le frottoir (*washboard*).

Natasha St-Pier

Natasha St-Pier est une chanteuse de chansons sentimentales et romantiques. Elle vient du Nouveau-Brunswick et débute sa carrière internationale en 1999 à l'âge de 18 ans. Aujourd'hui, elle continue à être adorée au Canada et en France.

Natasha St-Pier

Tracklist
01 - Embrasse-moi
02 - L'Esprit De Famille
03 - 1, 2, 3
04 - L'Orient-Express
05 - John
06 - Pardonnez-moi
07 - L'instinct de Survie
08 - J'irai te chercher

Natasha St-Pier chante pour la radio Chérie FM.

9 Questions culturelles

Répondez aux questions.

1. Comment est-ce qu'on décrit (*describe*) l'univers des jeunes Français?
2. Quelles langues est-ce qu'on parle au Nouveau-Brunswick?
3. D'où viennent les Cajuns et les Acadiens?
4. Qu'est-ce que vous savez du Grand Dérangement? Faites un profil:
   - Date
   - Nombre d'Acadiens chassés du Canada
   - Nombre de morts
5. Quelles sont les meilleures (*best*) chansons de Natasha St-Pier? Écoutez ses chansons en ligne. Ensuite, faites une liste de vos cinq chansons préférées.

Nathaniel Williams du groupe Nathan and the Zydeco Cha Chas joue de l'accordéon à la Nouvelle-Orléans.

À discuter

How important is technology in your household?

Du côté des médias

Lisez ce sondage (poll) *sur l'usage d'Internet en France.*

en %	Télécharger des logiciels	Télécharger des films	Télécharger de la musique	Effectuer* un achat en ligne	Téléphoner grâce à* un logiciel (Skype, etc.)	Rechercher des offres d'emploi*	Utiliser Internet pour la formation* ou les études	Utiliser Internet pour un travail ou les études	Effectuer une démarche administrative ou fiscale*
Hommes	34	20	27	41	11	19	18	25	39
Femmes	18	11	20	34	6	20	16	20	34
12-17 ans	49	32	56	28	ns	ns	35	14	ns
18-24 ans	56	47	59	56	14	54	33	43	55
25-39 ans	17	7	13	38	7	15	13	16	40
60-69 ans	ns	ns	ns	17	ns	ns	ns	ns	20

effectuer *carry out;* **grâce à** *thanks to;* **offres d'emploi** *want ads;* **formation** *training;* **démarche administrative ou fiscale** *adminstrative or tax-related task*

10 L'Internet et les Français

Répondez aux questions.

1. Est-ce que plus de femmes ou d'hommes téléchargent de la musique? Des logiciels? Des films?
2. Quel groupe achète le plus en ligne?
3. Quel est le pourcentage de personnes âgées de 18–24 ans qui téléphonent grâce à un logiciel? C'est la majorité?
4. Quel groupe utilise l'Internet le plus pour un travail ou des études?
5. Pour quel groupe est-ce que l'Internet est le plus important?
6. Quels sont les résultats pour les ados américains? Faites un sondage (*survey*) basé sur le sondage français.

Ce sont les gens âgés de 25 à 39 ans qui achètent le plus en ligne, pardi!

La culture sur place

Nos maisons

Introduction

Quand on entre dans la maison d'une autre personne, on peut voir comment est sa vie (*life*) de tous les jours. C'est une occasion de voir la culture sur place.

11 Dans ma maison

Lisez les descriptions suivantes des six maisons qu'on trouve dans des pays francophones. Est-ce que votre maison est comme ces maisons? Écrivez chaque description dans la bonne colonne d'une grille comme celle-ci pour faire des comparaisons.

Ma maison est comme ça.	Ma maison est un peu comme ça.	Ma maison n'est pas comme ça.
=	+	–

1. Il y a beaucoup de photos de famille.
2. Les enfants aident les parents dans la cuisine.
3. Les enfants mettent la table.
4. On prépare des spécialités du pays d'origine.
5. L'espace intérieur est divisé en deux, avec un espace pour les femmes et un espace pour les hommes.
6. Il y a des tapis et des meubles qui viennent du Maghreb.
7. La baignoire est séparée des toilettes.
8. Il y a dix écrans dans la maison.
9. On télécharge la musique d'autres pays.
10. Les enfants invitent leurs camarades de classe à la maison.

Faisons l'inventaire!

12 Présentation et discussion

1. *Donnez votre réaction aux dix phrases de l'Activité 11.*
2. *Parlez à une personne qui parle français et demandez-lui sa réaction aux dix phrases.*
3. *En groupes de trois ou quatre personnes, discutez vos réponses à l'activité avec l'organigramme en utilisant les questions suivantes.*

A. Are your answers different from those of your classmates? Discuss possible reasons for this.
B. Are most homes in your community similar to or different from each other? Why do you think this is so?
C. Have you ever visited someone's home that is very different from your own? In what ways was it different? What do you think of these differences?

Structure de la langue

emcl.com
WB 35–38
LA 2
Games

Present Tense of the Irregular Verb *pouvoir*

Annie peut acheter l'ordinateur.

The verb **pouvoir**, which means "can" or "to be able (to)," is irregular. In the following examples, note the different ways to express **pouvoir** in English.

pouvoir			
je	**peux**	nous	**pouvons**
tu	**peux**	vous	**pouvez**
il/elle/on	**peut**	ils/elles	**peuvent**

Pouvez-vous cliquer sur le lien? *Are you able to click on the link?*

Non, je ne **peux** pas. *No, I can't.*

Pronunciation Tip

The colored verb forms all have the same vowel sound that is different from that in the infinitive and the **nous** and **vous** forms.

Nous pouvons télécharger la chanson "Embrasse-moi!"

COMPARAISONS

In English, is "can" also usually followed by an infinitive?

I can speak French.

COMPARAISONS: You might just respond "I can" if someone asks, "Can you come to the game?" But most times the verb "can" is followed by an infinitive in English also; "I can swim."

13 Le rayon d'appareils électroniques

Utilisez la forme appropriée du verbe **pouvoir** *pour dire quels appareils électroniques et accessoires ces personnes peuvent ou ne peuvent pas acheter avec l'argent qu'elles ont.*

clé USB

imprimante

ordinateur portable

lecteur MP3

portable

clavier

souris

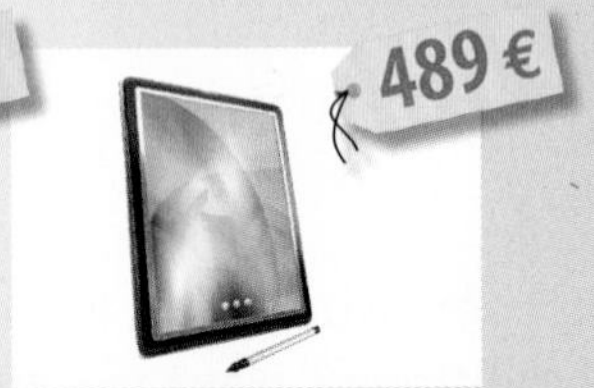

tablette

MODÈLE Alexis a quinze euros.
Alexis a quinze euros. Donc, il peut acheter la souris, mais il ne peut pas acheter le clavier.

1. J'ai 50 euros.
2. M. et Mme Lambert ont 500 euros.
3. Tu as 35 euros.
4. On a 85 euros.
5. Mon frère et moi, nous avons 75 euros.
6. Toi et tes amis, vous avez 20 euros.

14 Au cinéma

Les parents au Québec insistent que leurs enfants qui ont 15 ans voient seulement (only) *des films "Visa général"* (PG) *ou "13 ans +"* (13 and older). *Dites qui peut et qui ne peut pas voir les films au cinéma Mega-Plex Marché Central à Montréal cette semaine.*

Genre de film	Classification
le drame	16 ans +
le film d'aventures	Visa général
la comédie	13 ans +
le film policier	18 ans +
le film de science-fiction	Visa général
la comédie romantique	13 ans +
le film d'action	18 ans +
le thriller	16 ans +
le film musical	Visa général

1. Simon et moi, nous voulons voir le film d'aventures.
2. Angèle et Marie-Alix veulent voir la comédie romantique.
3. Jérôme et toi, vous voulez voir le film d'action.
4. Toi, tu veux voir le film de science-fiction.
5. Martine veut voir le thriller.
6. Abdoulaye et Karim veulent voir le film policier.
7. Karine veut voir le film musical.
8. Et toi? Qu'est-ce que tu veux voir? Est-ce que tu peux?

15 La technologie: on peut...?

Écrivez les numéros 1–6 sur un papier. Écrivez ***oui*** *si on peut faire les choses mentionnées ou* ***non,*** *si on ne peut pas les faire.*

Communiquez!

16 Tu peux...?

À tour de rôle, demandez si votre partenaire a la permission de ses parents de faire les activités suivantes. Ensuite, écrivez un paragraphe qui décrit ce que votre partenaire peut et ne peut pas faire.

MODÈLE A: **Tu peux aller au café à 23h00?**
B: **Oui, je peux aller au café à 23h00. Et toi?**
ou
Non, je ne peux pas aller au café à 23h00.

1. envoyer des textos pendant le dîner
2. faire du footing ou du roller après 20h00
3. essayer les vêtements de ton frère ou de ta sœur
4. aller au centre commercial à 20h00 mercredi soir
5. choisir un film à regarder pour la famille
6. regarder la télé à 23h00 le mardi soir
7. manger devant la télévision
8. apporter ton ordinateur portable à l'école

Tu peux faire du roller après 20h00?
Oui, je peux.

Tu peux apporter ton portable à l'école?
Non, je ne peux pas.

À vous la parole

Question centrale

What makes a house a "home"?

Communiquez!

17 Ma chambre idéale

Presentational Communication

You decide to enter a bedroom makeover contest sponsored by a French Canadian teen magazine. To win, you must submit a 100-word paragraph that describes your ideal bedroom and explains why you should win. Be specific in your description. Tell the color, size, and location of furniture, technology components, and other items in the bedroom.

MODÈLE **Ma chambre idéale a un grand bureau sous la fenêtre....**

Communiquez!

18 Signal de détresse!

Vocabulaire utile

un document	*document*
envoie-moi	*send me*
utiliser	*to use*

Interpersonal Communication

With a partner, role-play the following conversation between a tech whiz (A) and a friend (B) who calls in a panic because his or her computer has crashed while working on a French assignment. In your conversation:

A	B
Calm your friend down and ask what the problem is.	Say you cannot find a document.
Advise your friend to turn off the computer, then turn it on again, and search for the document.	Say you have the document.
Advise your friend to use an external flash drive to save the document. Then tell your friend that if he or she has a problem again, he or she can send you a text message.	Thank your friend.

Le chat

Rencontre avec l'auteur

Guillaume Apollinaire (1880–1918), un poète français, est le nom de plume (*pen name*) de Wilhelm Albert Wlodzimierz Apolinary de Waz-Kostrowicki. Il était (*was*) écrivain de l'avant-garde et membre d'un groupe artistique qui comprenait (*included*) Picasso. Selon (*according to*) Apollinaire, l'imagination doit gouverner l'écriture (*writing*), pas la théorie. Il a trouvé son inspiration dans la nature et la vie. Qu'est-ce qu'il y a dans sa maison idéale?

Pré-lecture

Vous avez besoin de quelles personnes et de quels objets dans votre maison?

Stratégie de lecture

Rhyme Scheme

A rhyme scheme is the pattern of end rhymes, or rhymed words at the end of the lines of a poem. Rhyme schemes are labeled with letters, each letter indicating a particular sound. For example, the rhyme scheme of the first four lines of "Twinkle, Twinkle, Little Star" is A-A-B-B. Sometimes rhyming lines are also linked in meaning. Complete the chart below, noting the rhyme scheme and explaining how ideas are linked. Consider these questions as you read: Who does the narrator want in his house besides his wife and the cat? What does **lesquels** (*which*) link to besides his friends? In other words, what else can he not live without? Part of the chart has been filled out for you.

End words	Rhyme scheme letters	Linked ideas
Maison	A	
Raison	A	**la rime maison/raison:** the attitude of the narrator's wife contributes to his happiness at home
Livres		
Saison		
Vivre		

Outils de lecture

Present Participles

When you read a selection and come across a grammatical construction you haven't learned yet, look up its meaning to see if you can figure out what it is. For example, you will see that **ayant** from line 2 is defined under the poem. It is the present participle of **avoir** (the *–ing* form of a verb in English). When used with **raison**, it literally means "having reason." What is another example of a present participle in this poem? Hint: it comes from the verb "to pass."

Je souhaite* dans ma maison:

Une femme ayant raison*,

Un chat passant* parmi* les livres,

Des amis en toute saison,

Sans lesquels* je ne peux pas vivre.*

souhaite voudrais; **ayant raison** *who's reasonable*; **passant** *passing*; **parmi** *among*; **sans lesquels** *without which*; **vivre** *to live*

Post-lecture

Le narrateur a besoin de quoi pour vivre?

Le monde visuel

L'artiste Paul Cézanne (1839–1906) habitait en Provence et ses peintures (*paintings*) reflètent les paysages (*landscapes*) de sa région. Il a été (*was*) influencé par l'impressionnisme, un mouvement d'artistes qui voulaient peindre (*wanted to print*) une impression d'une chose, pas prendre une "photo" avec tous les détails. Mais, on considère Cézanne le père de la peinture moderne et du Cubisme par ses formes géométriques et son expression personnelle. Il est connu aussi pour sa perspective linéaire. Quelles formes géométriques est-ce que vous trouvez dans cette peinture? Combien de plans (*planes*) horizontaux est-ce que vous observez? Comment la peinture est-elle impressionniste et cubiste?

Dans la vallée de l'Oise, 1873. Paul Cézanne. Collection privée.

19 Activités d'expansion

1. Écrivez un paragraphe sur la maison que le narrateur désire. Utilisez les notes dans votre grille pour vous aider: **Le narrateur désire une maison avec....**
2. Écrivez un paragraphe sur la maison de vos rêves (*dreams*).
3. Écrivez un poème qui commence avec: **Je souhaite dans ma vie....** (*I wish in my life*). Continuez ensuite avec une liste de personnes et/ou de choses.
4. Écrivez un poème sur un thème qui vous intéresse avec l'agencement des rimes (*rhyme scheme*) A-A-B-A-B.

Les copains d'abord: Il est beau, mon HLM

Projets finaux

A Connexions par Internet

L'histoire, la littérature, le cinéma, la musique

Working in small groups, choose one of the topics below to research on the Internet and create a PowerPoint™ or some other form of presentation. Divide up project tasks among group members by assigning a role to each person. For example, roles might be note taker, researcher, summarizer, creator of visual images, and data-entry person. Make your presentation to the rest of the class.

- The connection between the Acadians and Cajuns
- The colonization of New Brunswick and the Canadian Maritimes
- The islands of Saint-Pierre and Miquelon, featured in the film *La veuve de St. Pierre*
- The story of *Evangeline* by Henry Wadsworth Longfellow
- The movie *Belizaire the Cajun*
- Cajun and Acadian music

B Communautés en ligne

La semaine du goût

The yearly celebration of **la semaine du goût** (*National "Taste" Week*) in France reflects the country's attitudes and cultural values about food and cuisine. Research **la semaine du goût** on the Internet to find out more about this event, and complete a chart like the one below with your findings. Then, discuss as a class the different communities that participate in **la semaine du goût** and the values reflected in this event.

Le site officiel de la semaine du goût	
Deux ou trois valeurs (*values*) de la semaine du goût	
Deux adresses gourmandes	
C'est quoi un atelier du goût?	
Description des événements (*events*) dans une école pendant la semaine du goût	

Search words: la semaine du goût

C Passez à l'action!

La maison de l'avenir

What will the "house of the future" look like? How will it be better for the environment? What will be its design? What types of furniture and appliances will it have? In groups of four, design the house of the future and address these questions. Label the rooms, furniture, and appliances in French. Use an online dictionary if needed. As a team, create a multimedia presentation to present your vision for the home of the future.

D Faisons le point!

Question centrale

What makes a house a "home"?

Fill in a chart like the one below to show your understanding of what makes a house a "home." An example has been done for you.

Leçon A **Rencontres culturelles: Une invitée**	Things from your homeland and visiting friends can make a house a "home."
Leçon A **Points de départ: Perspectives**	
Leçon A **Points de départ: La Francophonie: Habitations au Maghreb**	
Leçon B **Rencontres culturelles: Un repas provençal**	
Leçon B **Points de départ: Gastronomie**	
Leçon C **Rencontres culturelles: Une chanson téléchargée**	
Leçon C **Lecture thématique: "Le chat"**	

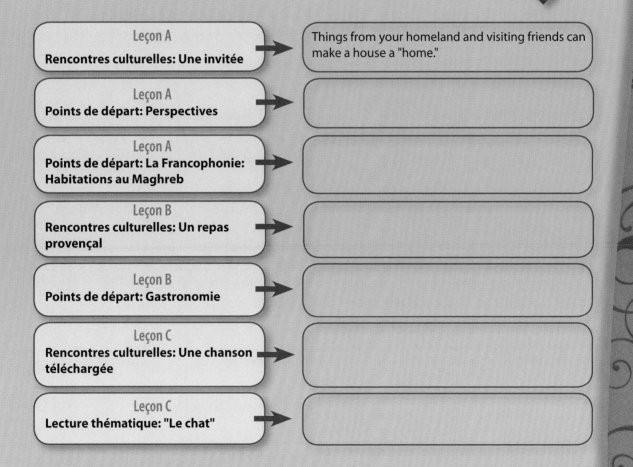

Évaluation

emcl.com
LA *Synthèse*

A Évaluation de compréhension auditive

M. and Mme Petit are looking for an apartment. They have two children. Listen to their conversation with the real estate agent and read the sentences. Write **V** if the statement is **vrai** (*true*) or **F** if it is **faux** (*false*).

1. M. et Mme Petit désirent un appartement au rez-de-chaussée.
2. M. et Mme Petit veulent être près des magasins.
3. M. et Mme Petit ont besoin de deux chambres.
4. M. et Mme Petit veulent trois salles de bains.
5. M. et Mme Petit préfèrent les salles de bains et les toilettes ensemble.

B Évaluation orale

Draw a design of a home, perhaps your ideal home, and describe it to your partner, for example, **Dans ma maison, il y a un salon**.... Then describe your bedroom and its furnishings to your partner, who should draw a picture of it based on your clear description.

C Évaluation culturelle

In this activity, you will compare francophone cultures with American culture. You may need to do some additional research on American culture.

1. **La salle de bains et les toilettes**
   Compare bathrooms in France to those in your home and in your friends' homes.
2. **La maison**
   Compare traditional homes in **le Maghreb** with traditional homes in the United States, for example, log cabins, farm houses, pueblos. You may want to look at some American homes in areas of the United States other than where you live.
3. **L'Algérie et la France comparées au Puerto Rico et les États-Unis**
   What similarities and differences can you identify between Algeria and its relationship to France and that of Puerto Rico and its relationship to the United States? Consider history, language, and immigration.
4. **Marseille et la diversité**
   How far do you have to travel from your home to find a city with as diverse a population as that of Marseille? Compare the cultural diversity in your local or regional community to that in Marseille.
5. **Les caractéristiques de Provence et de ma région**
   What makes Provence famous? Are any of these characteristics the same as those in your region? What is your region famous for?

6. **Les jeunes et la technologie**
   What kinds of technology do you use regularly? How does this compare with the technology used by teens in France? Would you mind being called the "**tout, tout de suite**" generation? Why, or why not?
7. **Le Grand Dérangement**
   Compare the **Grand Dérangement** in Acadia to "The Trail of Tears" in the United States. How are these two events similar? How are they different?

D Évaluation écrite

You are planning to exchange homes with a family in New Brunswick over spring break. Write a detailed description of your home for the Canadian family. Also tell them how close your home is to shopping areas, parks, and other attractions in your area.

Vocabulaire utile

à un kilomètre	*a kilometer away*
pas loin	*not far*

E Évaluation visuelle

Julie is listening to the song "**L'Orient-Express**" by Natasha St-Pier. Describe the steps she uses on the computer to download this and other songs in French.

"L'Orient-Express"
"M'attend sur le quai"
"D'un mot d'un geste"
"Tu vois je m'en vais"

F Évaluation compréhensive

Create a six-frame storyboard with illustrations and captions that describe the house you will live in someday. Begin by saying in what city you will live.

Vocabulaire de l'Unité 7

à: à côté (de) beside, next to *A*
air: un petit air du pays looks like (something from) my country *A*
un **appartement** apartment *A*
une **armoire** wardrobe *C*
Attention! Watch out! Be careful! *B*
aussi as *B*
autre other *A*
une **baignoire** bathtub *C*
beau, bel, belle handsome, beautiful *A*
ben well *B*
berbère Berber *A*
un **carré** square *B*; **en carrés** in squares *B*
la **chambre** bedroom *A*
une **chanson** song *C*
charmant(e) charming *A*
cliquer to click *C*
commencer to begin *C*
le **couloir** hallway *A*
couper to cut *B*
un **coussin** pillow *A*
le **couvert:** table setting *B*; **mettre le couvert** to set the table *B*
la **cuisine** kitchen *A*
demander to ask (for) *C*
démarrer to start *C*
dessus: au dessus de above *B*
devoir to have to *B*
dîner to have dinner *A*
une **douche** shower *C*
droite: à droite (de) to (on) the right of *B*
un **étage** floor, story *A*; **le premier étage** second floor *A*
être: être d'accord to agree *C*; **être en train de (+ infinitive)** to be (busy) doing something *C*
fermer to close *C*
fin(e) fine *B*
fond: au fond de at the end of *A*
fort(e) strong, good at *C*
gauche: à gauche (de) to (on) the left of *A*
habiter to live *A*
ici here *A*
un **immeuble** apartment building *A*
impossible impossible *C*
imprimer to print *C*
un(e) **invité(e)** guest *A*
le **jasmin** jasmine *A*
la it (object pronoun) *C*
un **lit** bed *C*
long, longue long *B*
mettre to put (on), to set *B*
une **minute** minute *A*
moins less *B*
la **mosquée** mosque *A*
naviguer to browse *C*
le **Nouveau-Brunswick** New Brunswick *C*
ouvre: elle ouvre she opens *C*
paie: elle paie she pays *C*
par with *C*
un **parc** park *A*
pardi (régional) of course *B*
les **paroles (f.)** lyrics *C*
passer to spend (time) *A*
le **pays** country *A*
penser to think *A*
une **photo** photo *A*
une **pièce** room *A*
plus more *B*
un **portable** cell phone, laptop *C*
pouvoir can, to be able (to) *C*
près (de) near *A*
un **problème** problem *C*
provençal(e) from, of Provence *B*
que as, than *B*
la **ratatouille** ratatouille *B*
une **recette** recipe *B*
un **repas** meal *B*
le **rez-de-chaussée** ground floor *A*
une **riad** riad *A*
une **rondelle:** circle *B* **en rondelles** in circles *B*
le **salon** living room *A*
la **salle à manger** dining room *A*
la **salle de bains** bathroom *A*
sauvegarder to save *C*
le **séjour** living room *A*
sentir to smell *A*; **Ça sent quoi?** What does it smell like? *A*
sûr(e) sure *B*
synchroniser to synchronize *C*
une **tablette** tablet *C*
un **taf** work *C*
télécharger to download *C*
le **tissu** fabric *A*
les **toilettes (f.)** bathroom *A*
une **vue** view *A*; **Quelle belle vue!** What a beautiful view! *A*
les **W.C. (m.)** toilet *A*

Computer… see p. 371
Household furnishings and appliances… see p. 340
Meals… see p. 355
Ordinal numbers… see p. 340
Place setting… see p. 355

Unité

8 À Paris

Rendez-vous à Nice!

Épisode 8:

Meilleurs résultats!

Citation

"La province crée le talent: Paris la renommée."

The provinces create talent: Paris, fame.

Augusta Amiel–Lapeyre, écrivain français

À savoir

The motto of Paris is "It floats but doesn't sink." (*Fluctuat nec mergitur* in Latin, *Il flotte mais il ne sombre pas* in French).

Unité 8

À Paris

Question centrale

How do major world cities tell their stories?

What is Patrick about to do?
A. say the right answer
B. admit his love for Charlotte
C. tell the teacher Jean-Charles cheated on the test

What is the name of this Parisian monument?

Contrat de l'élève

Leçon A I will be able to:

- extend an invitation and accept or refuse an invitation.
- discuss Paris sites; famous pastries; and Port-au-Prince, the capital of Haiti.
- use the verb **faire** when describing the weather, sports and other activities; and learn how to say "I'm hot" and "I'm cold."

Leçon B I will be able to:

- excuse myself and talk about past events.
- discuss three famous Paris monuments.
- describe events completed in the past, including those that take irregular past participles; and use irregular adjectives.

Leçon C I will be able to:

- sequence events in the past.
- discuss **le jardin des Tuileries** and the **métro**.
- describe past events and specify with adverbs.

Leçon A

Vocabulaire actif

emcl.com
WB 1–6
LA 1
Games

Quel temps fait-il?

En été...

il fait beau.
il fait du soleil.
il fait chaud.

Au printemps...

il pleut.

En automne...

il fait frais.
il fait du vent.

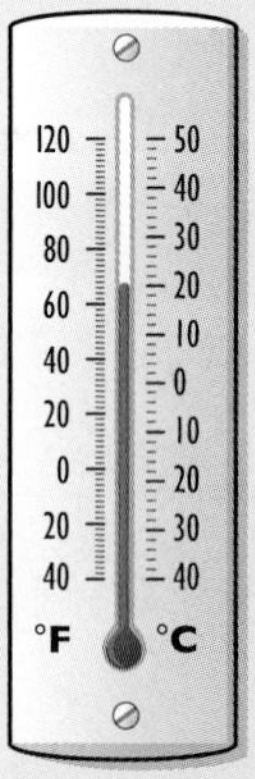

La température est de 20 degrés./Il fait 20 degrés (Celsius).

En hiver...

il fait froid.
il neige.
il fait mauvais.

Chloé a chaud.

Pierre a froid.

Les animaux domestiques

emcl.com
WB 7–8

Miaou!
Cui cui!
Hî-hî-hî!
Ouaf ouaf!
Glou glou!

un chat
un oiseau
un chien
un poisson rouge
un cheval

Pour la conversation

How do I extend an invitation?

› **Tu as envie de** faire une promenade avec moi?
Do you want to take a walk with me?

How do I accept an invitation?

› **Bonne idée! Je suis disponible.**
Good idea! I'm free.

How do I refuse an invitation?

› **Désolé(e). Je suis occupé(e).**
Sorry. I'm busy.

Et si je voulais dire...?

bruiner	*to drizzle*
Il fait du brouillard.	*It's foggy.*
Il y a des éclairs.	*It's lightning.*
la grêle	*hail*
la neige	*snow*
la pluie	*rain*
la météo	*weather report*

1 Bruno et les sports

Lisez et répondez à la question.

Bruno aime les sports. Il fait du sport presque toute l'année. Au printemps il aime faire du vélo et du footing quand il fait beau et un peu frais. En été il aime nager et aller plonger quand il fait chaud et du soleil. En automne il aime jouer au foot et au basket avec des copains. En hiver il n'aime pas faire du ski, et il n'aime pas jouer au hockey. Il préfère regarder le basket à la télé.

En quelle saison est-ce que Bruno ne fait pas de sport?

2 Que porter?

Dites quel vêtement vous portez dans les situations suivantes.

MODÈLE Quand il fait chaud, ... (un pantalon, un short)
Quand il fait chaud, je porte un short.

1. Quand il fait frais, ... (un tee-shirt, un pull)
2. Quand il neige, ... (des bottes, des chaussures)
3. Quand il fait du soleil, ... (un manteau, un chapeau)
4. Quand il fait froid, ... (une chemise, un manteau)
5. Quand il fait chaud, ... (un maillot de bain, une veste)

3 En quelle saison?

Dites en quelle saison les ados suivants font chaque activité.

1. Damien aime faire du roller quand il fait frais; il aime faire du roller....
2. Martine aime nager quand il fait du soleil; elle aime nager....
3. Joëlle aime jouer aux jeux vidéo quand il pleut; elle aime jouer aux jeux vidéo....
4. Luc aime plonger quand il fait chaud; il aime plonger....
5. Julie aime faire du vélo quand il fait beau; elle aime faire du vélo....
6. Sébastien aime faire du ski quand il neige; il aime faire du ski....

4 Quel temps fait-il?

Écrivez les numéros 1–6 sur votre papier. Écoutez la météo (weather forecast) *des villes différentes. Ensuite, choisissez la lettre de l'illustration qui correspond à chaque description.*

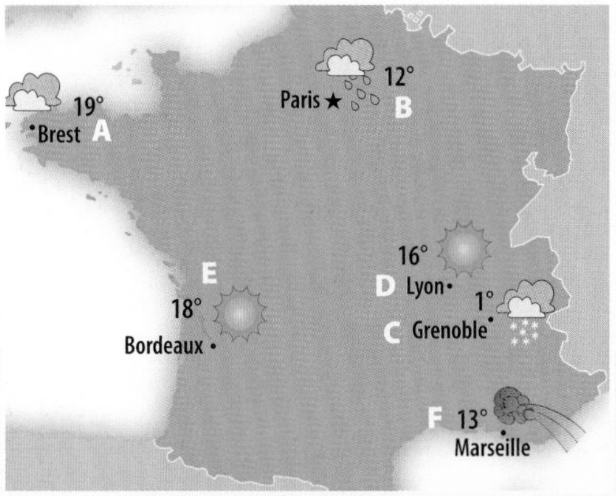

5 Comment s'appellent les animaux?

Dites comment s'appellent les animaux suivants.

MODÈLE Flou-Flou
Le chat s'appelle Flou-Flou.

1. Toto

2. Tweety

3. Samuel

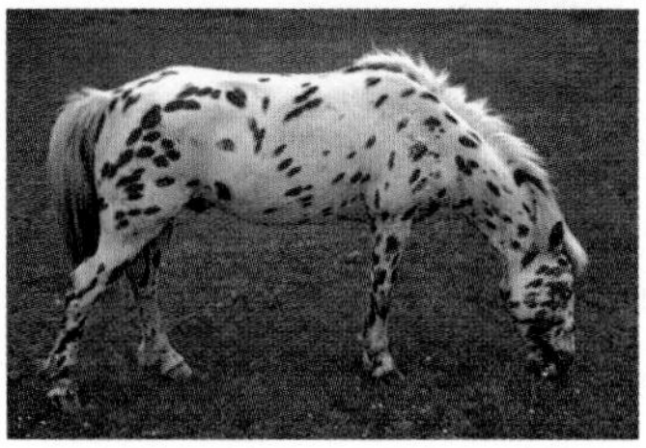

4. Bellino

5. Prince

Communiquez!

6 Des invitations

As-tu envie de jouer au basket?
Quel jour?

Interpersonal Communication

Faites un agenda pour le soir et le weekend de cette semaine pour voir quand vous êtes disponible. Ensuite, invitez un(e) camarade de classe différent(e) à faire une activité.

MODÈLE jouer aux jeux vidéo chez moi/mardi/15h40
A: **As-tu envie de jouer aux jeux vidéo chez moi?**
B: **Quel jour?**
A: **Mardi.**
B: **À quelle heure?**
A: **À quatre heures moins vingt.**
B: **Bonne idée! Je suis disponible.** ou **Désolé(e), je suis occupé(e).**

7 Questions personnelles

Répondez aux questions.

1. Quel temps fait-il aujourd'hui?
2. Est-ce que tu préfères les sports d'hiver ou les sports d'été?
3. Qu'est-ce que tu aimes faire en hiver? en été?
4. Qu'est-ce que tu portes quand il fait froid?
5. Es-tu occupé(e) samedi soir?
6. Qu'est-ce que tu as envie de faire dimanche?

Rencontres culturelles

Une promenade à Paris

Yasmine et Maxime se voient dans la rue.

Maxime: Tu as envie de faire une promenade avec Snoopy et moi?

Yasmine: Oui, bonne idée! Si on s'arrête à la pâtisserie du coin? J'ai envie d'un gâteau....

Maxime: Trop gourmande! Attention! Ta ligne....

Yasmine: Ce n'est pas grave! Qu'est-ce que je vais prendre? Une tarte? Non. Un millefeuille? Peut-être. Un éclair au chocolat.... Oh! Oui... non, mieux! Une religieuse. Comme ça, tu manges le haut et je mange le bas.

(Maxime et Yasmine entrent dans la pâtisserie avec le chien.)

Maxime: (*à Yasmine*) Et maintenant, qu'est-ce qu'on fait?

Yasmine: En cette belle journée de printemps, pourquoi pas une chouette promenade aux Tuileries?

Maxime: Il ne va pas pleuvoir?

Yasmine: Mais non!

8 Une promenade à Paris

Mettez les événements (events) *suivants dans l'ordre chronologique.*

1. On achète une religieuse.
2. On s'arrête devant une pâtisserie.
3. On va aux Tuileries.
4. Maxime fait une promenade avec son chien.
5. Maxime voit Yasmine.

Extension À l'agence de voyage

Emma et Loïk parlent au tour-opérateur à l'agence de voyage.

Opérateur: J'ai ce très beau produit... quatre jours à Paris.

Loïk: Ah! Oui, pourquoi pas. On va au bout du monde et on ne va jamais à Paris.

Emma: Et qu'est-ce qu'on fait pendant quatre jours?

Opérateur: Pour voir la Seine et les monuments, une superbe promenade en bateau-mouche; pour dîner en couple, une soirée à la tour Eiffel; côté culture, le Louvre pour vous tous seuls....

Extension Est-ce que vous imaginez que Loïk et Emma vont accepter ce que le tour opérateur propose? Justifiez votre réponse.

Points de départ

emcl.com
WB 9

Question centrale

How do major world cities tell their stories?

Paris, capitale de la France

La Seine divise Paris en deux parties: la rive* droite (au nord de la Seine) et la rive gauche (au sud de la Seine). L'île* de la Cité, où la cathédrale Notre-Dame de Paris est située, est une île sur la Seine. Le nom romain de Paris était* Lutèce, mais c'est son nom celte, le nom de ses premiers habitants, les *Parisii,* qu'on utilise. Son destin est lié aux rois*, aux empereurs, aux présidents de la République, et aux hommes d'Église* qui ont construit* ses monuments.

Période	Construction	Responsables
XIIème siècle*	Notre-Dame	Maurice de Sully
XIIème siècle	le Louvre	Philippe Auguste
XVIIème siècle	places Dauphine, Vosges, les Champs-Élysées, les Invalides	Henri IV, Marie de Médicis, Louis XIV
XVIIIème siècle	le Champ de Mars, le Palais-Royal	Louis XV
1852–1875	les grands boulevards et parcs, l'Opéra	Napoléon III, le Baron Haussman, Charles Garnier
1887–1900	la tour Eiffel, le Petit et le Grand Palais	Gustave Eiffel, Charles Girault, etc.
1970–1989	le Centre Pompidou, la Pyramide du Louvre, l'arche de la Défense	Georges Pompidou, François Mitterrand

Search words: **pages de paris**
paris info
louvre site officiel

rive *bank;* **l'île** *island;* **était** *was;* **lié aux rois** *linked to kings;* **Église** *Church;* **ont construit** built; **siècle** century

L'arche de la Défense.

COMPARAISONS

What monuments, churches, museums, and statues are there in your state's capital city?

Les pâtisseries parisiennes

emcl.com
WB 10–11

Il n'est pas nécessaire d'aller loin à Paris pour trouver une pâtisserie ou une boulangerie-pâtisserie. Des gâteaux traditionnels qu'on y achète sont les flans, les éclairs, les religieuses, et les millefeuilles. Avant les fêtes, on peut y acheter une bûche de Noël* ou une galette des Rois* pour fêter l'Épiphanie. À Paris il y a aussi des salons de thé comme Angelina ou Ladurée qui servent des gâteaux de toutes sortes.

Search words: **angelina paris**
ladurée
maison pierre hermé

bûche de Noël *Yule log;* **galette des Rois** *Kings' Cake*

Les enfants aiment porter la couronne (*crown*) que les pâtisseries distribuent avec la galette des Rois.

Produits

La **galette des Rois** est un gâteau qu'on sert pour l'Épiphanie. On met une fève (*bean*) dedans, et la personne qui la trouve devient le roi (*king*) ou la reine (*queen*) de la journée. On peut aussi trouver cette tradition en Belgique et en Louisiane, où on le sert pendant la fête de Mardi Gras.

Tu voudrais circuler dans un autobus tap-tap à Port-au-Prince, Haïti?

La Francophonie

Une autre capitale

Port-au-Prince est la capitale d'Haïti, la partie ouest de l'île Hispaniola dans la mer des Caraïbes*. (À l'est est la République Dominicaine.) Comme partout* en Haïti, les résidents de la capitale parlent français et créole. Port-au-Prince est un port et la plus grande ville de la République. Il y a une université nationale dans la ville. L'art est partout, même sur les autobus, qu'on appelle des "tap-tap." En général, les artistes haïtiens aiment les couleurs vives* et la décoration. Le 12 janvier 2010 Port-au-Prince a été* dévastée par un tremblement de terre*. Le coût de la reconstruction de la ville est estimé entre 8 et 14 milliards* de dollars.

Search words: **haitï tourisme**

mer des Caraïbes *Caribbean Sea;* **partout** *everywhere;* **vives** *bright;* **a été** *was;* **tremblement de terre** earthquake; **milliards** billions

9 Questions culturelles

Répondez aux questions et faites les activités suivantes.

La cathédrale de Notre-Dame est située sur l'île de la Cité.

1. À qui doit-on les transformations de Paris?
   - la place des Vosges
   - les Champs-Élysées
   - l'Opéra Garnier
2. Qui étaient (*were*) les responsables des transformations de Paris moderne? Faites des recherches en ligne.
3. Regardez des photos en ligne des pâtisseries mentionnées. Laquelle voudriez-vous goûter?
4. Où est située la République d'Haïti?
5. Qu'est-ce qui y (*there*) est arrivé le 12 janvier 2010?

Perspectives

More than 20 million tourists visit Paris each year, including many Americans. But where do the French travel? Do online research to find out where they like to travel the most.

Search words: destination des séjours personnels

Du côté des médias

10 Le plan de Paris

Regardez le plan de Paris et complétez une grille comme celle-ci en mettant chaque endroit dans la colonne appropriée.

rive droite	rive gauche
Modèle	la tour Eiffel
1.	
2.	

1. l'arc de triomphe
2. l'Opéra
3. le Louvre
4. les Invalides
5. le Sacré-Cœur
6. les Champs-Élysées
7. le Panthéon
8. le Cimetière du Père-Lachaise

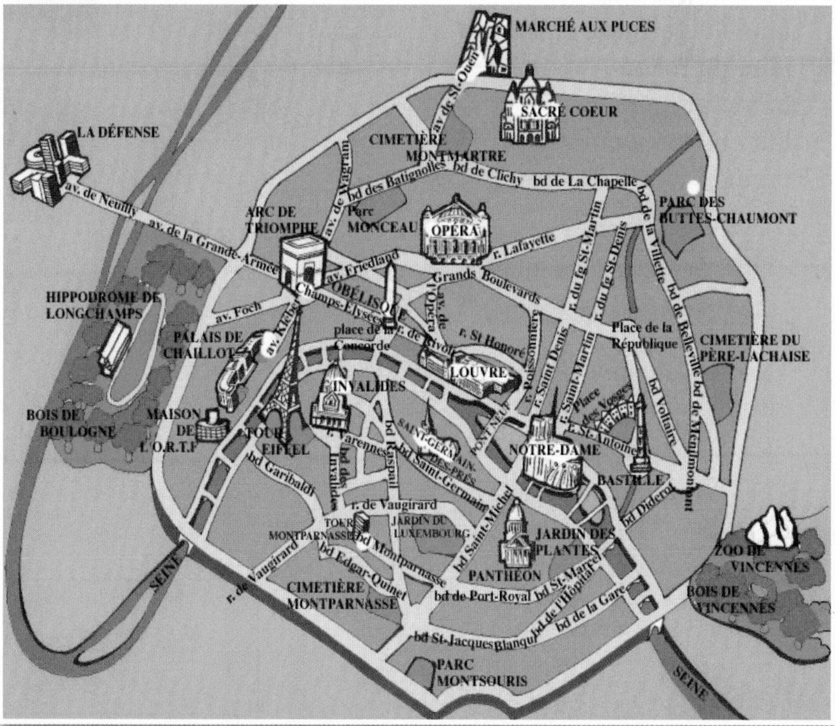

Structure de la langue

emcl.com
WB 12–15
Games

Present Tense of the Irregular Verb *faire*

The irregular verb **faire** means "to do" or "to make."

faire			
je	**fais**	nous	**faisons**
tu	**fais**	vous	**faites**
il/elle/on	**fait**	ils/elles	**font**

Juliette fait une promenade dans le jardin des Tuileries.

Qu'est-ce que vous **faites**? — *What are you doing?*
Nous **faisons** une salade niçoise. — *We're making a* niçoise *salad.*

Like the irregular verbs **aller**, **être**, and **avoir**, **faire** is used in many expressions in which a verb other than *to do* or *to make* is used in English, such as in sports and weather expressions.

Tu **fais** du sport? — *Do you play sports?*
Oui, je **fais** de la gym. — *Yes, I do gymnastics.*
Il **fait** chaud. — *It's (The weather's) hot/warm.*

Do you remember these **faire** expressions?

- faire ses devoirs
- faire la cuisine
- faire les courses
- faire du footing
- faire du patinage artistique
- faire du roller
- faire du shopping
- faire du ski alpin
- faire du vélo

Gisèle et Marc font du patinage artistique.

COMPARAISONS

When someone asks you, "What are you doing?", do you use the verb "to do" in your answer?

What are you doing?
I'm taking a walk.

COMPARAISONS: When someone asks you, "What are you doing?" you can answer with a variety of verbs, just as in French: **Qu'est-ce que tu fais? J'écoute de la musique.**

11 Dans la cuisine

Dites ce que tout le monde fait dans la cuisine.

1. tu

2. Éric et moi, nous

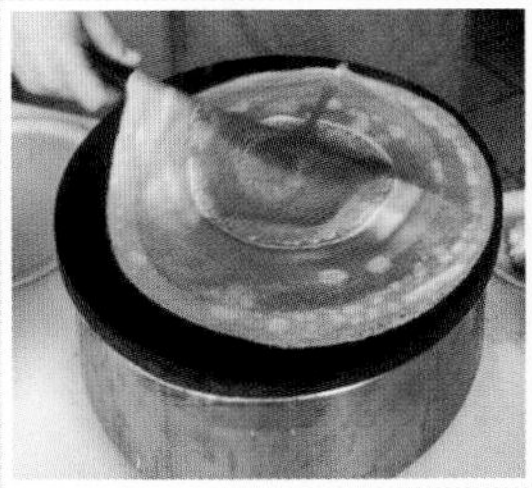

3. Danielle et Awa

4. Rahina

5. je

6. vous

12 Mercredi après-midi

Dites où tout le monde est, puis ce qu'ils y font.

MODÈLE Charlotte
Charlotte est dans le jardin. Elle fait du sport.

1. Nicole

2. je

3. Vincent et toi, vous

4. Simone et Clara

5. tu

6. Alima et moi, nous

13 Qu'est-ce que Malika fait?

Écrivez les numéros 1–5 sur un papier. Écoutez et choisissez l'image qui correspond à chaque activité que Malika fait.

A.

B.

C.

D.

E.

Expressions with *avoir*: *avoir froid, avoir chaud, avoir envie de*

You have already seen that the verb **avoir** is used in several French expressions where English uses another verb: **avoir besoin de**, **avoir faim**, **avoir soif**, **avoir... ans**. Three more **avoir** expressions are **avoir froid** (*to be cold*), **avoir chaud** (*to be hot*), and **avoir envie de** (*to want to*).

emcl.com
WB 16–18
LA 2
Games

Est-ce qu'Amidou a chaud ou froid?

COMPARAISONS

What is the best way to put this sentence into English? A good, idiomatic translation doesn't always rely on translating word-by-word, but by considering the sense of the whole sentence.

J'ai froid, mais tu as chaud.

COMPARAISONS: **J'ai froid, mais tu as chaud** is best expressed as "I'm cold, but you are hot."

14 Froid ou chaud?

Dites si vous avez froid ou chaud selon le temps.

MODÈLE Il fait frais.
J'ai froid quand il fait frais.

1. Il pleut.
2. Il fait du soleil.
3. Il neige.
4. Il fait beau.
5. Il fait du vent.

Moi, j'ai froid quand il fait du vent.

15 Qu'est-ce que tu as envie de faire?

Interpersonal Communication

À tour de rôle, demandez à votre partenaire ce qu'il ou elle a envie de faire.

MODÈLE le mercredi soir à 9h00
A: **Qu'est-ce que tu as envie de faire mercredi soir à 9h00?**
B: **J'ai envie de regarder la télé. Et toi?**
A: **Moi, j'ai envie de jouer aux jeux vidéo.**

1. vendredi soir à 20h00
2. en été
3. samedi après-midi
4. en hiver
5. au printemps
6. dimanche matin

Moi, j'ai envie de faire une promenade. Et toi?

À vous la parole

Question centrale

How do major world cities tell their stories?

Communiquez!

16 La météo

Presentational Communication

Select a francophone city and look it up on a map. (If it is located south of the equator, remember that seasons are reversed from those in the Northern Hemisphere). Next, research what the weather is like there in the winter, spring, summer, and fall. Also find out the average temperatures in each season and note them in Celsius. Finally, create a weather report or a weather map for your city for a particular date in each season. Share your weather report with the class.

MODÈLE **C'est le 23 décembre. Vous avez besoin de mettre votre manteau. Ici à Paris il pleut et il fait du vent. La température ce matin: 8 degrés. La température cet après-midi va être de 4 degrés. Demain il va neiger.**

Search words: **météo (+ name of location)**

Communiquez!

17 Album de photos des monuments parisiens

Presentational Communication

Make a photo album of five sites from the culture reading "Paris, capitale de la France." For each image, write a caption in French identifying the location and stating what you can see or do there. To find this out, it may be necessary to do some online research. Next, create a timeline showing when each site was built. Put your album online or print it out. Present it to a partner.

MODÈLE **C'est le Centre Pompidou. Il est sur la rive droite à Paris. On va au Centre Pompidou pour visiter les musées, manger dans les restaurants, et regarder les musiciens et mimes devant le musée.**

Search words: **tour eiffel, notre-dame de paris, louvre, opéra garnier, grand palais, centre pompidou**

Prononciation

Ellipses

- There is a difference between standard spoken French that you use in class and casual spoken French that you might use with friends. In the casual style, speakers sometimes drop some sounds that can modify the number of syllables and the rhythm of the sentence.

A **Style standard et style relâché, le son /l/**

Repeat the sentences, paying attention to the sound /l/.

Standard French	Casual French
1. Il faut. Il ne faut pas.	Il faut. Il ne faut pas.
2. S'il te plaît.	S'il te plaît.
3. Ils ont fini?	Ils ont fini?

B **Style standard et style relâché, les sons /l/ et /R/**

Repeat the sentences, paying attention to the sounds /l/ and /R/.

Standard French	Casual French
1. Ferme la fenêtre!	Ferme la fenêtre!
2. Tu as quatre sœurs?	Tu as quatre sœurs?
3. Il n'a plus faim.	Il n'a plus faim.

C **Style standard ou style relâché?**

*Write **S** if you hear standard French or **C** if you hear casual French.*

Closed and Open Vowels

- *Closed vowels are usually at the end of a syllable, whereas open vowels are usually followed by a pronounced consonant.*

D **La voyelle fermée /e/ et la voyelle ouverte /ɛ/**

Repeat the words, paying attention to the sounds /e/ and /ɛ/.

Chloé. Inès.
Hervé. Djamel.

E **Le son /e/ ou le son /ɛ/?**

Write /e/ if you hear the closed vowel /e/ as in Chloé or /ɛ/ if you hear the open vowel /ɛ/ as in Inès.

Leçon B

Vocabulaire actif

emcl.com
WB 19–23
LA 1
Games

Les endroits en ville

Départ

la statue de la **Liberté**

1 une statue

la Seine

2 un fleuve

l'avenue des **Champs-Élysées**

3 une avenue

la place de **la Concorde**

4 une place

le monument de la place **Vendôme**

5 un monument

Arrivée

13 un aéroport

l'aéroport Roissy—Charles de Gaulle

12 une gare

la gare du Nord

le musée du Louvre

6 un musée

le Pont-Neuf

7 un pont

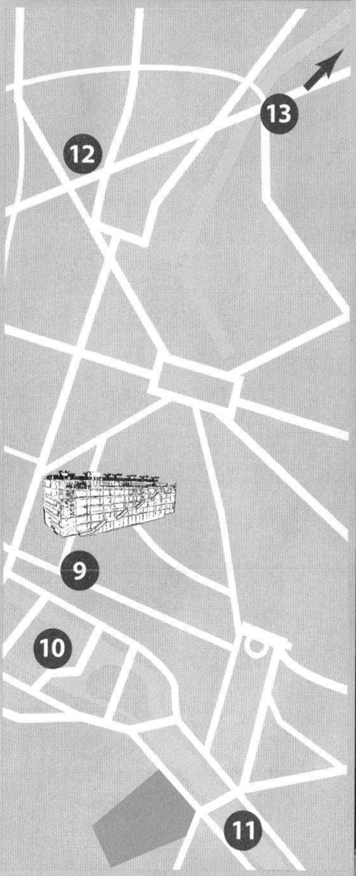

la rue de Rivoli

8 une rue

l'hôtel de ville (du 2ème arrondissement)

9 un hôtel de ville

la cathédrale Notre-Dame **de Paris**

10 une cathédrale

11 un bateau

le bateau-mouche

la Coupole

un restaurant

l'hôtel du Quartier latin

un hôtel

la poste du quartier

une poste

l'argent

la Banque de France

une banque

Pour la conversation

How do I excuse myself?

> **Oh, pardon....**
> *Oh, pardon me....*

How do I describe actions that took place in the past?

> **Nous avons fini** sur la terrasse de l'arc de triomphe.
> *We finished on the terrace of the Arch of Triumph.*

How do I sequence past events?

> **Le premier jour,** nous avons visité la tour Eiffel.
> *The first day, we visited the Eiffel Tower.*

Et si je voulais dire...?

un cimetière	*cemetery*
le distributeur de billets	*ATM machine*
une fontaine	*fountain*
un quai	*train platform, river quay*
un quartier	*neighborhood*
un tableau	*painting*

1 Les touristes américains à Paris

Lisez le paragraphe. Ensuite, répondez à la question.

Les touristes américains arrivent à l'aéroport Roissy–Charles de Gaulle. Ils prennent un taxi pour aller à leur hôtel. Ils achètent des tickets de métro et commencent un tour de Paris. Ils prennent des photos à la tour Eiffel, un monument célèbre. Il visitent Notre-Dame, une vieille cathédrale. Au Louvre, un vieux musée d'art, ils voient la *Joconde* (*Mona Lisa*) de Léonard de Vinci. Sur la Seine, le fleuve de Paris, ils voient du bateau que la statue de la Liberté est plus petite que la même statue à New York. Ils voient que la place de la Concorde est très grande. Ils vont aux restaurants français pour dîner et aux magasins pour acheter des souvenirs.

Quels sites à Paris est-ce que les touristes américains sont sûrs de voir?

2 Questions personnelles

Répondez aux questions.

1. Aimes-tu visiter les musées?
2. Quand est-ce que tu vas à la poste?
3. Quand est-ce que tu vas à la banque?
4. Quel est ton restaurant préféré?
5. Il y a une statue dans ta ville? Si oui, de qui?
6. Il y a un fleuve dans ta région? Si oui, comment s'appelle le fleuve?
7. Quels monuments voudrais-tu voir à Paris?

Non, ma ville n'est pas près d'un fleuve.

3 Une visite à New York

Faites des recherches sur New York pour compléter chaque phrase.

1. LaGuardia est un grand... à New York.
2. On peut aussi entrer dans la ville sur le... Georges Washington.
3. Le Métropolitain est un... d'art intéressant.
4. "Washington" est aussi le nom d'une... importante.
5. On peut prendre le train à la.... Grand Central.
6. La... de la Liberté est sur Staten Island.
7. "Fifth" est une... avec de beaux immeubles et de belles boutiques.

4 C'est où?

Écrivez les numéros 1–7 sur un papier. Écoutez chaque description et écrivez la lettre de l'endroit (location) *correspondant.*

A.

B.

C.

D.

E.

F.

G.

Communiquez!

5 Où vas-tu?

Interpersonal Communication

Vous rencontrez des amis qui vont à des destinations différentes. À tour de rôle, dites ce que vous faites et où vous allez.

MODÈLE faire du shopping
A: **Je vais faire du shopping.**
B: **Alors, tu vas à la rue commerçante?**
A: **Oui, c'est ça.**

la gare · le restaurant · le musée · la poste · l'aéroport · l'hôtel · la rue commerçante

1. envoyer un cadeau
2. voyager à Marseille
3. voir l'exposition (*exhibit*) de Cézanne
4. visiter Hong Kong
5. travailler comme serveur ou serveuse
6. faire les courses
7. travailler comme réceptionniste
8. envoyer une lettre

Je vais voyager à Marseille.
Alors, tu vas à la gare?

6 Un voyage à Paris

Les Nelson organisent un voyage à Paris. Terminez les phrases en choisissant le bon mot de vocabulaire de la liste ci-dessous. Ensuite, mettez les phrases en ordre.

la Seine · l'arc de triomphe · Paris · la statue · la cathédrale · la place · l'avenue · le Louvre

1. Le troisième jour, nous allons visiter _______ Notre-Dame de Paris.
2. Le premier jour, nous allons voir _______ sur _______ des Champs-Élysées.
3. Le cinquième jour, nous allons prendre des photos de _______ de la Concorde.
4. Le quatrième jour, nous allons en bateau sur _______ pour voir _______ de la Liberté.
5. Le deuxième jour, nous allons visiter _______ et voir la *Joconde*.
6. Le sixième jour, nous allons acheter des souvenirs de _______.

Rencontres culturelles

Un tour de Paris

Yasmine attend Camille devant son immeuble.

Yasmine: Enfin!
Camille: Quoi, enfin? J'arrive de la gare de Lyon! Mon petit cousin… tu as oublié?
Yasmine: Oh, pardon! Alors, tu as fait le guide touristique pendant deux jours. Et qu'est-ce que vous avez fait?
Camille: Le premier jour, nous avons visité la tour Eiffel et le musée Grévin. On a vu Céline Dion et Michael Jackson!
Yasmine: Et aujourd'hui, le deuxième jour?
Camille: TOUT! Lucas est parti fatigué. D'abord, on a visité Notre-Dame de Paris. Puis il a vu le tableau la *Joconde* au Louvre. Ensuite, la jolie rue de Rivoli, la grande place de la Concorde, ici photo obligatoire de sa jolie cousine avec son cousin….
Yasmine: Très charmant… quand est-ce que tu me montres la photo?
Camille: Laisse-moi finir! Donc, place de la Concorde, puis les Champs-Elysées, et nous avons fini sur la terrasse de l'arc de triomphe. Quelle belle vue sur Paris!
Yasmine: Et re-photo!
Camille: Exactement!

7 Un tour de Paris

Répondez aux questions.

1. Pourquoi est-ce que Camille arrive de la gare?
2. Qui est fatigué?
3. On a visité quels monuments parisiens?
4. Où est-ce qu'on a une belle vue sur Paris?
5. Camille a combien de photos d'elle avec son cousin?

Extension Les grands magasins de Paris

Laura et Maya se parlent à une terrasse de café.

Laura: Alors, c'était bien ce weekend?
Maya: Trop court. Quand tu es à Paris, tu as envie de rester là une semaine… rien que pour le shopping. C'est de la folie!
Laura: Je vois… tu as beaucoup acheté au Printemps, aux Galeries Lafayette, et au Bon Marché?
Maya: J'ai acheté cette paire de ballerines, ce sac, et une petite marinière.
Laura: Rien que ça!!!

Extension Quels sont trois magasins à Paris?

Points de départ

emcl.com
WB 24–25

Question centrale

How do major world cities tell their stories?

Notre-Dame de Paris

La cathédrale **Notre-Dame de Paris** est un symbole important de la ville et marque le point zéro de toutes les distances calculées à partir de Paris. Sa construction a duré* deux siècles (1163–1363). C'est un exemple de l'architecture gothique. Approximativement 13,5 millions de visiteurs par an viennent visiter la cathédrale.

Search words: **cathédrale notre dame de paris**

a duré *lasted*

Les fenêtres multicolores de la cathédrale s'appellent des "vitraux."

Produits

L'écrivain célèbre **Victor Hugo** a sauvé la cathédrale en 1831 avec le succès de son roman *Notre-Dame de Paris*, avec le bossu (*hunchback*) Quasimodo.

L'arc de triomphe

Napoléon est responsable pour la construction de **l'arc de triomphe** qui devient le centre de la place de l'Étoile (aujourd'hui la place Charles de Gaulle). C'est ici où 12 avenues différentes débouchent sur un rond-point*. **L'arc de triomphe** est associé avec plusieurs moments historiques comme les funérailles de Victor Hugo en 1885 et le défilé* de victoire après la Première guerre mondiale de 1914–1918. Depuis 1921, on trouve la tombe du Soldat inconnu* et la flamme du Souvenir sous l'arc.

Search words: **arc de triomphe centre de monuments nationaux**

débouchent sur un rond-point *flow into a traffic circle;* **défilé** *parade;* **Soldat inconnu** *Unknown Soldier*

La tour Eiffel

On a construit* **la tour Eiffel** pour l'Exposition universelle de 1889. La construction de la tour par l'ingénieur Gustave Eiffel a duré deux ans. On a mis 7.000 tonnes d'acier* et deux millions de rivets pour la construire. La tour a trois étages et elle est haute de 300 mètres. Elle est repeinte* tous les sept ans avec 50 tonnes de peinture. Attraction universelle, elle est le symbole de Paris et est célébrée par les plus grands artistes, peintres, poètes, photographes, et metteurs en scène.

Search words: tour eiffel site officiel

a construit *built;* **acier** *steel;* **repeinte** *repainted*

8 Questions culturelles

Répondez aux questions.

1. Faites des recherches sur les parties d'une cathédrale gothique comme Notre-Dame. Ensuite, trouvez des photos de la cathédrale Notre-Dame de Paris en ligne qui montrent ces parties.
2. Recherchez l'intrigue (*plot*) du roman de Victor Hugo, *Notre-Dame de Paris*. C'est un roman intéressant pour vous? Pourquoi, ou pourquoi pas?
3. Trouvez autre chose, à part l'arc de triomphe, que Napoléon a fait construire.
4. Avec un convertisseur en ligne, donnez l'équivalent de 300 mètres (la taille de la tour Eiffel) en "feet."

Search words: cartes postales virtuelles de paris

À discuter

Why do societies build monuments?

L'arc de triomphe forme une étoile au centre de douze avenues de Paris, comme l'avenue des Champs-Elysées.

Du côté des médias

Lisez la brochure sur le musée Grévin.

9 Le musée Grévin

Répondez aux questions.

1. Allez au site officiel du musée Grévin. Combien coûte un billet pour un adulte pour un jour férié?
2. Le musée est près de quelle bouche de métro?
3. Combien de personnages sont représentés sur la brochure?
4. Qui est-ce que vous reconnaissez (*recognize*) sur les photos? Que savez-vous de ces personnes?

Structure de la langue

emcl.com
WB 26–29
Games

Passé composé with *avoir*

Qu'est-ce que Samuel a oublié dans la médiathèque?

The **passé composé** is a verb tense used to discuss completed events in the past. This tense is composed of two words: a helping verb and a past participle. To form the **passé composé** of most verbs, use the appropriate present tense form of the helping verb **avoir** and the past participle of the main verb.

To form the past participle of **–er** verbs, drop the **–er** of the infinitive and add **é: regarder → regardé.**

J'**ai regardé** des monuments. *I looked at (some) monuments.*

regarder					
j'	**ai**	regard**é**	nous	**avons**	regard**é**
tu	**as**	regard**é**	vous	**avez**	regard**é**
il/elle/on	**a**	regard**é**	ils/elles	**ont**	regard**é**

Est-ce que tu as regardé la télé? *Did you watch TV?*
Non, j'**ai écouté** de la musique. *No, I listened to music.*

To form the past participle of most **–ir** verbs, drop the **–ir** and add **i: finir → fini.**

finir					
j'	**ai**	fin**i**	nous	**avons**	fin**i**
tu	**as**	fin**i**	vous	**avez**	fin**i**
il/elle/on	**a**	fin**i**	ils/elles	**ont**	fin**i**

Most infinitives that end in **–re** form their past participles by dropping the **–re** and adding **u: vendre → vendu.**

vendre					
j'	**ai**	vend**u**	nous	**avons**	vend**u**
tu	**as**	vend**u**	vous	**avez**	vend**u**
il/elle/on	**a**	vend**u**	ils/elles	**ont**	vend**u**

To make a negative sentence in the **passé composé**, put **n'** before the form of **avoir** and **pas** after it.

Les élèves **n**'ont **pas** visité le musée. *The students didn't visit the museum.*

To ask a question in the **passé composé** using inversion, put the subject pronoun after the form of **avoir**.

As-tu **parlé** français à Paris? — *Did you speak French in Paris?*

The **passé composé** has more than one meaning in English.

Elle **a mangé** trois religieuses. — { *She **ate** three cream puffs.* / *She **has eaten** three cream puffs.* }

A-t-elle **mangé** trois religieuses? — ***Did** she **eat** three cream puffs?*

COMPARAISONS

What are three ways to express this sentence in English?

Ils ont parlé français à Paris.

10 On a fait le tour de Paris!

Dites quels sites tout le monde a visité.

MODÈLE moi, je
Moi, j'ai visité le jardin des Tuileries.

1. tu

2. M. Dupont

3. Maman et moi

4. Les élèves

5. Éric et toi

COMPARAISONS: The sentence **Ils ont parlé français à Paris** can be expressed three ways in English:
1. They *spoke* French in Paris.
2. They *have spoken* French in Paris.
3. They *did speak* French in Paris.
An auxiliary verb is always needed in French to express the past tense, but not always needed in English.

11 Salut de Paris!

Complétez l'e-mail avec les verbes appropriés au passé composé.

manger   perdre   attendre   finir   visiter   acheter   regarder

À: Saniyya
Cc:
Sujet: Salut de Paris!

Salut, Saniyya!

Paris est super! Le métro est facile à naviguer, et Sylvie et moi, nous ___1___ le Louvre aujourd'hui! Hugo préfère le sport, alors il ___2___ un match au Stade de France. On l' ___3___ au restaurant algérien. Est-ce que tu ___4___ le couscous à Paris? J' ___5___ ma casquette; donc, j' ___6___ une autre casquette avec le blason du PSG. Bien sûr, j'ai aussi un cadeau pour toi! Bon, j' ___7___ mon mail!

À très bientôt,
Timéo

12 Le weekend prolongé

Dites ce qu'on a fait chaque jour. Choisissez un verbe de la liste pour décrire chaque illustration.

regarder   vendre   finir   synchroniser   dormir   manger   jouer   attendre

MODÈLE **Le premier jour Ambre a synchronisé son lecteur mp3.**

1. Ambre

2. Mes copines et moi, nous

3. Julian et Clark

13 Paris ou non?

*Si Brad parle de ses vacances de l'été dernier à Paris, écrivez **P**. S'il parle de sa vie à Boston maintenant, écrivez **B**.*

14 Oui et non!

Dites que les personnes suivantes ont fait la première chose, mais pas la deuxième.

MODÈLE moi, je (acheter des pommes/préparer la tarte)
Moi, j'ai acheté des pommes, mais je n'ai pas préparé la tarte.

1. Abdoul et toi, vous (jouer au foot/perdre le match)
2. Maude et moi, nous (trouver des cartes postales au musée/trouver le guide touristique)
3. Sarah (finir le dîner/aider sa mère dans la cuisine)
4. toi, tu (surfer sur Internet/synchroniser ton lecteur MP3)
5. Moussa (téléphoner à Émilie/inviter Émilie à la teuf)
6. Thomas et Julien (choisir un CD au magasin/donner le CD à Vincent pour son anniversaire)

Abdoul et toi, vous avez joué au foot, mais vous n'avez pas perdu le match.

Communiquez!

As-tu visité la tour Eiffel?
Oui, j'ai visité la tour Eiffel.

15 Un voyage imaginaire à Paris

Interpersonal communication

Imaginez que vous et votre partenaire avez voyagé à Paris. À tour de rôle, demandez ce que votre partenaire a fait.

MODÈLE passer une heure au jardin des Tuileries
A: **As-tu passé une heure au jardin des Tuileries?**
B: **Oui, j'ai passé une heure au jardin des Tuileries.**
ou
Non, je n'ai pas passé une heure au jardin des Tuileries.

1. choisir un hôtel sur la rive droite ou la rive gauche
2. visiter la tour Eiffel
3. manger des pâtisseries
4. manger un croque-monsieur
5. téléphoner à tes parents
6. acheter des souvenirs
7. attendre le guide au Louvre
8. parler français

Irregular Past Participles

emcl.com
WB 30–31
LA 2
Games

Some verbs that use **avoir** in the **passé composé** have irregular past participles.

Verb	Past Participle	Meaning
avoir	j'ai **eu**	*I had*
devoir	j'ai **dû**	*I had to*
pleuvoir	il a **plu**	*It rained.*
pouvoir	j'ai **pu**	*I was able to*
voir	j'ai **vu**	*I saw*
vouloir	j'ai **voulu**	*I wanted (to)*
mettre	j'ai **mis**	*I put (on)*
prendre	j'ai **pris**	*I took*
être	j'ai **été**	*I was*
faire	j'ai **fait**	*I did, made*
offrir	j'ai **offert**	*I offered*

Qu'est-ce que tu **as vu**? *What did you see?*
J'**ai vu** l'arc de triomphe. *I saw the Arch of Triumph.*

Heather a pris le métro à Paris.

COMPARAISONS

Which of these verbs with irregular past participles in French have regular past participles ending in "-ed" in English?

16 Un cadeau d'anniversaire

Complétez chaque phrase avec le passé composé des verbes entre parenthèses. Puis, faites un storyboard avec un partenaire pour montrer votre compréhension de l'histoire.

1. Marc... en ville. (être)
2. Il... l'idée d'acheter un cadeau pour sa mère pour son anniversaire. (avoir)
3. Il... trouver un cadeau bon marché. (devoir)
4. Il... une promenade dans la rue commerçante. (faire)
5. Il... des écharpes. (voir)
6. Il... une écharpe violette. (choisir)
7. Il... le métro à la maison. (prendre)
8. Il... l'écharpe à sa mère. (offrir)
9. Il... donner le cadeau à sa mère. (pouvoir)
10. Sa mère... l'écharpe et a dit (*said*), "C'est splendide!" (mettre)

Marc a fait une promenade dans la rue commerçante.

COMPARAISONS: Offrir ("offered"), **pleuvoir** ("rained") and **vouloir** ("wanted") are the only three verbs on this list that have regular past participles in English.

17 Samedi

Dites où tout le monde a été. Ensuite, dites ce qu'ils n'ont pas fait et ont fait.

MODÈLE

Chloé et moi, nous avons été à la teuf. Nous n'avons pas offert le CD. Nous avons offert le cadeau.

1. Alima et Leïla/surfer sur Internet

2. Sébastien/acheter des vêtements

3. toi, tu/regarder la la télé

4. je/voir la comédie

5. Monique/mettre un short et un tee-shirt

6. Laurence et toi, vous/ prendre le steak-frites

Communiquez!

As-tu pris le métro à Paris?
Oui, j'ai pris le métro.

18 Un voyage à Paris

Interpersonal Communication

À tour de rôle, demandez si votre partenaire a fait les choses suivantes pendant ses vacances à Paris.

MODÈLE prendre des photos de la place de la Concorde
A: **As-tu pris des photos de la place de la Concorde?**
B: **Oui, j'ai pris des photos de la place de la Concorde.**
ou
Non, je n'ai pas pris de photos de la place de la Concorde.

1. voir un match du PSG
2. mettre une écharpe française
3. faire une promenade aux Champs-Élysées
4. prendre le métro
5. voir la cathédrale de Notre-Dame de Paris
6. être au jardin des Tuileries
7. prendre du couscous dans un restaurant **algérien**

19 Le weekend de Juliette

Écrivez les numéros 1–8 sur votre papier. Écoutez la description de Juliette qui a passé le samedi dernier à Paris avec sa grand-mère. Ensuite, indiquez si chaque (each) *phrase que vous entendez* (hear) *est **vraie*** (true) *ou **fausse*** (false).

Position of Irregular Adjectives

Les Petit ont choisi un beau restaurant.

In French, adjectives usually follow the nouns they describe.

J'ai trouvé une jupe **noire**. *I found a black skirt.*

Some frequently used adjectives precede the nouns they describe. These adjectives often express *b*eauty, *a*ge, *g*oodness, and *s*ize. (You can remember these categories easily by associating them with the word "BAGS.") Some of these adjectives are **beau**, **joli**, **nouveau**, **vieux** (*old*), **bon**, **mauvais** (*bad*), **grand**, and **petit**.

Ma **petite** sœur va au centre commercial. *My little sister is going to the mall.*
Elle a besoin d'un **nouveau** jean. *She needs new jeans.*
Elle trouve un **beau** pull rose. *She finds a beautiful pink sweater.*
Quel **grand** magasin! *What a big store!*

The adjectives **nouveau**, **vieux**, and **beau** have irregular feminine forms as well as irregular forms before a masculine noun beginning with a vowel sound.

Masculine singular	Masculine singular	Feminine singular
before a consonant sound	**before a vowel sound**	
un **beau** chien	un **bel** achat	une **belle** promenade
un **nouveau** bateau	un **nouvel** hôtel	une **nouvelle** idée
un **vieux** musée	un **vieil** aéroport	une **vieille** cathédrale

The irregular masculine plural forms of **beau**, **nouveau**, and **vieux** are **beaux**, **nouveaux**, and **vieux**.

Pronunciation Tip

When **bon** comes before a masculine word that begins with a vowel, it sounds more like the feminine form **bonne**: **Bon appétit!**

20 Paris—une ville moderne ou une vieille ville?

Dites si les endroits à Paris sont vieux ou nouveaux.

MODÈLE gare
C'est une vieille gare.

1. monument

2. cathédrale

3. fleuve

4. musée

5. statue

6. aéroport

7. hôtel

21 Aux Galeries Lafayette

Tout le monde a fait du shopping aux Galeries Lafayette à Paris. Dites ce qu'ils ont acheté et décrivez leurs nouveaux vêtements.

MODÈLE Stéphanie/joli
Stéphanie a acheté un joli ensemble.

1. Mehdi/moche

2. Madeleine et sa sœur/joli

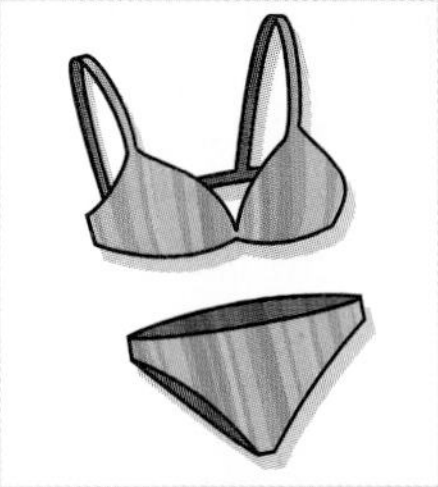

3. Justine/petit

4. Nayah/rose

5. Alexis/beau

22 Bon ou mauvais?

Interpersonal Communication

À tour de rôle, demandez à votre partenaire son opinion de huit personnes ou choses suivantes: des films, des acteurs, des livres, des sports, des athlètes, des écrivains, des chanteurs, etc.

MODÈLE Usher/chanteur
A: **Usher est un bon ou un mauvais chanteur?**
B: **C'est un bon chanteur.**
ou
C'est un mauvais chanteur.

À vous la parole

Question centrale

How do major world cities tell their stories?

Communiquez!

23 Un voyage à la capitale

Interpersonal Communication

With a partner, play the roles of a student who just spent three wonderful days in Paris and a friend from Quebec who wants to know all about the visit. The Quebecker asks what the friend saw and did in Paris. When the traveler mentions a place, the Quebecker always asks a follow-up question.

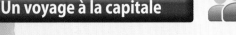

Communiquez!

24 Guide touristique sur un bateau-mouche

Vocabulaire utile

a été construit(e)	*was built*
au XIXème siècle	*in the 19th century*

Presentational Communication

To prepare for a job interview as a tour guide on one of the Paris tour boats (**bateaux-mouches**), you need to be able to identify three famous monuments, museums, or bridges along the Seine. Select three locations visible from the boats (go to the website below and select **promenade**, then **plan du parcours**). Then find out if each place is **sur la rive droite ou gauche**, in which century it was built (use ordinal numbers), and what tourists can see or do there. Write out the information about your three locations. You will be asked to present one of them orally before turning your project in.

MODÈLE **La tour Eiffel est sur la rive gauche. Elle a été construite au XIXème siècle pour une exposition universelle. Les touristes peuvent manger dans un restaurant de la tour Eiffel et regarder les vues de Paris. On peut prendre des photos de la Seine et du Palais de Chaillot.**

Search words: **compagnie des bateaux mouches site officiel**

Stratégie communicative

Personal Narrative

A personal narrative tells about a life experience, observation, or idea. You are going to write a personal narrative about your own past experiences. In order to do this, it may be helpful for you to review the **passé composé** with **avoir** on pages 419 and 423 in this lesson.

25 Le voyage à Paris de Jameson

Read Jameson's narrative in the **passé composé** about his first day in Paris. Finally, put sentences 1-5 in chronological order.

Le 18 juin, à 10h15, j'ai vu d'abord la tour Eiffel où j'ai acheté des cartes postales pour mes copains. Au café à midi, j'ai pris une omelette, des frites, et une limonade. J'ai envoyé mes cartes postales à la poste à 14h00. Ensuite, j'ai visité le jardin des Tuileries où j'ai fait une promenade. Enfin, le soir, j'ai vu les monuments de Paris d'un bateau sur la Seine.

1. Jameson a pris le déjeuner.
2. Jameson a vu les monuments de Paris d'un bateau.
3. Jameson a envoyé ses cartes postales.
4. Jameson a vu la tour Eiffel où il a acheté des cartes postales.
5. Jameson a fait une promenade au jardin des Tuileries.

26 Mon weekend

Create a timeline of your activities last weekend. Using the information on your timeline, write a personal narrative about your weekend. Add adjectives and adverbs to make your writing more descriptive. Be specific about the time of day each action occurred, using times or expressions such as **samedi soir**.

MODÈLE **Vendredi soir, j'ai regardé un match de basket.**
Samedi matin, j'ai aidé ma mère à la maison.
Samedi après-midi....
Samedi soir....

Vocabulaire actif

emcl.com
WB 34–37
LA 1
Games

Expressions de temps

DÉCEMBRE 2011

lu	ma	me	je	ve	sa	di
			1	2	3	4
5	6	7	8	9	10	11
12	13	14	15	16	17	18
19	20 	21	22	23	24	25 
26 	27	28	29	30	31	

le mois dernier
l'année (f.) dernière
en 2011

JANVIER 2012

lundi	mardi	mercredi	jeudi	vendredi	samedi	dimanche
						1 
2	3	4 mercredi dernier	5	6	7	8 le weekend dernier
9	10 hier matin 9h00 / hier après-midi 14h00 / hier soir 20h00	11 X aujourd'hui	12	13	14	15
16	17	18	19	20	21	22

la semaine dernière

Pour la conversation

How do I express actions that took place in the past?

› **On est allé** aux Tuileries.

We went to the Tuileries.

› **Nous sommes vite descendus** prendre le métro.

We quickly went down to take the metro.

› **Nous sommes arrivés** chez moi.

We arrived at my house.

How do I sequence past events?

› On a passé un super jour **samedi dernier**!

We spent a super day last Saturday.

Et si je voulais dire...?

avant-hier	*day before yesterday*
l'été passé	*last summer*
il y a 15 jours	*two weeks ago*

1 Les voyages de Mlle Teefy

Lisez le paragraphe. Ensuite, répondez à la question.

Mlle Teefy voyage beaucoup. Elle est femme d'affaires. L'année dernière elle a visité Hong Kong. Le mois dernier elle a voyagé en Haïti. Elle a parlé français aussi la semaine dernière quand elle a voyagé à Paris. Samedi soir elle a mangé dans un restaurant français avec une amie parisienne. Dimanche après-midi elle a visité le Louvre. Lundi elle a pris des photos de la tour Eiffel. Et hier soir? Elle a très bien dormi dans son lit!

Où est-ce que Mlle Teefy a voyagé l'année dernière?

2 Qu'est-ce qui s'est passé?

Choisissez l'expression la plus logique pour compléter chaque phrase.

1. J'ai fait mes devoirs (jeudi matin, hier soir, maintenant).
2. Abdoulaye a vu un film au cinéma (samedi soir, mardi matin, en 2001).
3. Nous avons fait du shopping (le weekend dernier, l'année dernière, hier à 23h00).
4. Chris et Justin ont pris une photo de la tour Eiffel (cet après-midi, l'année dernière, aujourd'hui).
5. Vous avez voyagé à la Martinique (le mois dernier, aujourd'hui, hier soir).

Nous avons fait du shopping le weekend dernier.

3 Mes activités passées

Quand as-tu téléchargé la chanson de Salif Keita?

Interpersonal Communication

À tour de rôle, dites quand vous avez fait les activités suivantes.

MODÈLE A: **Quand as-tu voyagé?**
B: **J'ai voyagé l'été dernier.**

1. faire une promenade
2. télécharger une chanson
3. visiter un monument
4. préparer un gâteau
5. finir tes devoirs
6. rigoler
7. choisir un DVD
8. consommer du fromage

4 Ça s'est passé quand?

Écrivez les numéros 1–8 sur votre papier. Aujourd'hui, c'est samedi 17 mars. Écoutez les phrases et indiquez la date (en français) qui correspond à chaque description.

mars
lundi mardi mercedi jeudi vendredi samedi dimanche
1 2 3 4
5 6 7 8 9 10 11
12 13 14 15 16 17 18
19 20 21 22 23 24 25
26 27 28 29 30 31

5 Questions personnelles

Oui, j'ai voyagé en France l'été dernier.

Répondez aux questions.

1. Qu'est-ce que tu as fait ce matin?
2. Est-ce que tu as fait tes devoirs hier soir?
3. As-tu fait du sport le weekend dernier?
4. As-tu voyagé l'été dernier?
5. Tu as vu combien de films le mois dernier?

Rencontres culturelles

Un beau souvenir

Maxime et Yasmine se parlent au téléphone du jour où ils sont allés aux Tuileries.

Maxime: On a passé une super journée samedi dernier!
Yasmine: Le jour où on est allé aux Tuileries? J'ai a-do-ré. On a commencé à la pâtisserie....
Maxime: On a mangé la religieuse sur un banc aux Tuileries. Mais aux Tuileries il a commencé à pleuvoir. Nous sommes vite descendus prendre le métro.
Yasmine: Oui, et tu as fait comme au cinéma; tu en as profité pour m'embrasser!
Maxime: Tu n'as pas trouvé ça désagréable?
Yasmine: Bien sûr que non! Nous sommes arrivés chez moi....
Maxime: Et ta petite sœur a rigolé de nous voir la main dans la main.

6 Un beau souvenir

Répondez aux questions.

1. Avec qui Maxime a-t-il passé un bon après-midi?
2. Où est-ce que tout a commencé?
3. Est-ce qu'il a fait beau ce jour?
4. Qu'est-ce que les deux jeunes ont fait après les Tuileries?
5. Pourquoi la petite sœur a-t-elle rigolé?

Extension **La Ville lumière**

Le professeur de français de Jack, Emma, Lily, et Nick commente à ses élèves leur visite à Paris en bateau-mouche.

Le prof: Bon, alors, vous reconnaissez les monuments de Paris? Nous avons étudié ces monuments en classe.
Jack: Oui, la tour Eiffel devant à gauche et le jardin des Tuileries, à droite.
Nick: Ah, ils sont beaux, les monuments de Paris!
Emma: Regardez, la place de la Concorde est vachement bien éclairée!
Le prof: Oui, on appelle Paris la "Ville lumière." Vous savez pourquoi?
Lily: Parce qu'elle est très éclairée? La tour Eiffel, par exemple....
Le prof: Oui, mais il y a une autre explication aussi. C'est au XIXème siècle que les Anglais ont appelé Paris "Ville lumière," à cause de ses passages commerçants illuminés.

Extension Qu'est-ce que les élèves peuvent voir du bateau-mouche?

Points de départ

emcl.com
WB 38

Question centrale

How do major world cities tell their stories?

Le jardin des Tuileries

Le jardin des Tuileries est entre la place de la Concorde et le Louvre à Paris. C'est un jardin pour les gens de tous les âges. Les adultes peuvent faire une promenade et admirer les statues et les fleurs*. Les enfants peuvent faire du vélo, jouer au ballon, ou assister à un spectacle* du théâtre de Guignol. Il y a de vrais poneys et des faux au manège de chevaux de bois*. Les petits peuvent même faire naviguer de petits bateaux sur le grand bassin.

Search words: parcs et jardins de paris

Le jardin des Tuileries est le plus vaste jardin public de Paris.

fleurs *flowers;* **assister à un spectacle** *attend a show;* **manège de chevaux de bois** *merry-go-round with wooden horses*

COMPARAISONS

What activities for children are there in the parks in your region?

Le métro

Il y a 16 lignes de métro à Paris. Elles offrent aux voyageurs un système de transport très rapide et bon marché. Avec 297 stations de métro à l'intérieur de Paris, on n'est jamais loin d'une "bouche de métro." Vous prenez le train qui va en direction d'où vous voulez aller. Pour savoir quelle direction prendre, vous regardez le nom de la station à la fin de la ligne. Des fois, il est nécessaire de changer de ligne. En ce cas, vous cherchez le panneau "correspondances" pour changer à la ligne qui va à votre destination. À beaucoup de stations de métro, il y a deux ou trois lignes qui se rejoignent*. Le métro, c'est facile à utiliser!

Search words: ratp paris

Les bouches du métro style "Art Nouveau" ont des structures linéaires métalliques.

qui se rejoignent *intersect*

Produits

Quand on voulait décorer les stations de métro en 1902, on a mis des panneaux (*signs*) dans le style **Art Nouveau.** On peut toujours trouver 86 de ces panneaux, classés maintenant comme monuments historiques.

7 Questions culturelles

Répondez aux questions.

1. Où est situé le jardin des Tuileries à Paris?
2. Qu'est-ce que les adultes et les enfants peuvent faire au jardin des Tuileries?
3. Il y a combien de lignes et stations de métro?
4. Comment est-ce qu'on utilise le métro?
5. Quel panneau (*sign*) devez-vous chercher pour changer de métro?

Il faut aller à droite pour prendre la correspondance pour la Défense.

À discuter

What, if any, commitments are being made in your region to have public transportation that is fast and cheap?

Du côté des médias

8 Plan du métro

Complétez une grille comme celle-ci pour indiquer votre chemin dans le métro aux destinations ci-dessous. Utilisez le plan du métro à la page 436 pour trouver le chemin le plus direct.

Point de départ et destination finale	Direction (numéro et nom de la ligne)	Correspondances (nom de la station)	Direction (numéro et nom de la nouvelle ligne)	Destination finale: monument à visiter
MODÈLE Invalides—République	13. St. Denis—Université	Miromesnil	9. Mairie de Montreuil	monument à la République—statue de Marianne
1. Champs-Élysées—Anvers				Sacré Cœur, funiculaire à Montmartre
2. Cité—Bir Hakeim				la tour Eiffel
3. Opéra—Assemblée Nationale				l'Assemblée nationale
4. Arts et Métiers—Concorde				Place de la Concorde
5. Place d'Italie—Cluny-La Sorbonne				le Musée de Cluny/National du Moyen Âge, la Sorbonne, le Collège de France
6. destination que vous choisissez				
7. destination que vous choisissez				

http://www.ratp.fr

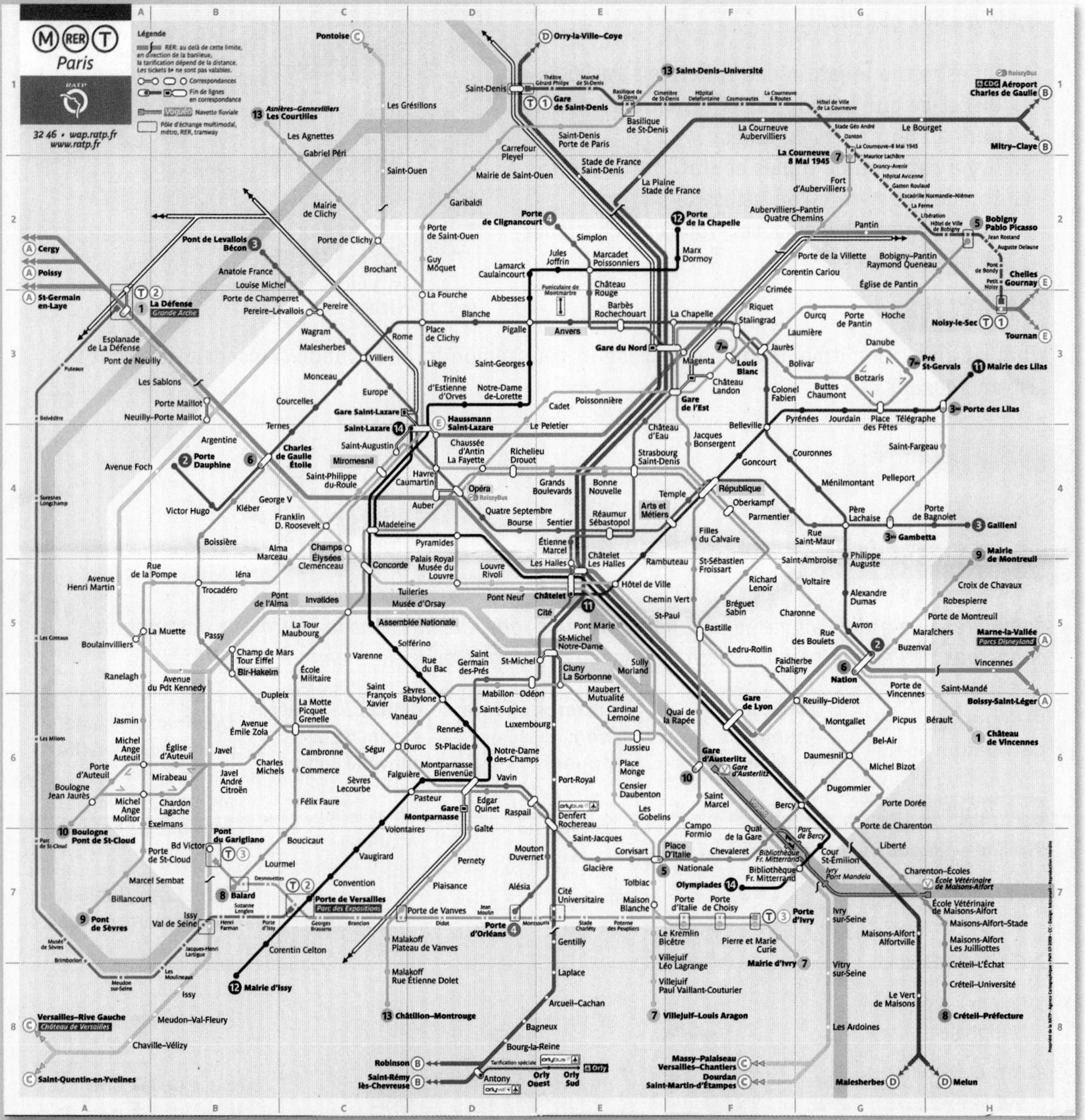
M RER T
Paris
RATP
32 46 • wap.ratp.fr
www.ratp.fr
Légende
Correspondances
Fin de lignes en correspondance
Navette fluviale
Pôle d'échange multimodal, métro, RER, tramway
Pontoise
Orry-la-Ville–Coye
Saint-Denis–Université
Aéroport Charles de Gaulle
Mitry–Claye
Asnières–Gennevilliers Les Courtilles
Les Agnettes
Gabriel Péri
Les Grésillons
Saint-Ouen
Saint-Denis
Gare de Saint-Denis
Basilique de St-Denis
Saint-Denis Porte de Paris
Stade de France Saint-Denis
La Plaine Stade de France
Carrefour Pleyel
Mairie de Saint-Ouen
Garibaldi
Mairie de Clichy
La Courneuve Aubervilliers
La Courneuve 8 Mai 1945
Fort d'Aubervilliers
Le Bourget
Aubervilliers–Pantin Quatre Chemins
Bobigny Pablo Picasso
Chelles Gournay
Noisy-le-Sec
Tournan
Cergy
Poissy
St-Germain en-Laye
Pont de Levallois Bécon
La Défense Grande Arche
Anatole France
Louise Michel
Porte de Champerret
Pereire–Levallois
Pereire
Porte de Clichy
Brochant
Guy Môquet
Porte de Saint-Ouen
Porte de Clignancourt
Simplon
Jules Joffrin
Marcadet Poissonniers
Porte de la Chapelle
Marx Dormoy
Lamarck Caulaincourt
Château Rouge
Barbès Rochechouart
La Chapelle
Gare du Nord
Abbesses
La Fourche
Blanche
Pigalle
Anvers
Place de Clichy
Rome
Villiers
Wagram
Malesherbes
Esplanade de La Défense
Pont de Neuilly
Les Sablons
Porte Maillot
Neuilly–Porte Maillot
Monceau
Courcelles
Europe
Liège
Saint-Georges
Trinité d'Estienne d'Orves
Notre-Dame de-Lorette
Gare Saint-Lazare
Saint-Lazare
Haussmann Saint-Lazare
Le Peletier
Cadet
Poissonnière
Gare de l'Est
Château d'Eau
Magenta
Louis Blanc
Château Landon
Stalingrad
Jaurès
Riquet
Crimée
Corentin Cariou
Porte de la Villette
Pantin
Bobigny–Pantin Raymond Queneau
Église de Pantin
Ourcq
Porte de Pantin
Hoche
Laumière
Bolivar
Danube
Botzaris
Pré St-Gervais
Mairie des Lilas
Porte des Lilas
Buttes Chaumont
Colonel Fabien
Belleville
Pyrénées
Jourdain
Place des Fêtes
Télégraphe
Saint-Fargeau
Pelleport
Couronnes
Ménilmontant
Goncourt
Argentine
Ternes
Charles de Gaulle Étoile
Porte Dauphine
Avenue Foch
Victor Hugo
Kléber
George V
Saint-Augustin
Miromesnil
Saint-Philippe du-Roule
Havre Caumartin
Chaussée d'Antin La Fayette
Richelieu Drouot
Grands Boulevards
Bonne Nouvelle
Strasbourg Saint-Denis
Jacques Bonsergent
Temple
République
Oberkampf
Parmentier
Rue Saint-Maur
Père Lachaise
Porte de Bagnolet
Gallieni
Gambetta
Opéra
Auber
Quatre Septembre
Bourse
Sentier
Réaumur Sébastopol
Arts et Métiers
Filles du Calvaire
Franklin D. Roosevelt
Madeleine
Pyramides
Boissière
Alma Marceau
Champs Élysées Clemenceau
Concorde
Palais Royal Musée du Louvre
Louvre Rivoli
Étienne Marcel
Les Halles
Châtelet Les Halles
Rambuteau
St-Sébastien Froissart
Saint-Ambroise
Philippe Auguste
Mairie de Montreuil
Avenue Henri Martin
Rue de la Pompe
Iéna
Trocadéro
Pont de l'Alma
Invalides
Tuileries
Musée d'Orsay
Pont Neuf
Châtelet
Cité
Hôtel de Ville
Chemin Vert
St-Paul
Richard Lenoir
Bréguet Sabin
Voltaire
Charonne
Alexandre Dumas
Croix de Chavaux
Robespierre
Porte de Montreuil
Maraîchers
Buzenval
Avron
Marne-la-Vallée Parcs Disneyland
La Muette
Boulainvilliers
Passy
La Tour Maubourg
Assemblée Nationale
Solférino
Pont Marie
St-Michel Notre-Dame
Bastille
Ledru-Rollin
Rue des Boulets
Faidherbe Chaligny
Nation
Vincennes
Champ de Mars Tour Eiffel
Bir-Hakeim
Varenne
Rue du Bac
Saint Germain des-Prés
St-Michel
Cluny La Sorbonne
Sully Morland
Ranelagh
Avenue du Pdt Kennedy
École Militaire
Saint François Xavier
Sèvres Babylone
Mabillon
Odéon
Maubert Mutualité
Cardinal Lemoine
Gare de Lyon
Quai de la Rapée
Reuilly–Diderot
Porte de Vincennes
Saint-Mandé
Boissy-Saint-Léger
Dupleix
La Motte Picquet Grenelle
Vaneau
Saint-Sulpice
Luxembourg
Montgallet
Picpus
Bérault
Château de Vincennes
Jasmin
Avenue Émile Zola
Rennes
Michel Ange Auteuil
Église d'Auteuil
Javel
Charles Michels
Cambronne
Ségur
Duroc
St-Placide
Notre-Dame des-Champs
Jussieu
Bel-Air
Daumesnil
Michel Bizot
Porte d'Auteuil
Mirabeau
Javel André Citroën
Commerce
Sèvres Lecourbe
Montparnasse Bienvenüe
Falguière
Vavin
Port-Royal
Place Monge
Censier Daubenton
Gare d'Austerlitz
Dugommier
Boulogne Jean Jaurès
Michel Ange Molitor
Chardon Lagache
Exelmans
Félix Faure
Pasteur
Gare Montparnasse
Edgar Quinet
Raspail
Denfert Rochereau
Les Gobelins
Saint Marcel
Bercy
Porte Dorée
Porte de Charenton
Boulogne Pont de St-Cloud
Pont du Garigliano
Porte de St-Cloud
Bd Victor
Boucicaut
Volontaires
Gaîté
Saint-Jacques
Campo Formio
Quai de la Gare
Chevaleret
Cour St-Émilion
Liberté
Vaugirard
Pernety
Mouton Duvernet
Corvisart
Place d'Italie
Glacière
Nationale
Bibliothèque Fr. Mitterrand
Charenton-Écoles
École Vétérinaire de Maisons-Alfort
Marcel Sembat
Lourmel
Convention
Plaisance
Alésia
Tolbiac
Olympiades
Billancourt
Balard
Porte de Versailles Parc des Expositions
Porte de Vanves
Porte d'Orléans
Cité Universitaire
Maison Blanche
Porte d'Italie
Porte de Choisy
Porte d'Ivry
Ivry sur-Seine
Maisons-Alfort–Stade
Maisons-Alfort Les Juilliottes
Créteil–L'Échat
Créteil–Université
Créteil–Préfecture
Pont de Sèvres
Issy Val de Seine
Corentin Celton
Malakoff Plateau de Vanves
Malakoff Rue Étienne Dolet
Gentilly
Le Kremlin Bicêtre
Pierre et Marie Curie
Mairie d'Ivry
Villejuif Léo Lagrange
Villejuif Paul Vaillant-Couturier
Maisons-Alfort Alfortville
Vitry sur-Seine
Mairie d'Issy
Issy
Laplace
Arcueil–Cachan
Châtillon–Montrouge
Villejuif–Louis Aragon
Le Vert de Maisons
Versailles–Rive Gauche Château de Versailles
Meudon–Val-Fleury
Chaville–Vélizy
Bagneux
Bourg-la-Reine
Les Ardoines
Saint-Quentin-en-Yvelines
Robinson
Saint-Rémy lès-Chevreuse
Antony
Orly Ouest
Orly Sud
Massy–Palaiseau Versailles–Chantiers
Dourdan Saint-Martin-d'Étampes
Malesherbes
Melun

La culture sur place

L'étiquette

Introduction

Afin de (*In order to*) mieux apprécier la culture sur place et comprendre comment montrer son respect dans une autre culture, on doit chercher à comprendre les coutumes (*customs*) de la société. Pour ça, on a besoin d'être bon observateur.

9 À Paris

Lisez les observations suivantes qui ont lieu (take place) *en France. Ensuite, donnez votre réponse ou réaction à la question.*

Observation	Règles (*Rules*)/Coutumes	Votre réaction en France
MODÈLE Un jeune couple à table dans un café appelle le serveur: "S'il vous plaît, monsieur!"	*One should call a waiter by saying* "S'il vous-plaît!," *and not* "Garçon!"	Qu'est-ce que vous dites au café à la serveuse quand vous avez soif? *I say* "S'il vous plaît, mademoiselle, je voudrais une limonade."
1. Un jeune étudiant français entre dans le métro. Il enlève (*removes*) son sac à dos et le porte à la main.		Qu'est-ce que vous faites avec votre sac à dos quand vous entrez dans un train de métro?
2. Un jeune homme traverse (*walks through*) une foule (*crowd*) dans la station du métro, murmurant "Pardon" à chaque personne devant qui il passe.		Qu'est-ce que vous dites quand vous avez besoin de passer quelqu'un quand vous entrez dans un ascenseur (*elevator*)?
3. Quatre jeunes femmes sont à la terrasse d'un café, et elles parlent doucement (*quietly*) et calmement.		Vous êtes très content d'être à la tour Eiffel. Comment est-ce que vous parlez à vos camarades de classe?
4. À la boulangerie, une femme dit "Bonjour, Monsieur" quand elle entre et "Merci, au revoir" quand elle sort.		Vous entrez dans un magasin de souvenirs. Qu'est-ce que vous dites à la commerçante? Et quand vous partez?
5. Au marché de fruits et de légumes, le marchand dit "Je peux vous aider?" à un client. Ensuite, le client choisit des fruits.		Vous voulez prendre une pomme au marché. Qu'est-ce que vous faites?

10 Faisons l'inventaire

Discutez les questions en anglais.

1. Was it easy to identify the rules of etiquette in the situations described above? Why, or why not?
2. What are the advantages to observing people in different social situations? Are there any disadvantages? Would you feel uncomfortable people watching? Why, or why not?
3. Now that you are more aware of what the French say or do in certain situations, would you dress or behave differently if you traveled to France? Why, or why not?

Structure de la langue

emcl.com
WB 39–43
LA 2
Games

Passé composé with *être*

Madame Solange a dû attendre le train.
Il *est arrivé en avance ou en retard?*

To form the **passé composé** of certain verbs, you use a present tense form of the helping verb **être** and the past participle of the main verb.

Monsieur, vous **êtes allé** à l'hôtel de ville? *Sir, you went to the city hall?*

(helping verb) (past participle of **aller**)

To form the past participle of verbs that use **être** in the **passé composé**, follow the same rules that you learned in **Leçon B**: drop the infinitive ending and add **–é** for **–er** verbs, **–i** for **–ir** verbs, and **–u** for **–re** verbs. For example, for the verb **aller**, which is regular in the **passé composé**, drop the **–er** of the infinitive and add an **é**: **aller** → **allé**.

The difference with verbs that take **être** is that the past participle of the verb agrees in gender (masculine or feminine) and in number (singular or plural) with the subject:

- for a masculine singular subject, add nothing.
- for a masculine plural subject, add an **s**.
- for a feminine singular subject, add –**e**.
- for a feminine plural subject, add -**es**.

aller	
je suis allé(e)	nous sommes allés nous sommes allé(e)s
tu es allé(e)	vous êtes allé vous êtes allé(e)(s)
il est allé elle est allée on est allé	ils sont allés elles sont allées

Virginie, tu **es allée** au restaurant? *Virginie, did you go to the restaurant?*
Non, je **suis allée** au musée. *No, I went to the museum.*

Most of the verbs that use **être** in the **passé composé** *express motion* or *movement*, but not all verbs of movement are conjugated with **être** in the **passé composé**, so it's important to learn those that are.

Infinitive	Past Participle	Meaning
all**er** (*to go*)	all**é**	*went*
arriv**er** (*to arrive*)	arriv**é**	*arrived*
entr**er** (*to enter*)	entr**é**	*entered*
mont**er** (*to go up, to get in/on*)	mont**é**	*went up, got in/on*
rentr**er** (*to come home, to return, to come back*)	rentr**é**	*came home, returned, came back*
rest**er** (*to stay, remain*)	rest**é**	*stayed, remained*
retourn**er** (*to return*)	retourn**é**	*returned*
part**ir** (*to leave*)	part**i**	*left*
sort**ir** (*to go out*)	sort**i**	*went out*
descend**re** (*to go down, to get off*)	descend**u**	*went down, got off*
But:		
ven**ir** (*to come*)	ven**u**	*came*
reven**ir** (*to come back, to return*)	reven**u**	*came back, returned*
deven**ir** (*to become*)	deven**u**	*became*

To make a negative sentence in the **passé composé**, put **ne** (**n'**) before the form of **être** and **pas** after it.

Annie **n'**est **pas** allée au musée Grévin. — *Annie didn't go to the Grevin museum.*

To ask a question in the **passé composé** using inversion, put the subject pronoun after the form of **être.**

Awa **est-**elle **partie** ce matin? — *Did Awa leave this morning?*

Pierre est resté avec son petit frère.

COMPARAISONS

Does English ever use a helping verb to express an action that took place in the past?

We have gone to the convenience store.
Justin has bought a snack.
We did get back on time.

COMPARAISONS: In English, a form of the verb "to have" is sometimes used to express actions in the past. A form of "to do" may also be used. However, it is most common to use no helping verb at all: "We went to the convenience store," rather than "We have gone…" or "We did go…."

11 Un pique-nique au jardin des Tuileries

Votre classe a organisé un pique-nique. Dites où tout le monde est allé pour acheter les provisions.

MODÈLE Mme Olsen
Mme Olsen est allée à la boulangerie pour acheter les baguettes.

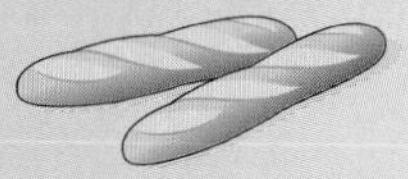

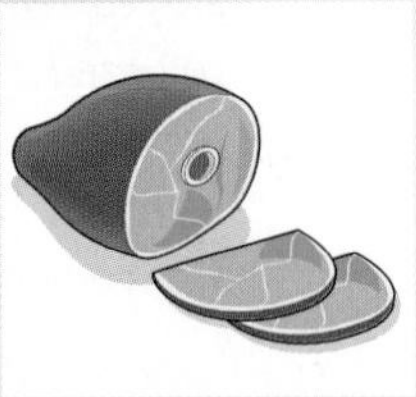

1. Tiffany et moi, nous

2. Hannah et Amber

3. je

4. Noah et Jennifer

5. Amanda et toi, vous

6. tu

12 On part en vacances.

Alain parle à un ami des projets de vacances. Quel jour et à quelle heure est-ce que tout le monde est parti en vacances?

Les départs					
lundi	**mardi**	**mercredi**	**jeudi**	**vendredi HIER**	**samedi AUJOURD'HUI**
Rosalie (9h00)		Florence et toi (14h30)	Sophie (8h00)	Lilou (11h00)	Olivier (10h15)
	Gaby (14h45)			René et Alexandre (13h30)	X
moi (21h45)		Lamine (20h00)		Michèle, Alima, et Élodie (19h00)	

MODÈLE Sophie
Sophie est partie jeudi matin à huit heures.

1. Olivier
2. Rosalie
3. Florence et toi, vous
4. René et Alexandre
5. Michèle, Alima, et Élodie
6. Lamine
7. Gaby
8. moi, je

13 Une soirée au cinéma

Marie-Ange raconte une soirée passée au cinéma. Complétez la phrase avec le passé composé du verbe entre parenthèses.

1. Je... au Gaumont hier avec des amies. (aller)
2. Ma sœur... avec nous. (venir)
3. Nous... à 19h00. (partir)
4. Ma sœur et moi, nous... à 19h20. Mes copains, cinq minutes après. (arriver)
5. Nous... au cinéma pendant deux heures. (rester)
6. Mes amies... prendre le métro, à l'exception de Sophie. (descendre)
7. Sophie et moi, nous... au Café des Artistes. (aller)
8. Je... en retard! (rentrer)

14 Aux Césars

Complétez chaque phrase avec la forme correcte du passé composé du verbe entre parenthèses pour raconter l'histoire d'Awa Soumaré et Kemajou Diouf. Vérifiez que vous avez utilisé le bon verbe auxiliaire, ***être*** *ou* ***avoir****.*

1. Awa... metteur en scène à l'âge de 34 ans. (devenir)
2. Kemajou... acteur l'année dernière. (devenir)
3. Kemajou... son premier rôle dans le film d'Awa, un drame en français qui s'appelle *Loin de chez moi*. (jouer)
4. Ensemble, ils... à Paris pour les Césars. (aller)
5. Pour la cérémonie, Awa... un ensemble traditionnel, et Kemajou un smoking (*tuxedo*). (mettre)
6. Aux Césars ils... deux prix (*awards*) pour leur film. (gagner)
7. Quand ils partaient (*were leaving*), beaucoup de photographes... leur photo. (prendre)
8. Awa et Kemajou... au Sénégal des héros! (retourner)

15 Le passé ou le présent?

*Écrivez les numéros 1–8 sur votre papier. Écoutez les phrases et indiquez si chaque phrase est au passé composé (**PC**) ou au présent (**PRÉS**).*

Communiquez!

16 Hier

Interpersonal Communication

À tour de rôle, demandez à votre partenaire s'il ou elle a fait les activités suivantes hier. Faites attention au verbe auxiliaire.

MODÈLE arriver à l'école en retard hier
A: **Es-tu arrivé (e) à l'école en retard hier**
B: **Oui, je suis arrivé(e) à l'école en retard hier.**
ou
Non, je ne suis pas arrivé(e) à l'école en retard hier.

finir tes devoirs dans la médiathèque
A: **As-tu fini tes devoirs dans la médiathèque?**
B: **Oui, j'ai fini mes devoirs dans la médiathèque.**
ou
Non, je n'ai pas fini mes devoirs dans la médiathèque.

1. attendre des amis devant l'école
2. parler français dans la classe de français
3. aller à la cantine à midi
4. prendre un sandwich au jambon pour le déjeuner
5. partir de l'école en avance
6. aller à la banque
7. sortir avec des amis hier soir
8. rester à la maison hier soir

Position of Adverbs in the *passé composé*

emcl.com
WB 44–45
Games

You may wish to add an adverb when expressing an idea in the **passé composé**. The short adverbs below are generally placed between the auxiliary verb (**avoir** or **être**) and the past participle.

Pourquoi M. Gauthier est-il vite parti?

assez	*enough*
beaucoup	*a lot*
bien	*well*
déjà	*already*
enfin	*finally*
mal	*badly*
peu	*a little*
trop	*too much*
vite	*fast, quickly*

Tes amis sont-ils **déjà** partis? — *Did your friends leave already?*
Oui, ils sont **enfin** partis! — *Yes, they finally left!*

17 Le premier match de foot

Mettez l'adverbe entre parenthèses dans la phrase. Quand vous finissez, faites un sommaire de l'histoire en anglais pour votre partenaire.

1. Thierry a acheté un maillot avec le blason de sa nouvelle équipe. (déjà)
2. Il a mis son maillot, son short, ses chaussettes, et ses chaussures. (déjà)
3. Il est allé au stade en métro. (vite)
4. Il a parlé aux autres footballeurs. (peu)
5. Il a pris le ballon avec ses pieds. (bien)
6. Il a marqué un but pour son équipe. (bien)
7. Son équipe a gagné, 1 à 0. (enfin)

COMPARAISONS

Where are adverbs placed in past tense sentences in English?

I ate a lot yesterday.
We really did like the movie.
He has finally arrived.

COMPARAISONS: In past tense sentences in English, adverbs may be placed after the verb, before the verb, or between the helping verb and past participle.

18 Les phrases brouillées

Ils ont trop mangé au restaurant?

Mettez les phrases en ordre.

1. bien / Marcel / samedi soir / a / dormi
2. l'équipe / joué / de Marseille / mal / a / dimanche
3. as / au restaurant / tu / mangé / trop
4. partis / vous / êtes / de l'école / vite
5. avons / enfin / eu / le contrôle de français / 20 / nous / sur
6. mon / déjà / père / a / la cuisine / fait
7. a / Mlle Desjardins / à la crémerie / acheté / assez
8. peu / les / étudié / élèves / ont / pour le contrôle de maths
9. beaucoup / j'ai / le film d'action / aimé

19 Le contrôle d'histoire

Dans les écoles françaises, 18 sur 20 est une très bonne note, 16 est très bien. Les élèves qui ont 12 sur 20 sont contents. On a besoin de 10 pour réussir à un examen. Dites si ces élèves ont ***bien, assez bien****, ou* ***peu*** *étudié pour le contrôle d'histoire, selon les résultats.*

Héloïse	18
Marianne	7
Karim	20
Étienne	12
Evenye	19
Marc-Antoine	13
Virginie	8
Nasser	14

MODÈLE **Virginie a peu étudié pour le contrôle d'histoire.**

1. Héloïse
2. Marc-Antoine
3. Nasser
4. Marianne
5. Karim
6. Evenye
7. Étienne

À vous la parole

Question centrale

How do major world cities tell their stories?

Communiquez!

20 Une carte postale de Paris!

Presentational Communication

Find a virtual postcard of Paris online and send it to one of your classmates. In your postcard:

- Use the salutation **Cher** or **Chère** followed by the student's name.
- Say when you arrived in Paris.
- Name three sites you saw and when (use expressions of time such as **hier soir**). Then tell what you did at each one.
- Say what you are going to do tonight.
- Say you'll see your friend soon and sign your name.

Print a copy of your postcard or e-mail a copy to your teacher.

Search words: carte postale virtuelle de paris

Communiquez!

21 On prend le métro?

Interpretive/Presentational Communication

A. Explore the official Paris metro website to find out the information below.
- cost of a single metro ticket in euros and dollars
- advantage of purchasing a book of 10 tickets (un carnet, ou "**t+**")
- cost of a **Paris visite** pass in euros and dollars
- hours the metro is open

B. Next, use the interactive map to find the best routes to five different tourist sites, following the directions below.
- Start your trip at the Gare d'Austerlitz.
- Find your first location.
- Print out the itinerary.
- Be sure to print out your other itineraries.

C. Show one of your itineraries to your partner. Tell him or her how you got from one tourist site in Paris to another, using the metro.

MODÈLE **Je suis allé(e) de la Gare d'Austerlitz à la tour Eiffel. J'ai pris le métro en direction de Boulogne—Pont de St. Cloud. J'ai fait une correspondance (*transferred*) à La Motte Picquet en direction de Charles de Gaulle—Étoile. Je suis descendu(e) à la station Bir Hakeim.**

Search words: paris ratp

Lecture thématique

Chanson de la Seine

Rencontre avec l'auteur

Jacques Prévert (1900–1977) connaît un vrai succès populaire. Il est l'auteur de chansons célèbres, de films importants, et de quatre volumes de poésie: *Paroles* (1945), *La Pluie et le beau temps* (1955), *Histoires* (1963), et *Choses et autres* (1972). Sa poésie ressemble à la langue parlée et ses thèmes touchent directement la vie de tous les jours avec ses misères et ses joies. Quelles misères est-ce qu'il trouve à Paris dans "Chanson de la Seine"?

Pré-lecture

Avez-vous passé du temps au bord (*along the banks*) d'un fleuve ou d'une rivière? Quelles activités avez-vous faites?

Stratégie de lecture

Personification

Jacques Prévert uses personification in his poem "Chanson de la Seine." Personification is the attribution of human qualities to something that is not human. For example, the phrase "The wind danced in the trees" describes the action of the wind as if it were dancing like a person. As you read the poem, fill in the chart with examples of personification; then explain what human characteristics the poet is giving the river.

Examples of personification	Explanation
1. La Seine n'a pas de souci.	The river is carefree like a young person.
2.	
3.	

Outils de lecture

Inference

An inference is a conclusion reached due to evidence provided in a literary text. What inference can you make about Prévert's attitude toward the Seine? For example, does he respect it, is he indifferent towards it, or does he dislike it? What evidence in the text supports your position?

La Seine a de la chance*
Elle n'a pas de souci*
Elle se la coule douce*
Le jour comme la nuit
Et elle sort de sa source
Tout doucement*, sans bruit* sans sortir de son lit
Et sans se faire de mousse*,
Elle s'en va vers la mer*
En passant par Paris.
La Seine a de la chance
Elle n'a pas de souci
Et quand elle se promène*
Tout au long de ses quais
Avec sa belle robe verte
Et ses lumières dorées*
Notre-Dame, jalouse*, immobile et sévère
Du haut de* toutes ses pierres*
La regarde de travers*
Mais la Seine s'en balance
Elle n'a pas de souci
Elle se la coule douce
Le jour comme la nuit
Et s'en va vers le Havre, et s'en va vers la mer
En passant comme un rêve
Au milieu des* mystères
Des misères de Paris.

Pendant la lecture
1. Comment est la Seine?

Pendant la lecture
2. Qui est jalouse de la Seine?

Pendant la lecture
3. La Seine comprend-elle ce qui se passe à Paris? (*Does the Seine understand what's going on in Paris?*)

a de la chance *is lucky*; **un souci** *worry*; **se la coule douce** *is peaceful*; **doucement** *gently*; **sans bruit** *without noise*; **la mousse** *foam*; **la mer** *sea*; **se promène** fait une promenade; **doré(e)** *golden*; **jalouse** *jealous*; **du haut de** *atop*; **pierres** *stones*; **de travers** *askance*; **au milieu de** *in the middle of*

Post-lecture

Est-ce que le portrait de la Seine par Prévert est romantique? Expliquez.

Le monde visuel

Paul Signac (1863-1935), peintre français, était un co-fondateur du pointillisme, qui consiste à peindre par juxtaposition de petites touches de couleurs primaires (rouge, bleu, et jaune) et de couleurs complémentaires (orange, violet, et vert) pour créer des formes. Connu pour ses couleurs lumineuses, Signac a peint beaucoup de tableaux de la Seine. Dans ce tableau, le fleuve semble être vivant avec sa luminosité et son mouvement. Est-ce que le style de Signac est plus proche de l'art de Monet (recherchez *Impression, soleil levant*) ou de Corot (recherchez *Le Pont de Mantes*)? Pourquoi?

Le Pont Neuf, 1927. Paul Signac. Galerie Daniel Malingue, Paris, France.

22 Activités d'expansion

1. Utilisez les informations dans votre grille pour écrire un paragraphe qui explique la personnification dans le poème. La Seine est-elle un homme ou une femme? Quelles sont ses caractéristiques?
2. Comparez ce poème à un autre poème qui décrit (*describes*) un fleuve, par exemple, le Mississippi, le Nil, ou l'Amazone. Comment est-ce que l'attitude de ce poète ressemble à celle (*the one*) de Prévert dans "Chanson de la Seine"?
3. Quand les lignes d'un poème ressemblent à un objet, c'est un "shape poem." Écrivez un "shape poem" au sujet d'un endroit à Paris.
4. Écrivez un poème qui énumère (*lists*) les gens et les endroits de Paris. Commencez avec **Paris est une ville de....** Trouvez un moyen (*way*) d'organiser vos idées.

Les copains d'abord: Il pleut dans mon coeur

T'es branché?

Projets finaux

A Connexions par Internet: L'art

Interpretive/Presentational

Many art movements, such as Cubism, were founded in Paris. The city also has a lot of street art—statues, fountains, sidewalk drawings in chalk, etc. Research a piece of art featuring Paris. For example, you might look up works by Jean Béraud, Béatrice Boisségur, Georges Dupuis, Toulouse-Lautrec, Albert Marquet, Jules Ernest Renoux, Paul Signac, Edgar Degas, or Maurice Utrillo. Then present your piece of art to a small group of classmates.

Le pont de l'Europe, Gare Saint-Lazare, 1877. Claude Monet. Musée l'Harmattant, Paris, France.

Search words: **bridgeman art library**
musée d'orsay site officiel
louvre site officiel

MODÈLE **Ce tableau montre le Pont de l'Europe et la Gare Saint-Lazare de Paris. L'artiste est Claude Monet. J'aime ce tableau parce que....**

B Communautés en ligne

Les expatriés américains à Paris

Find a blog about expats living in Paris. Expats are people who have left their home country and now reside somewhere else, in this case Paris. Write a profile of one person, answering the questions below:

1. Comment s'appelle-t-il? Comment s'appelle-t-elle?
2. Il/Elle est à Paris depuis (*since*) quand?
3. Quels sont ses passe-temps?
4. Quelle est sa profession?
5. Est-ce qu'il ou elle cherche quelque chose (*something*)?

Present your profile to your partner. Finally, tell him or her your answers to these questions: **Voudrais-tu habiter ou étudier à Paris? Pour combien de temps?**

Search words: **expatriés américains à paris**
expat blog paris

C Passez à l'action!

Notre voyage imaginaire à Paris

Plan a class trip to Paris where you will stay for five days. Decide as a group when you'd like to go, in what area of Paris you'd like to stay, and what you'd like to see. To plan your trip, give each person in your group a task, for example:

1. Find a reasonable flight and make a document with the name of the airline, the departure and arrival dates and times, and the name of the airports with their codes.
2. Find a reasonable hotel in a neighborhood you all want to stay in. Make a document with the name of the hotel, the number of stars (if any), the address, the number of the **arrondissement** (district of Paris), the phone number, Website, and nearest metro station(s).
3. Decide what museums, parks, and monuments you'd like to see. Make a document that shows your itinerary, or the date, time, and location.
4. Find photos of the places you plan to see.
5. Write captions for the photos, saying what your group saw and did at each place.
6. Place your documents and photos on the Internet to share with other French classes. Ask them to share an imaginary trip to another francophone destination with you.

D Faisons le point!

Question centrale

How do major world cities tell their stories?

Your teacher will give you a chart like the one below. Fill it in to show what you've learned about the French language and francophone cultures.

Je comprends	Je ne comprends pas encore	Mes connexions

What did I do well to learn and use the content of this unit?	What should I do in the next unit to better learn and use the content?
How can I effectively communicate to others what I have learned?	What was the most important concept I learned in this unit?

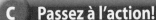

Évaluation

emcl.com
LA *Synthèse*

A Évaluation de compréhension auditive

Amélie went to Paris for Christmas vacation. Listen to her conversation with Pierre. Then, indicate if each sentence about her trip is **vrai** or **faux**.

B Évaluation orale

Imagine that you traveled to your favorite city last week and your partner wants to know what you saw and did. Answer your partner's questions and say on which days you did each activity. Include monuments, museums, restaurants, and other places you visited. Say if you walked or took the metro. Switch roles.

C Évaluation culturelle

In this activity, you will compare francophone cultures with American culture. You may need to do some additional research on American culture.

1. **Deux capitales**
   Create a timeline of the construction of two key monuments, one in Washington D.C., one in Paris. The timeline should cover the period 1800–2010. Explain how each monument reveals something important about the history of the city.
2. **La nature et la ville**
   Explain how a geographical feature of Paris (such as the Seine) affected the city's development. Compare Paris's development to that of your own town or city. Is there a geographical feature, such as a river or hill, around which your city was built? How has your city's geography influenced construction and economic activity?
3. **Deux monuments**
   Compare **la tour Eiffel** in Paris and the Statue of Liberty in New York. What do these monuments symbolize in their respective countries, and to the world?
4. **Les gâteaux**
   What are the traditional desserts that you and your family eat on different holidays and for special occasions? Research the origins and traditions regarding one of these foods and compare it to **la galette des Rois**.
5. **La culture des drapeaux**
   Compare your state flag to the flag of Haiti. How do the objects and colors of the flags represent or symbolize aspects of each culture?
6. **Les transports en commun**
   Research the public transportation system in a large city in your state. Do many people use the system? Have you ever used a public transportation system? Compare this public transportation system to the metro in Paris. How are the

Crowds of people gather to wait for the **métro** at rush hour.

two systems similar and different? Consider the practicality, affordability, and accessibility of each system, how many people use it, and the area it covers.

7. **Deux parcs**
   Compare the **jardin des Tuileries** to a well-known park in your region. Which one is more urban? Which is older? What kinds of activities does each park offer? Do special events take place there?

D Évaluation écrite

Write to a friend about where you, your family, or friends went, and what you saw and did over the weekend.

E Évaluation visuelle

Imagine that you've spent the last two days sight-seeing in Paris. Write a postcard to a friend telling about your visit based on the image below. Say where you went, what you saw, and what you did there. Be sure to tell on what day you did each activity.

F Évaluation compréhensive

Imagine that you were a tour guide for a group of French students visiting your city or town. Create a storyboard with six frames that show the sites you took them to see and what they did there. Include a written caption for each frame.

Vocabulaire de l'Unité 8

un **aéroport** airport *B*
un **animal** animal *A*
s' **arrêter** to stop *A*
au on the *C*
l' **automne (m.)** autumn *A*
une **avenue** avenue *B*
avoir: avoir chaud to be hot *A*; **avoir envie de** to want, to feel like *A*; **avoir froid** to be cold *A*
un **banc** bench *C*
une **banque** bank *B*
le **bas** bottom *A*
un **bateau** boat *B*
une **cathédrale** cathedral *B*
chaud(e): j'ai chaud I am hot *A*
chouette great *A*
le **coin** corner *A*; **du coin** on the corner *A*
consommer to consume *A*
un **degré** degree *A*
déjà already *C*
dernier, dernière last *C*
désagréable unpleasant *C*
descendre to go down, to get off *C*
désolé(e) sorry *A*
disponible free *A*
du on the *A*; about (the) *C*
un **éclair** eclair *A*
embrasser to kiss *C*
en of *C*
entrer to enter, to come in *A*
exactement exactly *B*
faire: faire une promenade to go for a walk *A*
fatigué(e) tired *B*
un **fleuve** river *B*
froid: cold *A*; **j'ai froid** I am cold *A*
une **gare** train station *B*
gourmand(e) fond of food *A*
grave serious *A*
un **guide touristique** tourist guide *B*
le **haut** top *A*
hier yesterday *C*
un **hôtel** hotel *B*; **un hôtel de ville** city hall *B*
une **idée** idea *A*; **Bonne idée!** Good idea! *A*
un **jardin** garden, park *B*
une **journée** day *A*
laisser: Laisse-moi finir! Let me finish! *B*
la **ligne** figure *A*

la **main** hand *C*; **la main dans la main** hand in hand *C*
un **millefeuille** layered custard pastry *A*
monter to go up, to get in/on *C*
montrer to show *B*
un **monument** monument *B*
un **musée** museum *B*
nouveau, nouvel, nouvelle new *B*
occupé(e) busy *A*
où when *B*
oublier to forget *B*
pardon pardon me *B*
se **parler** to talk to each other/one another *C*
partir to leave *C*
pendant for *B*
une **photo: re-photo** another photo *B*
une **place** square *B*
pleuvoir to rain *A*; **il pleut** it's raining *A*
un **pont** bridge *B*
une **poste** post office *B*
le **printemps** spring *A*
profiter to take advantage of *C*
une **promenade** walk *A*
une **religieuse** cream puff pastry *A*
rentrer to come home, to return, to come back *C*
un **restaurant** restaurant *B*
rester to stay, to remain *C*
retourner to return *C*
rigoler to laugh *C*
une **rue** street *A*
un **souvenir** memory *C*
une **statue** statue *B*
sur of *B*
un **tableau** painting *B*
la **température** temperature *A*
le **temps** weather *A*; **Quel temps fait-il ?** What's the weather like? How's the weather? *A*
la **terrasse** terrace *B*
un **tour** tour *B*
vieux, vieil, vieille old *B*
visiter to visit *B*
vite fast, quickly *C*
se **voir** to see one another/each other *A*

Animals… see p. 397
Weather… see p. 396

Unité 8 Bilan cumulatif

Listening

I. You will hear a short conversation. Select the reply that would come next. You will hear the conversation twice.

1. A. Désolé, je ne suis pas libre.
   B. À bientôt!
   C. Oh pardon, Mélanie.
   D. J'ai froid.

II. Listen to the conversation between a tourist and a French man. Select the best completion to each statement that follows.

2. La touriste cherche....
   A. la tour Eiffel
   B. un bateau-mouche
   C. le musée du Louvre
   D. le métro, ensuite Notre-Dame

3. Elle est....
   A. canadienne
   B. américaine
   C. anglaise
   D. française

4. Le monsieur aime beaucoup....
   A. Paris et ses cathédrales
   B. Montréal et ses bateaux
   C. Paris et ses monuments
   D. Paris—ses cafés, ses monuments, ses musées et cathédrales

Reading

III. Read Claire's e-mail to her friend Alex about her recent trip to Paris. Then select the best completion to each statement.

Salut Alex!

Ça va? Moi, super. Le weekend dernier, je suis allée à Paris avec ma copine, Céline. Paris est magique! En plus, il a fait très beau. Nous avons visité tous les musées et les monuments de la capitale française! Le premier jour, j'ai visité le musée du Louvre où j'ai vu la *Joconde*! Eh bien, tu sais, je n'ai pas trouvé la *Joconde* géniale. Moi, j'ai préféré le jardin des Tuileries où nous avons fait une promenade samedi après-midi. J'ai pris beaucoup de belles photos. Nous sommes arrivées chez moi dimanche soir. J'ai été très contente, mais aussi très fatiguée après mon weekend très occupé. Et toi, qu'est-ce que tu as fait le weekend dernier? Nous nous retrouvons demain au café sur la place de l'hôtel de ville? Je peux te montrer mes photos, d'accord?

À demain,

Claire

1. Céline et Claire ont vu....
   A. des musées et des monuments
   B. Alex
   C. un petit café français
   D. de petites statues

2. Claire aime....
   A. Alex
   B. le jardin des Tuileries
   C. la *Joconde*
   D. les musées

3. Claire voudrait....
   A. retourner à Paris
   B. prendre un café avec son ami demain
   C. voir Céline
   D. aller à Paris avec Alex

Writing

IV. Write the appropriate words or expressions to complete the conversation between Théo and Lucas as they discuss last weekend and plans for the coming weekend.

Theo: Samedi __1__ après les cours, j'ai fait du vélo avec Marine à Paris. Nous avons passé un super __2__. Il a fait très __3__, très chaud avec du soleil. Et toi, est-ce que tu as fait du sport?

Lucas: Bien __4__ que non! Tu parles. Moi, j'ai étudié pour mon __5__ de maths. Je n'ai pas réussi!

Théo: Ce n'est pas __6__. Tu es __7__ ce weekend? On peut faire du roller près de la tour Eiffel.

Lucas: Non, je suis __8__! Je vais faire une __9__ près de la Seine pour voir la cathédrale Notre-Dame de Paris.

Theo: S'il __10__ mauvais et il __11__, qu'est-ce qu' __12__ fait?

Lucas: On peut voir un film __13__ au Gaumont.

V. Choose the appropriate verb or expression to complete each sentence.

La semaine dernière, Martin __14__ Leïla au restaurant pour son anniversaire.
A. a fini B. est allé C. a invité

Ils __15__ à la terrasse d'un café près de Notre-Dame.
A. ont mangé B. sont partis C. ont profité

Après, ils ont profité du beau temps pour __16__ au bord de la Seine.
A. faire une promenade B. consommer C. partir

Leïla __17__ envie de voir les lumières de la tour Eiffel.
A. a été B. a eu C. a fait

Alors, ils ont pris le métro pour __18__ là-bas.
A. aller B. visiter C. descendre

Leïla __19__ ça très beau.
A. a trouvé B. a aimé C. a eu

Enfin, Martin et Leïla __20__ aux Champs-Élysées pour prendre une boisson.
A. ont rigolé B. ont fini C. sont allés

Quel beau souvenir!

Composition

VI. Write a journal entry about your visit to Paris last weekend by responding to the following questions.

1. À quelle heure es-tu arrivé(e) à l'hôtel vendredi soir?
2. Où as-tu mangé?
3. Est-ce qu'il a fait beau?
4. Qu'est-ce que vous avez fait samedi et dimanche?
5. Comment est-ce que tu es allé(e) à l'aéroport dimanche soir?
6. À quelle heure est-ce que tu es arrivé(e) à la maison?
7. Est-ce que tu as aimé ton voyage à Paris?

Speaking

VII. Tell the four stories suggested by the images.

A. Bruno et Caro

B. Antoine et ses copains

C. Malika

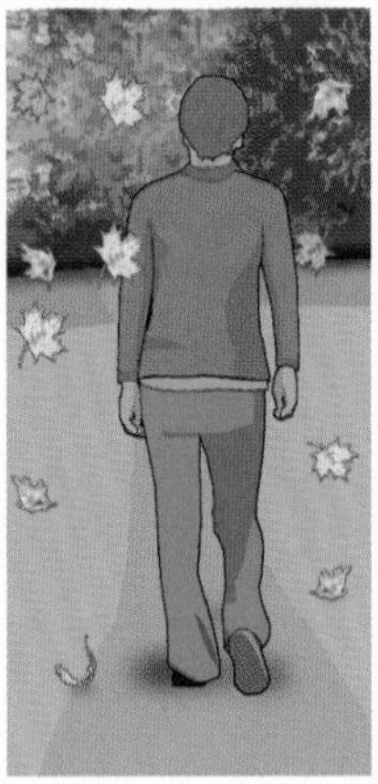

D. tu

1. Give the date, identify the season in each illustration, and describe the weather.
2. Describe what the people are doing in each illustration.
3. Then describe two to three activities that you like to do during each season.

Unité

9 En forme

Rendez-vous à Nice!

Épisode 9:

Au fitness

Citation

"Le bien-être est un état agréable résultant de la satisfaction des besoins du corps et du calme de l'esprit."

Well-being is an agreeable condition resulting from meeting the needs of the body and the calmness of the mind.

—Le dictionnaire Larousse

À savoir

Due in part to dietary changes, cases of Type 1 juvenile diabetes have doubled in France in the last 30 years.

Unité

9 En forme

Question centrale

How do people stay healthy and maintain a healthy environment?

What is Chadia doing on the phone?

A. sneaking a phone call to Thomas
B. calling the police
C. making plans to sneak out

What is the name of this popular bike rental program in Paris?

Contrat de l'élève

Leçon A I will be able to:

- express need and necessity.
- talk about France's national medical insurance, a government campaign to get people in shape, and thermal spas.
- use the present tense form of the verb **falloir**.

Leçon B I will be able to:

- ask for and give advice.
- talk about Rwanda, its home health care system, and the people who provide it.
- give commands.

Leçon C I will be able to:

- persuade someone and respond to persuasion.
- talk about the Green movement in France and a popular bike rental program in Paris.
- use infinitives after some conjugated verbs and know when to use **des** or **de** with plural nouns modified by adjectives.

Leçon A

Vocabulaire actif

emcl.com
WB 1–5
LA 1
Games

Le corps et la figure

Le corps

La figure

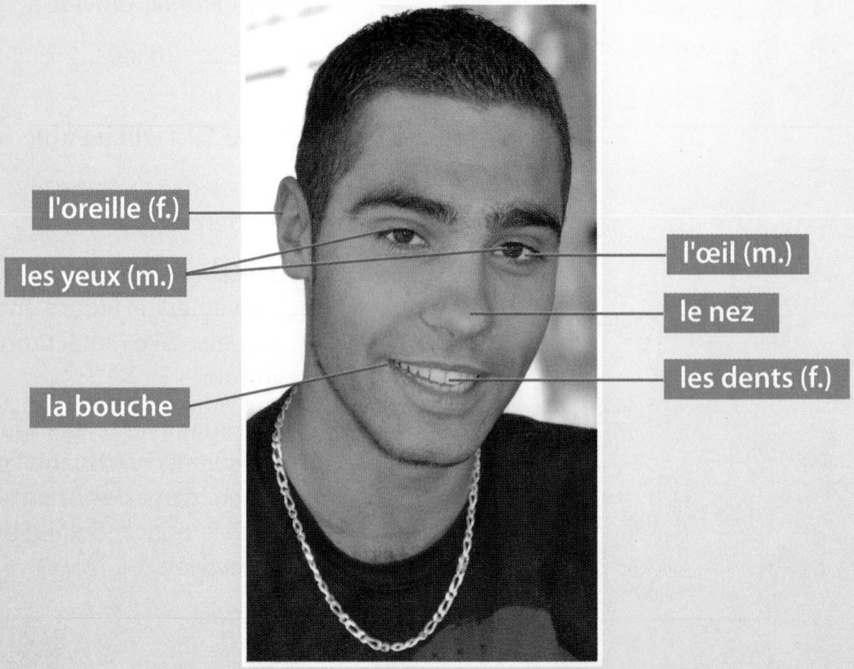

Pour la conversation

emcl.com
WB 6–8

How do I say it is necessary to do, or not do, something?

› **Il faut....**

It is necessary to...., You must....

› **Il ne faut pas....**

You must not....

Et si je voulais dire...?

le front	*forehead*
les sourcils (m.)	*eyebrows*
les cils (m.)	*eyelashes*
les paupières (f.)	*eyelids*
les joues (f.)	*cheeks*
la langue	*tongue, language*
les lèvres (m.)	*lips*
le menton	*chin*
les ongles (f.)	*fingernails*

1 Complétez!

Choisissez le mot convenable qui complète chaque phrase.

oreilles yeux bouche jambes pieds dents mains doigts tête

MODÈLE On fait du footing avec les... et les....
On fait du footing avec les jambes et les pieds.

1. On mange avec les....
2. On parle avec la....
3. On regarde la télé avec les....
4. On joue au foot avec les... et la....
5. On fait une promenade avec les... et les....
6. On fait la cuisine avec les....
7. On écoute son lecteur MP3 avec les....

On mange avec la bouche.

2 Portrait d'une famille d'extraterrestres

Dessinez la famille selon la description.

L'ado a une petite tête avec un grand œil au centre. Il a de longs cheveux violets et des yeux jaunes. Il a un long cou. Il a un bras avec deux mains. Il a trois jambes et trois pieds avec quatre, cinq, et six doigts de pied. Il porte un tee-shirt bleu et un short rouge. Il écoute de la musique sur son lecteur MP3. Il ressemble à son père mais pas à sa mère. Son père porte un short vert et une chemise rouge. Sa mère a deux têtes avec un œil sur chaque tête. Elle n'a pas de cou. Elle a deux bras, deux mains, et une jambe avec un grand pied. Le pied a huit doigts de pied. Elle porte une jupe orange et un tee-shirt jaune.

3 Qu'est-ce que Jacques dit?

Écrivez les numéros 1–10 sur votre papier. Écoutez Jacques et écrivez la lettre qui correspond à la partie du corps mentionnée.

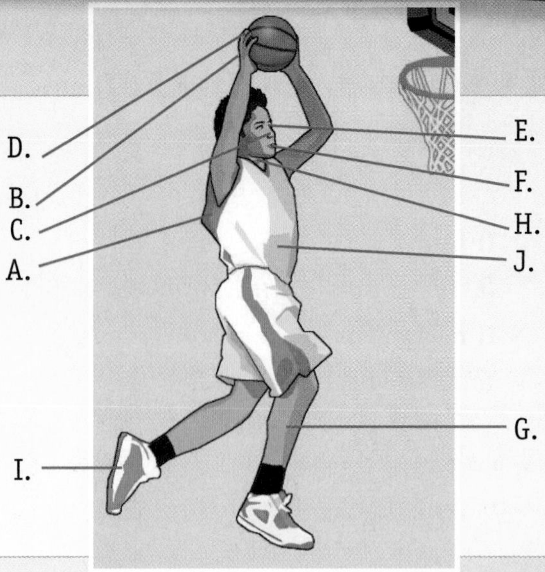

4 Qu'est-ce qu'il faut faire?

Choisissez la lettre qui correspond à ce qu'il faut faire selon la situation.

MODÈLE Mme Delaunay veut faire la cuisine.
B

1. Cédric doit maigrir.
2. Océane a un contrôle d'histoire.
3. Salim veut voir un film.
4. On a faim.
5. Jacqueline veut voir la tour Eiffel.
6. Michel va à une teuf d'anniversaire.
7. Evenye est dans la classe de français.

A. Il faut aller à Paris.
B. Il faut faire les courses.
C. Il faut offrir un cadeau.
D. Il faut faire du sport.
E. Il faut étudier.
F. Il faut faire la cuisine.
G. Il faut parler français.
H. Il faut prendre le métro pour aller au cinéma.

Communiquez!

5 Questions personnelles

Interpersonal Communication

Répondez aux questions.

1. Est-ce que tu manges de la pizza avec une fourchette ou les doigts?
2. Qu'est-ce que tu mets sur ta tête en hiver?
3. En général, es-tu prêt(e) pour les contrôles?
4. Qu'est-ce qu'il faut faire quand on a faim?
5. Qu'est-ce qu'il faut mettre quand on a froid?
6. Qu'est-ce qu'il ne faut pas faire dans la classe de français?

Je mets un chapeau sur ma tête en hiver.
LOS ANGELES

Rencontres culturelles

Au fitness

Yasmine et Camille ont quitté le fitness.

Camille: Tu es prête?
Yasmine: Oh là là, j'ai mal partout!
Camille: Qu'est-ce que tu as fait?
Yasmine: De l'aérobic et du step.
Camille: Ce n'est pas trop difficile?
Yasmine: Si, mais qu'est-ce qu'il faut faire? Je veux maigrir! Toi, qu'est-ce que tu as fait?
Camille: Moi? Du yoga.
Yasmine: Ah! C'est sûr, tu ne dois pas être aussi fatiguée que moi.
Camille: Mes bras, mes jambes, et mon dos sont décontractés.
Yasmine: Ouille! Mes pieds… je ne peux pas marcher!
Camille: Tu profiterais d'une cure thermale! Dis, on mange?
Yasmine: Oui, manger-bouger aujourd'hui!

6 Au fitness

Répondez aux questions.

1. Qui a mal partout? Pourquoi?
2. Pourquoi est-ce que Yasmine a fait beaucoup d'exercice?
3. Qu'est-ce que Camille a fait comme exercice?
4. Qui a les bras, les jambes, et le dos décontractés?
5. Où vont les filles après le fitness?

Extension **L'entraînement**

Timéo parle de sport à son professeur.

Timéo: Qu'est-ce qu'on travaille aujourd'hui?
Professeur: D'abord le dos, puis le cou, les épaules, les bras....
Timéo: Bien… et ensuite....
Professeur: Eh bien, les genoux, les pieds. D'abord, déliez le corps.... Vous avez tout compris! On va travailler tous les points… lentement....
Timéo: On y va!
Professeur: Respirez....

Extension Quels sont les conseils du prof pour Timéo?

Points de départ

emcl.com
WB 9-11

Question centrale

How do people stay healthy and maintain a healthy environment?

Le système de protection de la santé

Les Français sont protégés* par la sécurité sociale (ou "la sécu") quand ils tombent malades*. C'est un système d'assurance* collectif financé par les employés salariés et les compagnies. Chaque Français a un médecin généraliste, mais il peut aussi consulter des spécialistes. Il peut aller dans un hôpital publique ou dans une clinique privée. En conséquence, les Français sont de gros consommateurs de soins*.

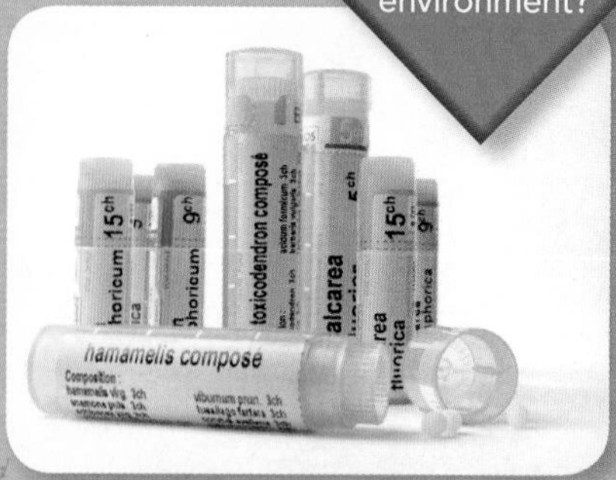

La sécurité sociale couvre la plupart des frais de la médecine homéopathique.

Search words: www.securite-sociale.fr
sécurité sociale en france

protégés *protected;* **tombent malades** *get sick;* **assurance** *insurance;* **soins** *care*

Produits

L'homéopathie est très populaire en France. On peut trouver ces médicaments, souvent remboursé *(reimbursed)* par la sécu, dans les pharmacies ou en ligne.

COMPARAISONS

What national medical programs are there in the United States?

Garder la forme

"Pour rester en forme*, manger-bouger*." C'est le thème d'un programme national en France pour la nutrition et la santé*. Bien manger signifie manger des légumes et des fruits et éviter les produits gras* et trop sucrés. Toute la France fait un effort. De nouvelles chaînes de restaurants rapides se développent. Elles proposent des menus basses calories, des produits naturels, des salades, des soupes, des jus de fruit frais. Dans les cantines des lycées, on développe aussi une information sur l'équilibre alimentaire*.

À Pat à Pain, vous pouvez prendre du yaourt avec le miel (*honey*).

Search words: www.mangerbouger.com

COMPARAISONS

What opportunities for staying healthy and fit are there in your area?

rester en forme *to stay fit;* **bouger** *to move;* **santé** *health;* **gras** *fatty;* **équilibre alimentaire** *balanced diet*

Le thermalisme

Le thermalisme est l'utilisation des eaux minérales pour des raisons médicales. Il a commencé à se développer après 1850. On a établi* des stations* thermales dans les Vosges (Vittel), l'Auvergne (Vichy), les Alpes (Évian), et les Pyrénées (Amélie les Bains). Aujourd'hui, 500.000 personnes visitent les 100 villes thermales chaque année. La majorité y va pour soigner* les rhumatismes. Une vraie cure thermale dure* trois semaines. Souvent ces cures sont payées par la sécu.

La ville thermale de Contrexéville a donné son nom à la fameuse eau minérale Contrex.

Search words: france thermale, thermalisme

---

a établi *established;* **stations** *resorts;* **soigner** *to treat;* **dure** *lasts*

7 Questions culturelles

Répondez aux questions ou faites l'activité.

1. Qu'est-ce que c'est "la sécu"?
2. Qu'est-ce que vous pouvez faire pour "manger-bouger"?
3. Qu'est-ce qu'on peut trouver maintenant dans certains restaurants rapides?
4. Choisissez un menu à Flunch qui vous aide à rester en forme.

Search words: flunch menus

5. Qu'est-ce que c'est le thermalisme?
6. Choisissez une station thermale et écrivez les maladies qu'elle traite.

Search words: stations thermales, france thermale

Perspectives

Do the French consider their health care to be socialized medicine as in Canada and the United Kingdom?

Search words: health care lessons from france, french health care

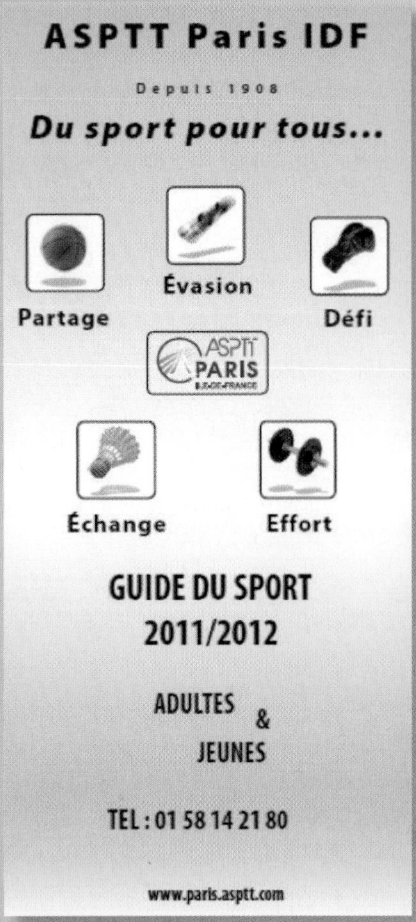

Du côté des médias

Lisez les informations sur ce centre sportif. Vous allez avoir besoin d'aller sur le site web pour répondre à certaines questions.

8 ASPTT de Paris et Île de France

Répondez aux questions.

1. C'est quoi l'ASPTT?
2. Depuis quand existe cette association?
3. Allez sur le site web de l'ASPTT. À l'origine, cette association a été créée pour quelles personnes? Aujourd'hui, qui peut utiliser l'ASPTT?

Search words: ASPTT, acronym

4. Selon les images de la brochure, quels genres de sports peut-on pratiquer à l'ASPTT de Paris?
5. Quels sont les bénéfices des activités sportives?
6. Nommez deux sports modernes que vous ne connaissez pas bien, par exemple:
   - **vol à moteur**
   - **capoeira**
   - **krav maga**
   - **qi gong**
7. Finalement, identifiez ces sports.

emcl.com
WB 12–13
LA 2
Games

Present Tense of the Irregular Verb *falloir*

Il faut faire du sport pour rester en forme.

COMPARAISONS

What are two ways to express this sentence in English?

Il faut manger des fruits et légumes frais.

The verb **falloir** (*to be necessary, to have to*) has only one present tense form: **il faut. Il faut** means "it is necessary," "one has to/must," or "we/you have to/must." **Il faut** is often followed by an infinitive.

Il faut travailler les épaules et les bras. *You have to work your shoulders and your arms.*

Il ne **faut** pas trop travailler les genoux. *You mustn't work your knees too much.*

9 De bons élèves

Dites s'il faut faire l'activité ou pas pour être un(e) bon(ne) élève.

MODÈLES faire ses devoirs
Il faut faire ses devoirs.

téléphoner en classe
Il ne faut pas téléphoner en classe.

Il faut réussir aux contrôles pour être bonne élève.

1. parler aux copains en classe
2. arriver en retard
3. réussir aux contrôles
4. finir les devoirs
5. écouter son lecteur MP3 en classe
6. prendre des notes
7. étudier
8. envoyer des textos en classe

COMPARAISONS: "Il faut manger des fruits et légumes frais" can be expressed in two ways: (1) You have to/must eat fresh fruits and vegetables; and (2) It is necessary to eat fresh fruits and vegetables.

10 On voyage.

Donnez des suggestions de ce qu'il faut faire dans chaque ville quand on est touriste.

MODÈLE manger de la ratatouille
À Marseille il faut manger de la ratatouille.

New York San Francisco Londres Paris Orlando Alger Marseille

1. marcher sur les Champs-Élysées
2. faire un tour en trolley
3. voir la Statue de la Liberté
4. prendre une photo de Big Ben
5. dîner dans un restaurant algérien
6. parler avec Mickey Mouse

11 Qu'est-ce qu'il faut faire pour être en forme?

*Écrivez les numéros 1–10 sur votre papier. Écoutez chaque suggestion et écrivez **L** si elle est **logique** ou **I** si elle est **illogique**.*

12 Qu'est-ce qu'il faut faire?

Dites à vos amis ce qu'il faut faire dans chaque situation.

MODÈLE Il n'y a pas de soupe dans le placard.
Il faut faire les courses au supermarché.

1. Je voudrais voir la nouvelle comédie au Gaumont.
2. J'ai froid.
3. Il fait beau.
4. J'ai soif.
5. Il n'y a pas de fruits dans le frigo.
6. Il neige.
7. Samedi soir il y a une teuf pour l'anniversaire de Gilberte.

Communiquez!

Question centrale

How do people stay healthy and maintain a healthy environment?

13 Au fitness

Interpersonal Communication

You and a friend run into each other at the gym. In your conversation:

Greet your friend. Ask how he or she is.	Greet your friend. Say how you are and that you want to stay in shape.
Say that you do too. Ask what activities your friend likes to do.	Respond. Suggest an activity to do together.
Invite your friend to go and eat something when you're done.	Accept or refuse the invitation.

Communiquez!

14 Un centre de fitness parisien

Interpretive/Presentational Communication

Imagine you live in Paris and would like to get in shape. Find a fitness center in Paris online. Research the classes the center offers, when they are scheduled, and how much each costs. List five classes you would like to take, what areas of the body they work, what time the activities are offered, and how much you will have to spend.

MODÈLE **Je vais faire un cours de yoga le lundi à 18h00. Je vais travailler les épaules, les bras, et les jambes. Ça coûte 10 euros.**

Search words: centre de sports à paris, fitness à paris

Prononciation

Final Pronounced Consonants

- Often an **–e** is added to a noun or adjective to make it feminine. When this occurs the final consonant preceding the **–e** is pronounced.

A Paires masculines et féminines

Repeat the feminine and masculine pairs you hear and see below.

1. Elle est allemande. Il est allemand.
2. Elle est première. Il est premier.
3. Elle est mauvaise. Il est mauvais.
4. Elle est intéressante. Il est intéressant.

B Langues et nationalités

*Ask what each person's nationality is, based on the language she speaks. Be sure to pronounce the final consonant /**z**/. Follow the model.*

MODÈLE You hear: Notre cousine parle portugais.
You say: Elle est portugai**se**?

1. Ma prof parle français.
2. Cette musicienne chante en anglais.
3. La journaliste aime lire le japonais.

C Masculin ou féminin?

*Write **F** if you hear a feminine adjective, or **M** if you hear a masculine adjective.*

MODÈLE You hear: Tu es intelligen**te**.
You write: **F**

End Consonants

- Most final consonants are not pronounced. Many final consonants are only pronounced when **liaison** occurs before a vowel, with the exception of "c," "f," "l," and sometimes "r."

D Un match de foot

Repeat the following sentences, paying attention to the last letter in each number.

1. Il y a huit matchs et hui**t**‿équipes.
2. Il y a six joueurs et si**x**‿entraîneurs (*coaches*).
3. Il y a dix joueuses et di**x**‿arbitres (*referees*).

E Consonnes finales ou pas?

*Write **C** if you hear a final consonant, or **NC** if you do not.*

Leçon B

Vocabulaire actif

emcl.com
WB 15–19
LA 1
Games

On n'est pas en forme.

Où as-tu mal?

J'ai mal à la tête.

J'ai mal aux oreilles.

J'ai mal au dos.

J'ai mal au cœur.

J'ai mal aux dents.

J'ai mal à la gorge.

J'ai mal au ventre.

Qu'est-ce qu'elle a?

Elle a la grippe.

Elle a de la fièvre.

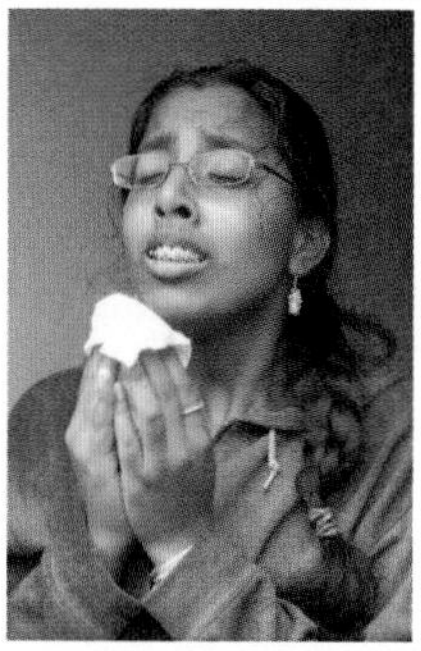

Elle a un rhume.

Elle a des frissons.

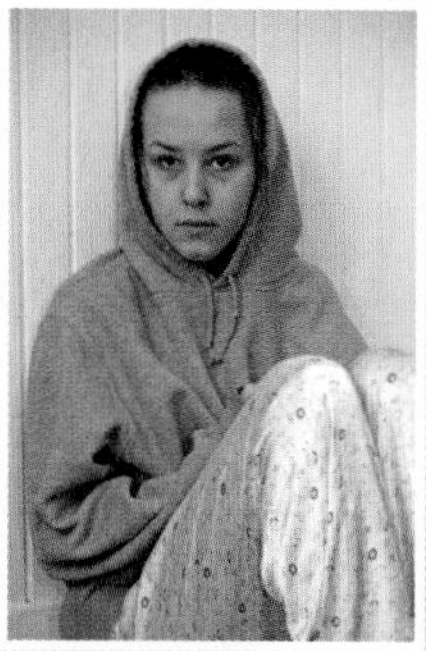

Elle a mauvaise mine.

Elle a bonne mine.

Elle est en bonne forme.

Elle est malade.

Elle n'est pas en forme.

Pour la conversation

How do I ask for advice?

> **Qu'est-ce que tu me conseilles?**
>
> *What do you advise me to do?*

How do I give advice?

> **À mon avis,** il faut prendre le thème des accompagnateurs.
>
> *In my opinion, you should take the topic of home health care workers.*

Et si je voulais dire...?

éternuer	*to sneeze*
être raplapla	*to be wiped out*
tousser	*to cough*
J'ai le nez qui coule.	*I have a runny nose.*
Je me sens bien.	*I feel good.*
Je suis crevé(e).	*I'm exhausted.*

1 Qu'est-ce qu'on prend?

Tous les élèves de la classe de français sont malades. Indiquez ce que chaque élève doit prendre ou utiliser pour sa maladie (illness).

MODÈLE Joseph a des frissons.
C

1. Sandrine a mal à la tête.
2. Bruno a mal au ventre.
3. Charles a mal à la gorge.
4. Delphine a mal au cœur.
5. Patrick a de la fièvre.
6. Assia a un rhume.

A.

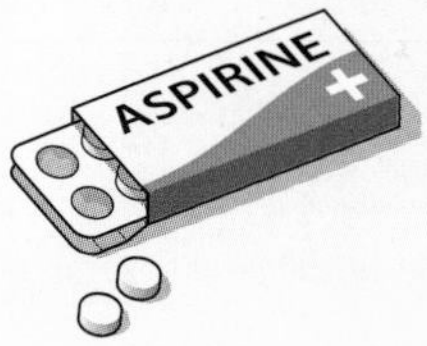

B.

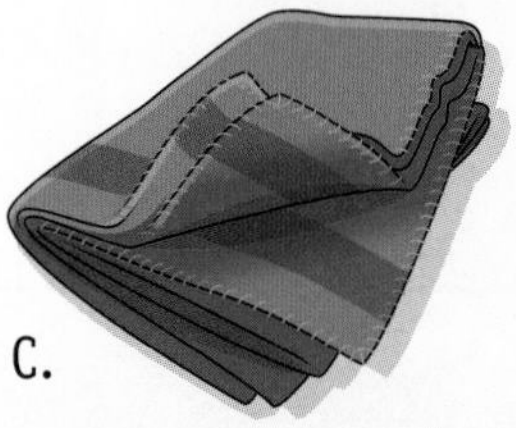

C.

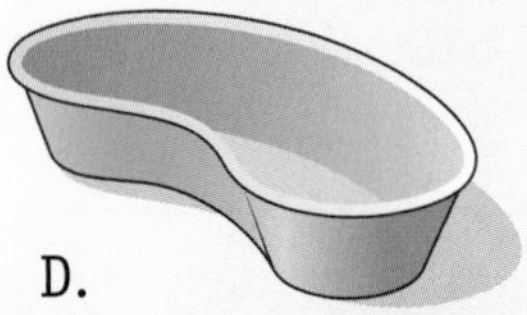

D.

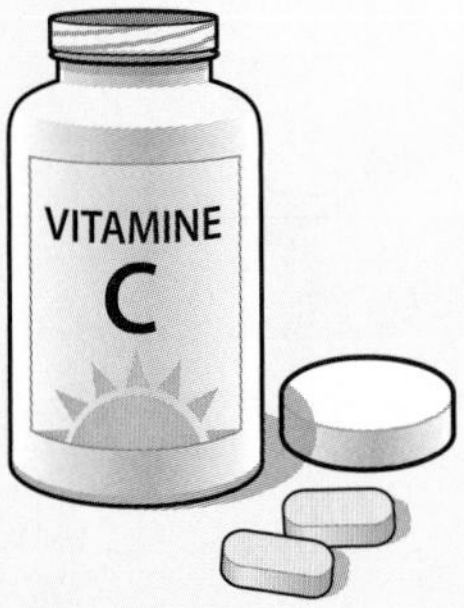

E.

F.

G.

2 Pour rester en forme

Lisez le paragraphe et faites l'activité suivante.

Pour rester en forme, d'abord, il faut dormir au moins huit heures par nuit. Ensuite, il faut bien manger: des fruits et des légumes frais. Il faut prendre souvent du jus d'orange. Il ne faut pas consommer trop de sel ou prendre trop de desserts. Il ne faut pas manger beaucoup de chocolat. Puis, il faut aussi faire du sport ou faire d'autres formes d'exercice, peut-être du footing ou des promenades dans le parc. Enfin, il faut avoir de bons copains avec qui on peut parler, et il faut choisir des passe-temps intéressants. Et n'oubliez pas: il faut voir le médecin une fois par an!

Faites une affiche qui montre un conseil pour rester en bonne forme et écrivez une légende (*caption*).

3 Qu'est-ce qu'ils ont?

Les personnes suivantes vont mal. Dites ce qu'elles ont.

MODÈLE Yasmine a une température de 39°.
Elle a de la fièvre.

1. Monique a mangé trop de chocolat.
2. Le nez de Lamine est très rouge.
3. Olivier a regardé la télé pendant cinq heures.
4. Gaston n'est pas à l'école; il reste au lit.
5. Yves a fini le Tour de France.
6. Chloé ne peut pas parler.
7. Zohra parle au dentiste.
8. André a très froid.

Yves a mal aux jambes.

Communiquez!

4 Qu'est-ce que tu me conseilles?

Interpersonal Communication

À tour de rôle, expliquez votre problème et demandez les conseils de votre partenaire.

MODÈLE J'ai besoin d'un jeu vidéo.
A: **J'ai besoin d'un jeu vidéo. Qu'est-ce que tu me conseilles?**
B: **À mon avis, il faut aller à la FNAC.**

Je voudrais voyager cet été.
À mon avis, il faut visiter la Martinique.

1. J'ai un contrôle de français demain.
2. C'est l'anniversaire de mon copain dimanche.
3. Il y a un match de foot au stade samedi.
4. J'ai besoin de fruits et de légumes frais.
5. J'ai la grippe.
6. Je voudrais prendre une belle photo de Paris.
7. J'ai besoin de jambon et de pâté.
8. Je voudrais voir *la Joconde*.

5 On est malade!

Écrivez les numéros 1–9 sur votre papier. Écoutez chaque description et écrivez la lettre de l'image correspondante.

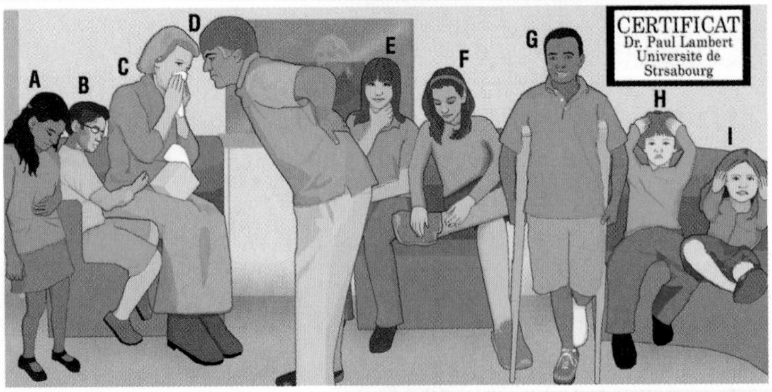

Communiquez!

Je prends de l'aspirine quand j'ai mal à la tête.

6 Questions personnelles

Interpersonal Communication

Répondez aux questions.

1. Es-tu fatigué(e) aujourd'hui?
2. Qu'est-ce que tu fais quand tu es malade?
3. Est-ce que tu as beaucoup de rhumes en hiver?
4. Es-tu en bonne forme en été?
5. Quand est-ce que tu prends de l'aspirine?
6. Qu'est-ce que tu fais quand tu as des frissons?
7. Je voudrais faire du sport. Qu'est-ce que tu me conseilles?

Rencontres culturelles

Les malades au Rwanda

Julien parle à son père dans le salon.

Julien: Qu'est-ce que tu regardes?
Père de Julien: Un reportage sur les accompagnateurs. Tu sais, les gens qui aident les personnes malades au Rwanda.
Julien: Et cette femme-là, qui n'est pas en forme et qui a mauvaise mine?
Père de Julien: Elle est presque morte du SIDA. Mais maintenant, un accompagnateur vient chez elle et, avec les antirétroviraux, elle va survivre.
Julien: Bon, alors je te laisse regarder.
Père de Julien: Pourquoi?
Julien: Non, rien, enfin... si—j'ai un devoir à faire sur l'Afrique et je voudrais ton avis.
Père de Julien: Mon avis? Sur quoi?
Julien: Qu'est-ce que tu me conseilles, comme thème?
Père de Julien: Eh bien, le voilà ton thème. À mon avis, il faut prendre le thème des accompagnateurs! Mets-toi devant l'écran et regarde l'émission avec moi.

7 Les malades au Rwanda

Répondez aux questions.

1. Qu'est-ce que le père de Julien regarde à la télé?
2. Qui sont les "accompagnateurs"?
3. Qui n'est pas en forme et a mauvaise mine?
4. Qu'est-ce que Julien doit faire?
5. Qu'est-ce que le père de Julien suggère comme thème pour le devoir?
6. Qu'est-ce que Julien va faire maintenant?

Extension **Un diagnostic**

Au cabinet du médecin, un patient parle avec son médecin.

Patient: Non, vraiment, Docteur, ça ne va pas du tout... je ne me sens pas très bien.
Médecin: Oui. On va regarder ça. Vous avez mal où?
Patient: J'ai des frissons, puis j'ai mal à la tête et à la gorge... j'ai très mauvaise mine, n'est-ce pas?
Médecin: Ah bon? Non je ne trouve pas... peut-être un peu de fatigue... du stress, comme tout le monde.... Mais, ce n'est pas grave.

Extension Quel est le diagnostic du patient?

Points de départ

emcl.com
WB 20–21

Question centrale
How do people stay healthy and maintain a healthy environment?

La Francophonie

Le Rwanda

Le Rwanda est un assez petit pays dans l'Afrique Centrale avec une population d'environ huit millions d'habitants. La capitale est Kigali. Son climat est tempéré, et il y pleut beaucoup. Ce climat favorise l'agriculture, la base de l'économie rwandaise. Ancienne colonie de la Belgique, le Rwanda a gagné son indépendence en 1962. Mais des conflits entre deux groupes ethniques, les Hutus et les Tutsis, ont terminé en guerre* civile en 1994. Entre 500.000 et 1.000.000 de personnes sont mortes.

guerre *war*

Je parle kinyarwanda et français.

Produits

Une ancienne (*former*) colonie belge, le Rwanda insistait sur le français dans ses écoles. Mais plus récemment (*recently*), le pays a décidé que ses élèves doivent apprendre l'anglais comme deuxième langue. Mais le français reste toujours une option dans les écoles.

La lutte* contre le SIDA au Rwanda

Le Rwanda est touché par le SIDA depuis* 1983. Trois pour cent des Rwandais sont infectés par le VIH, surtout* les femmes. Il existe un grand programme de protection de soins* pour les femmes et les enfants atteints de* la maladie et pour éviter* la transmission du VIH de la mère à l'enfant. La proportion d'enfants infectés par le VIH par leur mère a diminué*. Aujourd'hui beaucoup plus de personnes ont accès aussi aux médicaments*.

lutte *fight*; **depuis** *since*; **surtout** *especially*; **soins** *care*; **atteints de** *affected by*; **éviter** *to avoid*; **a diminué** *has lessened*; **medicaments** *medecine*

Les accompagnateurs

Dans les zones rurales du Rwanda, des malades (infectés du SIDA, de la tuberculose, du paludisme*, etc.) prennent leurs médicaments régulièrement grâce anx* accompagnateurs. Ce sont des gens qui vont dans les maisons des malades qui n'ont pas accès à un hôpital ou une clinique. Cette initiative donne un job aux gens pauvres, qui gagnent environ $30 par mois, et préserve des milliers de vies humaines.

paludisme *malaria*; **grâce à** *thanks to*

Le groupe international Partners in Health a organisé le système d'accompagnateurs au Rwanda, en Haïti, et autres pays en voie de développement.

COMPARAISONS

Does anyone you know receive home health care? What are the benefits? Disadvantages?

8 Questions culturelles

Faites les activités suivantes.

1. Remplissez la carte d'identité du Rwanda:
   - Population
   - Ethnies
   - Langues
   - Capitale
2. Répondez aux questions suivantes sur la lutte contre le SIDA.
   - Depuis quand existe le SIDA au Rwanda?
   - Quel est l'objectif du grand programme de protection?
   - Il y a plus ou moins de cas d'enfants infectés?
   - Qu'est-ce qui aide aujourd'hui dans la lutte contre le SIDA?
3. Décrivez les avantages du programme qui met un accompagnateur dans les maisons des malades.

Perspectives

Read the lyrics to the song "La ronde des écoliers du monde" by Senegalese singer Youssou N'Dour online. What is his viewpoint on maintaining healthy relationships within and between nations?

Kigali est la capitale du Rwanda.

Du côté des médias

Lisez l'affiche.

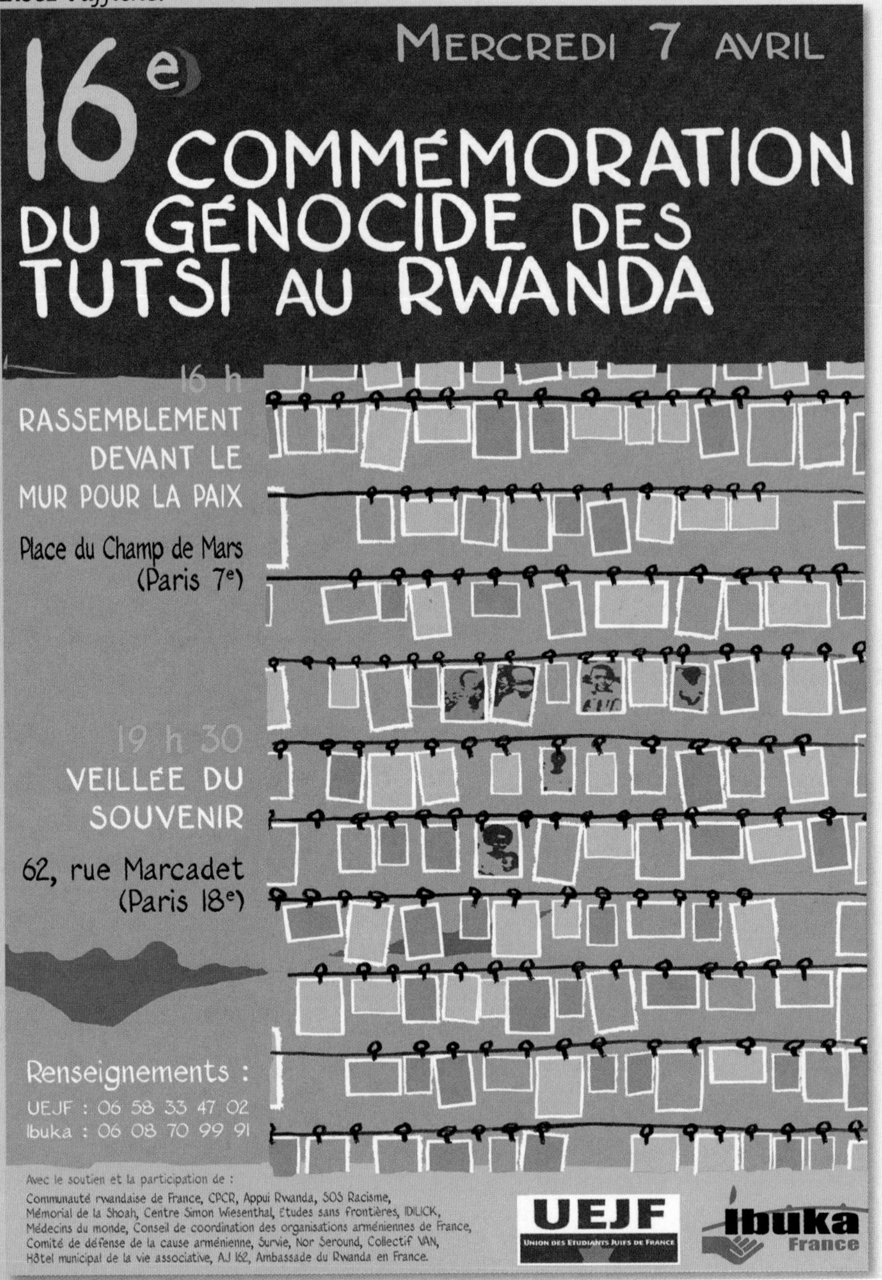

9 Commémoration du génocide rwandais

Répondez à la question ou faites l'activité.

1. Qu'est-ce que les différentes associations qui soutiennent (*support*) cette commémoration ont en commun?
2. Allez sur le site Internet d'Ibuka. Cette association est de quel pays?
3. Faites un collage au sujet de "le mur de la paix (*peace*)"de Paris.
4. Écrivez le message de la paix que vous aimeriez (*would like*) mettre au mur de la paix.

Structure de la langue

emcl.com
WB 22–27
LA 2
Games

The Imperative

Use imperative verb forms to give commands and make suggestions. There are three imperative forms, **tu**, **vous**, and **nous**, yet these pronouns are not used with commands. Compare the following present tense forms of the verb **étudier** with their corresponding commands. Note that the **tu** imperative form of **–er** verbs (including **aller)** does **not** end in **-s**. For which verb types are the command forms regular?

Faites une promenade tous les jours!

Present tense	Imperative –er verbs
tu étudies vous étudiez nous étudions	**Étudie!** *Study!* **Étudiez!** *Study!* **Étudions!** *Let's study!*

Present tense	Imperative –ir verbs
tu finis vous finissez nous finissons	**Finis!** *Finish!* **Finissez!** *Finish!* **Finissons!** *Let's finish!*

Present tense	Imperative –re verbs
tu vends vous vendez nous vendons	**Vends!** *Sell!* **Vendez!** *Sell!* **Vendons!** *Let's sell!*

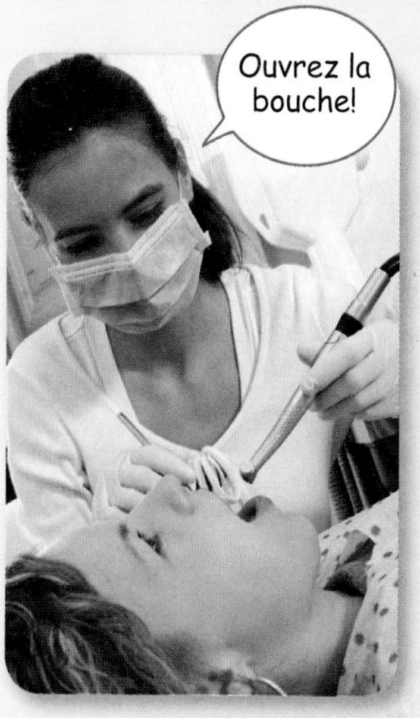

Ouvrez la bouche!

The **nous** form of the imperative is used to make a suggestion and means "Let's + *verb*."

What do these imperatives addressed to a friend mean?

> **Prends un gâteau! Va à l'école! Fais tes devoirs!**
> **Offre un conseil! Achète un cadeau! Viens au café!**

Form the negative imperative by putting **ne** before the verb and **pas** after the verb.

> **Ne** va **pas** au centre commercial! *Don't go to the mall!*

COMPARAISONS

How would you express this sentence in English?

Visitons Paris!

COMPARAISONS: The French command **Visitons Paris!** can be translated as "Let's visit Paris!"

10 Une teuf d'anniversaire

Écrivez des textos à vos amis pour leur dire comment ils peuvent aider avec la teuf d'anniversaire pour Lilou que vous organisez.

MODÈLE préparer des pizzas
Prépare des pizzas!

1. préparer un gâteau
2. acheter un cadeau
3. inviter ton copain ou ta copine
4. apporter des boissons
5. choisir la musique

Apporte un gâteau pour la teuf!

11 Une vie équilibrée

Dites ce que les médecins disent aux ados pour avoir une vie équilibrée.

MODÈLE manger des fruits frais
Mangez des fruits frais!

1. manger des légumes frais
2. choisir des passe-temps
3. faire du sport
4. prendre du jus d'orange
5. aller à l'école en vélo

12 Les bons conseils!

Écrivez les numéros 1–10 sur un papier. Écoutez chaque phrase et indiquez l'image qui correspond à la forme de l'impératif utilisée.

A.

B.

C.

13 Des conseils

Donnez des conseils à ces personnes.

MODÈLES

(à M. Lucas)

manger des desserts, faire une promenade
Ne mangez pas de desserts! Faites une promenade!

(à Bruno)

jouer aux jeux vidéo, étudier
Ne joue pas aux jeux vidéo! Étudie!

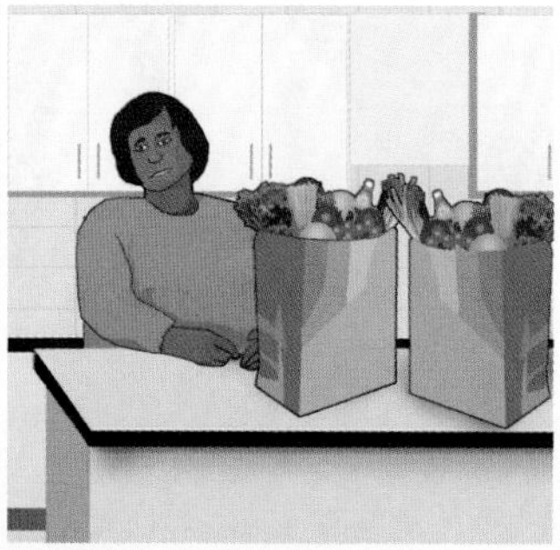

(à Mme Montaigne)
1. faire la cuisine, aller au lit

(à Chloé)
2. jouer au foot, rester à la maison

(à Véro)
3. regarder la télé, faire de l'aérobic

(à M. Duval)
4. passer le weekend à la maison, sortir

(à Julie)
5. porter cette vieille robe, acheter une nouvelle robe

(à Guy)
6. manger de la pizza, préparer une ratatouille

Communiquez!

14 Qu'est-ce qu'on fait ce weekend?

Interpersonal Communication

À tour de rôle, suggérez à votre partenaire une activité à faire ce weekend. Développez votre projet avec une deuxième suggestion.

MODÈLE A: **Je ne veux pas sortir ce weekend.**
B: **Alors, regardons un DVD!**
A: **D'accord. Choisissons un film d'action!**

1. Je veux faire du sport.
2. Je voudrais sortir vendredi soir.
3. Je veux faire la cuisine.
4. Je voudrais écouter de la musique.
5. Je veux faire du shopping.
6. Je voudrais aller au fitness.
7. Je veux aller à un concert.

Je voudrais écouter de la musique ce weekend.
Alors, téléchargeons des chansons!

Je voudrais faire du shopping.
D'ac. Achetons ...une jupe et une chemise!

À vous la parole

Question centrale
How do people stay healthy and maintain a healthy environment?

Communiquez!

15 Comment vas-tu?

Interpersonal Communication

With a partner, play the roles of a parent and a child who is not feeling well. In your conversation:

Say that you are sick.	→ Tell your child that he or she doesn't look well and ask what the problem is.
Explain what is wrong, listing several symptoms.	→ Tell your child he or she has a fever.
Ask your parent for advice.	→ Tell your child what to do to feel better and whether or not he or she should go to school.

Communiquez!

16 Qu'est-ce que tu as?

Interpersonal Communication

Your teacher will assign partners and an illness or body ache to both of you. Ask questions to find out what is wrong with your partner. Once you have guessed the condition correctly, switch roles.

Stratégie communicative

"How-to" Writing

When you want to give instructions on how to do something, communicate the steps in completing a process, or make suggestions, you can use the imperative, or command forms of verbs. To review the imperative, see page 479.

Follow these tips to write the steps in a process:

1. Make a list of all the steps in the process and put them in order, using the imperative form for the pronoun **vous**.
2. Be brief and concise.
3. To make the order of the steps clear, use words like **d'abord**, **ensuite**, **après**, and **enfin**.
4. Edit your writing and have someone else proofread it.
5. Use pictures or photos to illustrate each step.

17 Une recette française: la ratatouille

Complete the following recipe with the commands from the list.

mélangez	coupez	remuez	lavez	mangez	mettez	ajoutez	servez

D'abord, __(1)__ les tomates, poivrons rouges et verts, courgettes, et aubergines. Puis, __(2)__ tout en petits cubes et __(3)__ les cubes dans un bol. Ensuite, __(4)__ les oignons et la gousse d'ail coupés en petits morceaux. __(5)__ un peu d'huile d'olive, du sel, et du poivre sur les légumes, les oignons, et l'ail. Après, faites cuire au four 45 minutes dans une cocotte (*pressure cooker*). __(6)__ de temps en temps. __(7)__ et pour finir, __(8)__ bien! Bon appétit!

18 Des instructions

Use the imperative to give directions on how to prepare your favorite family recipe. Or, you might select an original topic like providing steps to install a DVD, send a photo on your phone, or do an aerobic exercise.

Leçon C

Vocabulaire actif

emcl.com
WB 28–32
LA 1
Games

Je m'engage pour sauvegarder la planète!

Quels sont les problèmes de l'environnement?

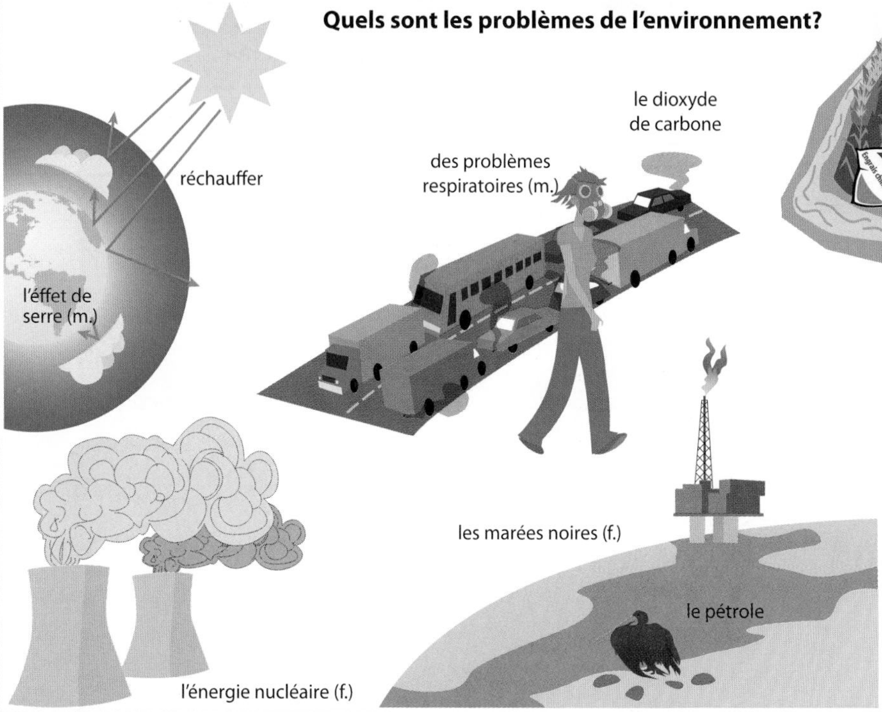

- L'effet de serre réchauffe la planète.
- L'énergie nucléaire peut causer des radiations.
- Le dioxyde de carbone cause des problèmes respiratoires.
- L'engrais chimique pollue les fleuves.
- Les marées noires polluent les océans.

Comment éliminer les problèmes de l'environnement?

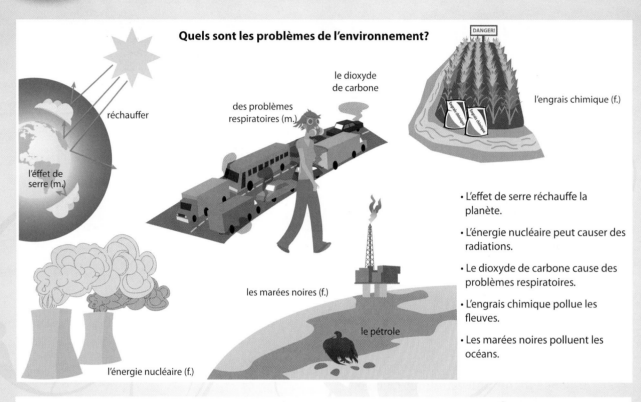

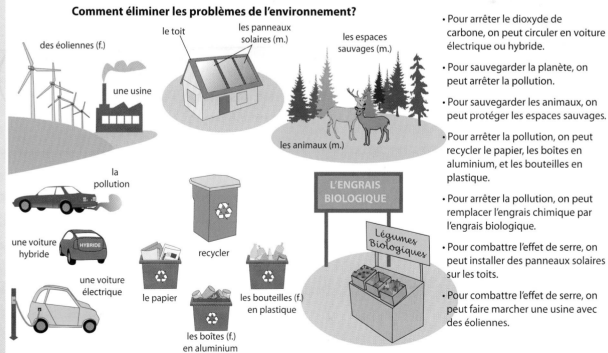

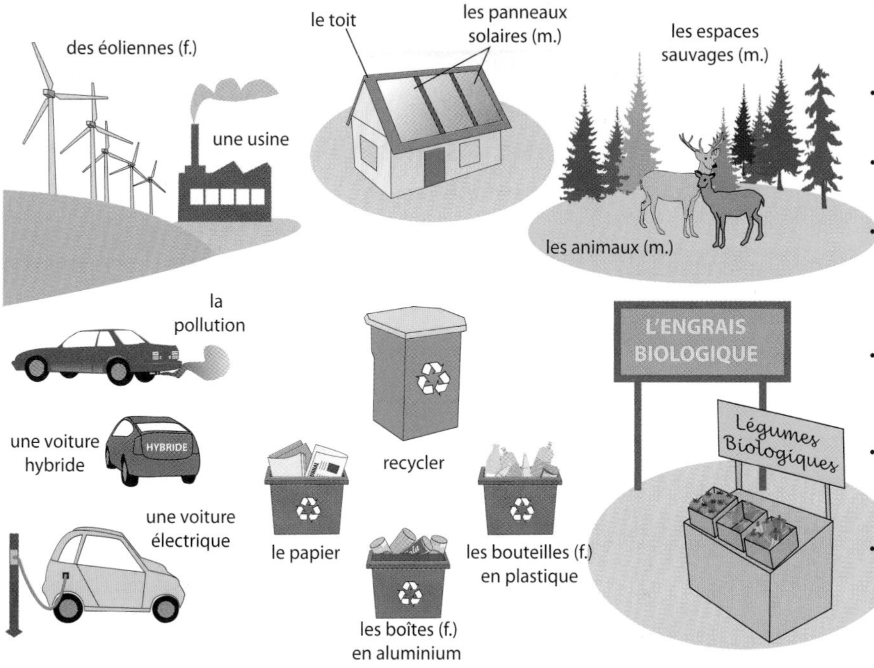

- Pour arrêter le dioxyde de carbone, on peut circuler en voiture électrique ou hybride.
- Pour sauvegarder la planète, on peut arrêter la pollution.
- Pour sauvegarder les animaux, on peut protéger les espaces sauvages.
- Pour arrêter la pollution, on peut recycler le papier, les boîtes en aluminium, et les bouteilles en plastique.
- Pour arrêter la pollution, on peut remplacer l'engrais chimique par l'engrais biologique.
- Pour combattre l'effet de serre, on peut installer des panneaux solaires sur les toits.
- Pour combattre l'effet de serre, on peut faire marcher une usine avec des éoliennes.

Les animaux en voie de disparition

le gorille des montagnes

l'ours polaire (m.)

le panda géant

le tigre de Sumatra

Pour la conversation

How do I persuade someone?

› **Je pense qu'on doit** faire tout ce qu'on peut pour sauvegarder la planète.

I think one must do everything one can to save the planet.

How do I respond to persuasion?

› **Je suis prêt(e)** à recycler.

I'm ready to recycle.

› **Mais, je ne suis pas prêt(e)** à m'engager.

But I'm not ready to commit.

Et si je voulais dire...?

covoiturer	*to carpool*
les aérosols (m.)	*aerosols*
les déchets radioactifs (m.)	*radioactive waste*
les emballages (m.)	*packaging*
les transports en commun (m.)	*public transportation*
gaspiller	*to waste*
renoncer à	*to give up*

1 Des choses et des animaux sur la planète

Identifiez chaque chose ou animal.

MODÈLE

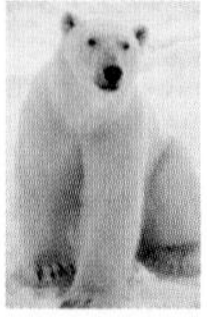

C'est un ours polaire.

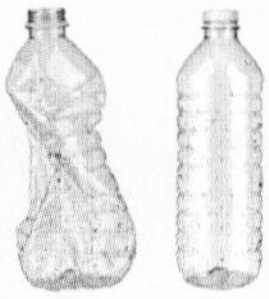

Ce sont des bouteilles en plastique.

1. 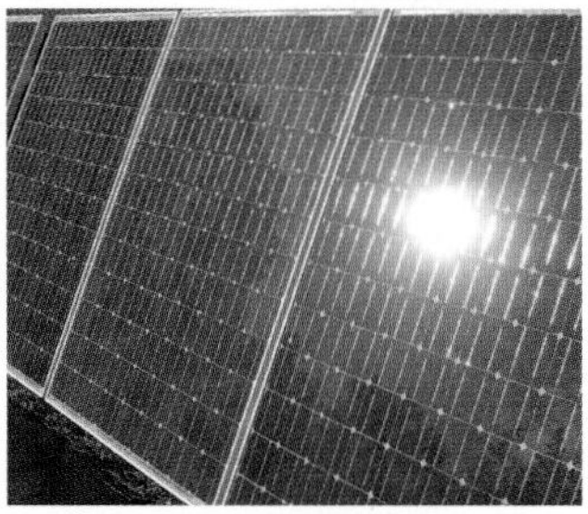

2. 

3. 

4. 

5. 

6. 

7. 

8. 

9. 

10. 

2 Les problèmes de la planète

Lisez le paragraphe, et ensuite répondez à la question.

Il y a de graves problèmes de l'environnement. Beaucoup d'usines polluent l'air. Les marées noires polluent les océans. L'engrais pollue les fleuves. Des gens mettent les boîtes et les bouteilles dans les lacs et les océans. Ils ne recyclent pas leur papier. L'effet de serre réchauffe la planète. Le dioxyde de carbone des voitures et des autobus cause des problèmes respiratoires. L'énergie nucléaire peut causer la radiation. Il y a des animaux qui sont en voie de disparition. Il faut sauvegarder la planète.

Quelles sortes de pollution sont mentionnées?

3 Sauvegardons la planète!

Écrivez une phrase qui explique ce qu'on peut faire pour résoudre (solve) *chaque problème.*

MODÈLE L'effet de serre réchauffe la planète.
On peut installer des panneaux solaires et des éoliennes.

1. L'énergie nucléaire peut causer la radiation.
2. Le dioxyde de carbone cause des problèmes respiratoires.
3. Les marées noires polluent les océans.
4. L'engrais pollue les fleuves et les océans.
5. Les tigres de Sumatra sont en voie de disparition.
6. Les usines polluent l'air.

On peut installer des panneaux solaires dans les usines.

4 Tu es prêt(e)?

Dites que chaque personne est prêt(e) à faire les activités suivantes pour être en bonne forme.

MODÈLE **Sophie est prête à dormir huit heures.**

Sophie

prendre du jus d'orange   dormir huit heures   voir son médecin
faire du sport   acheter des fruits et des légumes frais
faire une promenade au parc   parler avec un camarade de classe

1. Bernard

2. Brigitte

3. Khaled

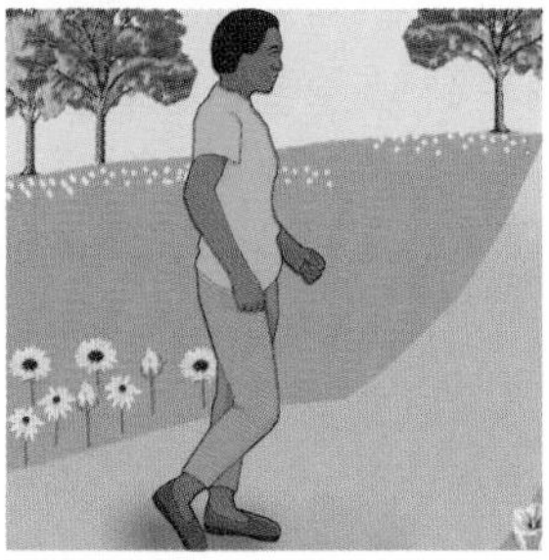

4. Rahina

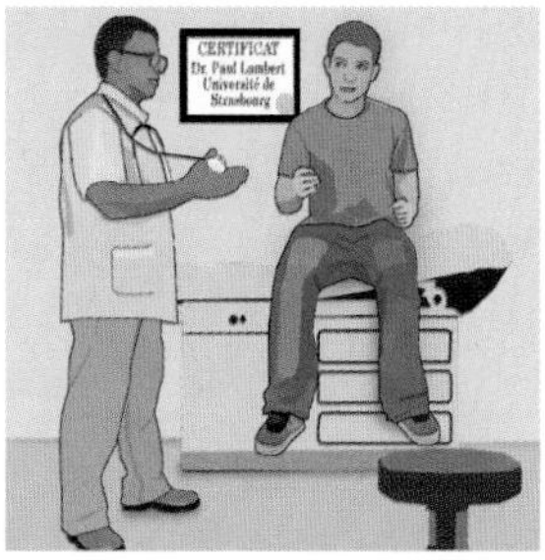

5. Hervé

6. Charlotte

Communiquez!

5 Questions personnelles

Interpersonal Communication

Répondez aux questions.

À mon avis, on doit faire marcher les usines à l'énergie solaire.

1. Qu'est-ce que tu recycles?
2. Comment est-ce que tu viens à l'école?
3. Est-ce que ta famille et toi, vous circulez en voiture électrique ou hybride?
4. À ton avis, pourquoi est-ce qu'il faut protéger les espaces sauvages?
5. À ton avis, comment est-ce qu'on doit faire marcher les usines?
6. Es-tu prêt(e) à t'engager pour sauvegarder l'environnement?

6 Sauvons la planète!

Faites correspondre l'image avec la description pour indiquer ce que les Morin font pour sauvegarder l'environnement.

A.
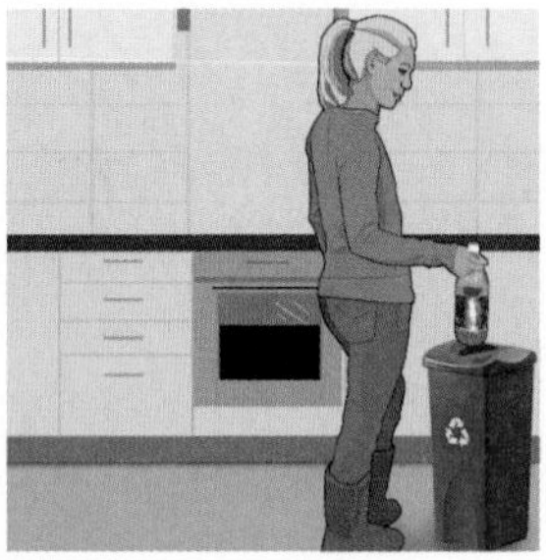

B.

C.

D.

E.

F.

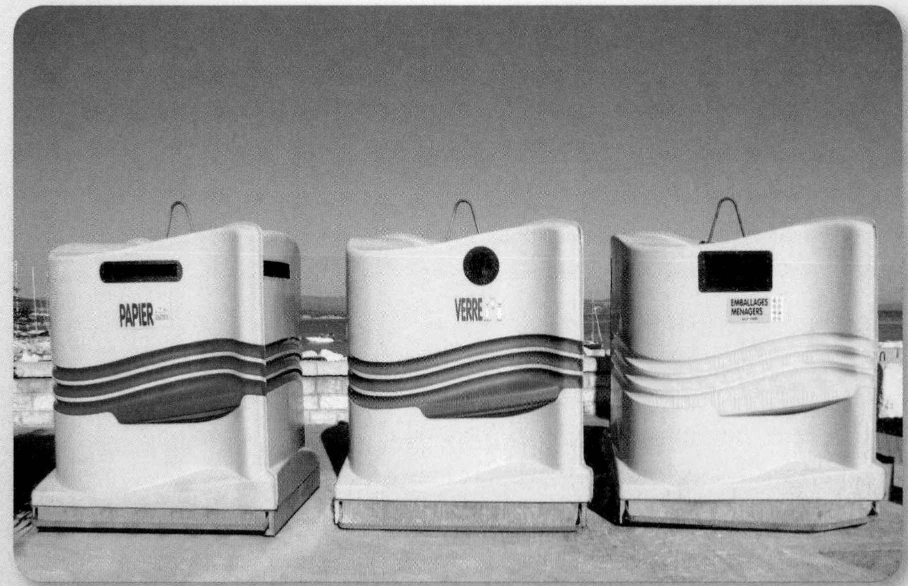

La poubelle bleue est pour le recyclage du papier.

Rencontres culturelles

Maxime n'est pas persuadé.

Camille et Maxime sont devant le lycée après les cours.

Camille: Tu es paresseux.
Maxime: Qui? Moi, paresseux? Pourquoi?
Camille: Tous les jours... en voiture... avec ma-man!
Maxime: Je ne veux pas venir à pied.
Camille: Non, mais tu pourrais venir à vélo!
Maxime: Pourquoi?
Camille: C'est moins polluant! La planète... tu n'es peut-être pas au courant?
Maxime: Si, si, l'effet de serre... l'ours polaire....
Camille: Je pense qu'on doit faire tout ce qu'on peut pour sauvegarder la planète. Moi, j'ai de nouvelles résolutions; je vais recycler les papiers, les boîtes, les bouteilles en plastique. Cette semaine je suis venue à l'école à vélo, et je vais continuer!
Maxime: Mais je ne suis pas prêt à m'engager. Je suis plutôt jaune, pas "vert."
Camille: Tiens, offre-moi un coca au café!
Maxime: C'est ça: pollueur, payeur! Pour l'instant, je préfère payer.

7 Maxime n'est pas persuadé.

Complétez les phrases.

1. À l'avis de Camille, ... est paresseux.
2. Maxime vient à l'école....
3. Camille dit qu'il est moins polluant de venir à l'école....
4. Camille fait tout ce qu'elle peut pour....
5. Camille va recycler....
6. Maxime n'est pas....

Extension **En direct: Des gestes pour sauvegarder la planète**

Un journaliste fait une enquête sur les gestes pour sauvegarder la planète.

Journaliste: Sauvegarder l'environnement, mieux utiliser l'énergie solaire, protéger les espaces vierges....
Jeune homme: Je suis breton, et en Bretagne, il y a beaucoup de vent. Dans mon village, on a décidé d'installer des éoliennes.
Adolescent: Nous, à la cantine au lycée, on fait très attention au tri des déchets et notre professeur de SVT est très vigilant!

Extension Quels gestes pour sauvegarder la planète sont mentionnés?

Points de départ

emcl.com
WB 33–34

Question centrale
How do people stay healthy and maintain a healthy environment?

Les Verts en France

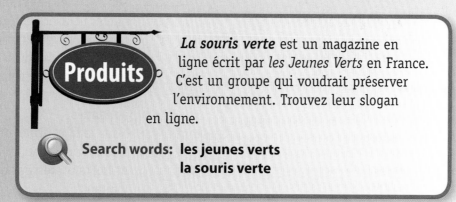

Daniel Cohn Bendit parle aux assises nationales (conférences nationales) du rassemblement des Verts à Lyon.

Le mouvement écologiste des Verts est né* au début des années 1970. Aujourd'hui ils représentent une population jeune, urbaine, et intellectuelle. Cette population est soucieuse du* cadre de vie*, du respect écologique, de la transparence démocratique. Elle est aussi progressiste sur les questions de société. Les Verts sont une vraie force politique. Ils présentent des candidats à chaque élection présidentielle et participent dans les gouvernements régionaux et municipaux. Mais les Verts ne sont pas les seuls* à donner de l'importance aux thèmes écologistes de protection: sauvegarde de la nature (animaux en voie de disparition), lutte contre la pollution urbaine (dioxyde de carbone), lutte contre la pollution agricole (engrais), lutte contre la pollution des côtes (marées noires). Tous les partis politiques le font. Les Verts se distinguent* par des propositions radicales sur les transports (développement des transports en commun, de la voiture électrique) ou sur les choix énergétiques (contre le nucléaire, pour les énergies renouvelables*).

Search words: les verts france

---

est né *was born;* **soucieuse du** *concerned about;* **cadre de vie** *living environment;* **les seuls** *the only ones;* **se distinguent** *distinguish themselves;* **renouvelables** *renewable*

Produits

La souris verte est un magazine en ligne écrit par *les Jeunes Verts* en France. C'est un groupe qui voudrait préserver l'environnement. Trouvez leur slogan en ligne.

Search words: les jeunes verts
la souris verte

Vélib' Paris

Vélib' est un mot qui combine les mots "vélo" et "liberté." Ce système de location* de bicyclettes existe à Paris depuis juillet 2007. On loue un vélo dans une station et on laisse le vélo dans une autre. Aujourd'hui on compte 20.000 vélos de location dans 1.200 stations. C'est un moyen de transport* public utilisé par beaucoup de Parisiens et de touristes.

Search words: velib paris

location *rental;* **moyen de transport** *means of transportation*

Les stations Vélib' Paris sont bien situées.

COMPARAISONS

Does your area offer a bike rental program? On what forms of transportation do you depend? What form of public transportation would you like to see in your region?

8 Questions culturelles

Faites les activités suivantes.

1. Faites des recherches sur les Verts en ligne et nommez un de leurs buts (*goals*) récents.
2. Faites un profil de Vélib' Paris:
   - Ce que c'est
   - Comment on l'utilise
   - Nombre de vélos
   - Nombre de stations
3. Faites des recherches en ligne pour trouver une autre ville française où un programme Vélib' existe.

À discuter

What actions can you and your classmates take to create a healthier planet?

Il y a environ 17 millions d'utilisateurs du Vélib' à Paris.

Du côté des médias

Lisez cette page qui décrit une application pour Vélib'.

9 Vélib' Paris

Répondez à la question ou faites l'activité.

1. Que voit-on sur les petits ballons verts et sur le fond d'écran (*background*)?
2. "Vélib'" combine deux mots: ... et ....
3. Qu'est-ce qui indique l'idée de la liberté?
4. Avec l'application Vélib', dites si on peut trouver ces choses (**oui**) ou pas (**non**).
   - la météo
   - des chansons
   - des vidéos
   - des livres
   - les stations de Vélib'
   - les informations

La culture sur place

Le diabète chez les jeunes en Occident

Introduction

Le diabète chez les jeunes est un problème sérieux dans l'Ouest, par exemple, les Etats-Unis, le Canada, la Belgique, le Luxembourg, la Suisse, et la France. Dans cette **Culture sur place**, vous allez faire des recherches et réfléchir (*to think about*) à ce problème global qui a besoin de l'engagement de jeunes de votre âge.

10 Première étape: Les sites web

Trouvez les sites français ci-dessous. Cherchez les renseignements (information) *suivants sur le diabète. Marquez à quel site vous trouvez les renseignements.*

Search words: Site #1 – **journée mondiale du diabète**
Site #2 – **fédération internationale du diabète**

	Site #1	Site #2
Les posters multilingues avec les signes précurseurs de diabètes		
Les pourcentages des décès attribuables au diabète		
Une liste de facteurs de risque pour le diabète		
Les posters pour la Journée Mondiale du Diabète		
Une définition du diabète		
Les estimations du nombre de cas de diabète chez les jeunes		

11 Une affiche du diabète

Faites une affiche sur laquelle vous mettez les informations les plus importantes sur le diabète que vous avez apprises en lisant les sites web.

12 Deuxième étape: Faites une comparaison

Choisissez un autre pays francophone en Occident (le Canada, la Belgique, le Luxembourg, la Suisse) et trouvez un site sur le diabète dans ce pays. Faites une recherche pour voir si les mêmes informations de l'organigramme sont disponibles (available) *dans ce pays.*

Search words: le diabète en suisse (exemple)

Structure de la langue

emcl.com
WB 35–37
LA 2
Games

Verbs + Infinitives

Many French verbs may be directly followed by an infinitive.

aimer	**Aimez**-vous **voyager**?
aller	Je **vais faire** du yoga.
désirer	Est-ce que vous **désirez prendre** un dessert?
devoir	Nous **devons mettre** le couvert.
falloir	Il ne **faut** pas **étudier** ce soir.
pouvoir	Est-ce que vous **pouvez venir** demain?
préférer	Je **préfère faire** du ski.
venir	Mes grands-parents **viennent dîner**.
vouloir	Qu'est-ce que tu **veux faire** maintenant?

COMPARAISONS

Some verbs in English are also followed by an infinitive, but the form the infinitive takes may vary. How would you express these sentences in English?

Nous devons être en forme pour le match.
J'aime faire des promenades en ville.

COMPARAISONS: In the first sentence, the infinitive does not include the word "to": We must *be* in shape for the game. In the second sentence, the infinitive uses the word "to": I like *to take* walks in town.

Communiquez!

13 Une interview

Interpersonal Communication

Choisissez un partenaire que vous ne connaissez pas (don't know) *bien. À tour de rôle, posez des questions à votre partenaire. Après l'interview, écrivez un paragraphe sur ce que vous savez maintenant de votre partenaire.*

MODÈLE aimer/lire "Les copains d'abord"
A: **Est-ce que tu aimes lire "Les copains d'abord?"**
B: **Oui, j'aime lire "Les copains d'abord."**
ou
Non, je n'aime pas lire "Les copains d'abord."

1. aimer/faire du sport
2. désirer/faire du patinage
3. aller/faire du shopping cette semaine
4. préférer/écouter la world ou le hip-hop
5. vouloir/voyager en France un jour
6. préférer/jouer au basket ou jouer au foot
7. aimer/voir les comédies ou les films de science-fiction

Est-ce que tu aimes regarder les comédies?
Qui, j'aime bien regarder les comédies.

14 Engagé(e) ou pas engagé(e)?

*Écoutez les phrases suivantes et écrivez **E** si la personne est engagée et **NE** si la personne n'est pas engagée pour sauvegarder la planète.*

Communiquez!

15 Une enquête

Interpersonal Communication

Faites une grille comme celle de dessous. Dans la grille, écrivez quatre activités que vous pensez que vos amis aiment faire pendant le weekend. Ensuite, demandez à dix camarades quelle activité ils préfèrent faire et notez leurs réponses dans la grille. Ensuite, faites un rapport à votre groupe. Dites-leur combien de personnes préfèrent faire chaque activité.

Qu'est-ce que tu préfères faire le weekend?										
	1	2	3	4	5	6	7	8	9	10
aller à un concert										
voir un film										
faire du shopping										
aller à une teuf										

MODÈLE Vous: **Qu'est-ce que tu préfères faire le weekend—aller à un concert, faire du shopping, voir un film, ou aller à une teuf?**
Élève 1: **Je préfère voir un film.**

Cinq personnes préfèrent aller à une teuf, trois personnes préfèrent voir un film, et deux personnes préfèrent aller à un concert.

De + Plural Adjectives

emcl.com
WB 38–40
Games

Il y a *de grands* gorilles au zoo.

You already know to use **des** before a plural noun when the adjective follows the noun.

Il vend **des** voitures électriques. — *He sells electric cars.*

When the adjective precedes a plural noun, however, **des** often becomes **de** or **d'**. Remember, adjectives that usually come before the noun include **beau**, **joli**, **nouveau**, **vieux**, **bon**, **mauvais**, **grand**, and **petit.**

Tu portes **de** nouvelles chaussures? — *Are you wearing new shoes?*

However, when an adjective preceding a noun is a part of that noun, **des** does not become **de** or **d'**.

Je voudrais **des** petits pois. — *I would like (some) peas.*

16 La rentrée

Dites que les élèves de Mme Gaillot achètent de nouvelles choses pour l'année scolaire.

MODÈLE **Les élèves achètent de nouveaux stylos.**

1. 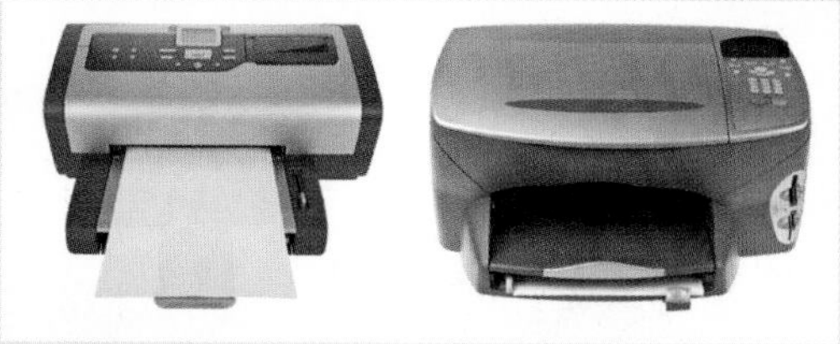

2. 

3. 

4. 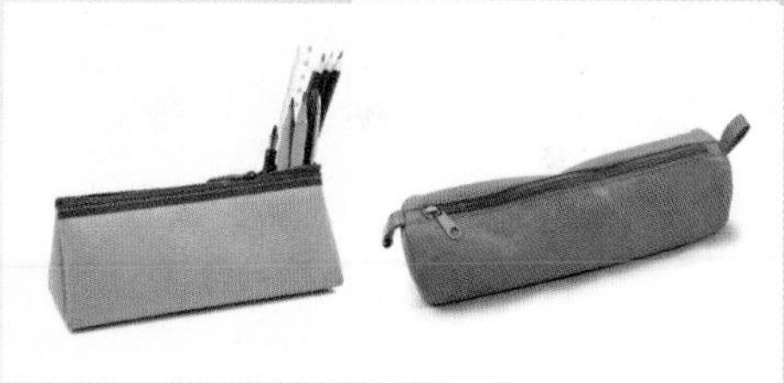

5. 

6. 

7. 

8. 

17 À Paris

Dites si les édifices à Paris sont nouveaux ou vieux.

MODÈLE **Ce sont de nouveaux restaurants à Paris.**

1. 

2. 

3. 

4. 

5. 

6. 

18 Une ville verte

*Utilisez les adjectifs **grand**, **petit**, **nouveau**, et **vieux** pour décrire les animaux et les choses dans cette ville verte.*

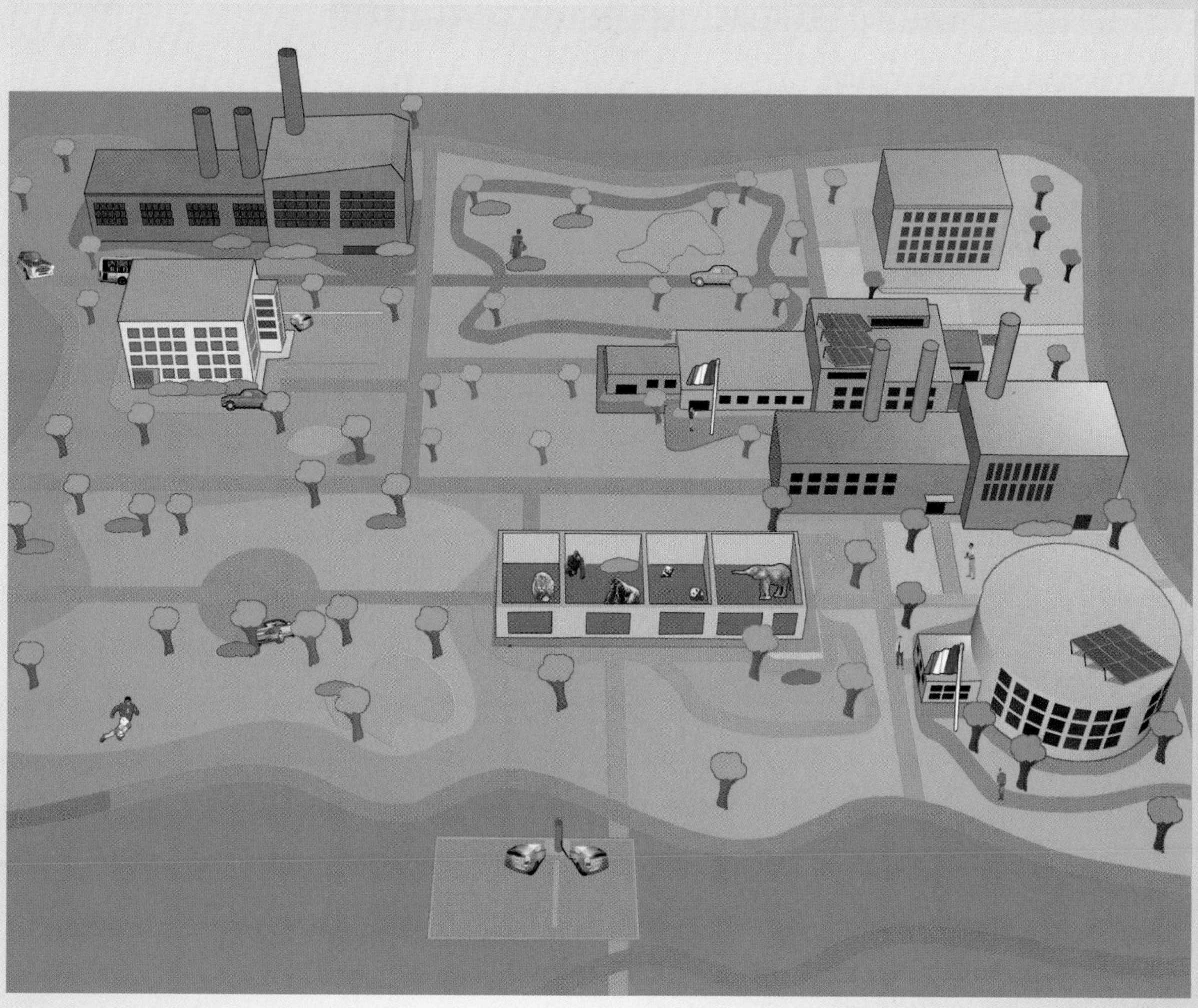

MODÈLE les écoles
Il y a de grands panneaux solaires sur les écoles.

1. les usines
2. les pandas
3. les voitures électriques
4. les gorilles
5. les espaces sauvages
6. les immeubles

vieux
nouveau
grand
petit

À vous la parole

Question centrale

How do people stay healthy and maintain a healthy environment?

Communiquez!

19 Calculez votre empreinte écologique (*carbon footprint*).

Interpretive Communication

Complete the quiz below about your family's carbon footprint. Then assess your family's rating.

	oui	non
1. Nous recyclons les boîtes, les bouteilles, et le papier.		
2. Nous circulons dans une voiture hybride ou électrique.		
3. Nous utilisons les transports en commun.		
4. Nous travaillons pour sauver les animaux en voie de disparition.		
5. Nous travaillons pour sauvegarder les espaces sauvages.		
6. Nous utilisons des ampoules (*light bulbs*) CFL.		
7. Nous ne voyageons pas en avion ou nous prenons l'avion une fois par an.		
8. Nous avons des panneaux solaires sur le toit.		
9. Nous mangeons beaucoup de fruits et de légumes.		
10. Nous ne mangeons pas beaucoup de bœuf.		

Les résultats:

Des réponses oui de 7/10 à 10/10: **Bravo! Vous êtes une famille écolo!**

Des réponses oui de 4/10 à 6/10: **Bien! Vous êtes sur le chemin écolo!**

Des réponses oui de 0/10 à 3/10: **Attention! Vous avez du progrès à faire pour devenir une famille écolo!**

Communiquez!

20 Des affiches écologiques

Presentational Communication

Working in small groups, make a poster for other French classes, telling them what they can do to preserve the environment and be better stewards of the Earth. Your poster could be part of an Earth Day celebration with songs, dances, poems, etc.

21 Une brochure écolo

Presentational Communication

Design a three-fold brochure about any aspect of environmental protection that interests you. You might state some facts about your topic to raise people's awareness or write a list of steps to become more **écolo.** If you choose the latter, you might also find it useful to review the **Stratégie communicative** in **Leçon B** before you begin writing.

Search words: paris vélib'

22 Protégez les tigres!

Interpretive Communication

Read the information about tigers and answer these questions.

1. What does the number 6.000 refer to in this passage?
   A. There are currently 6,000 tigers left in the world.
   B. Ten years ago there were 6,000 tigers.
   C. 95% of 6,000 tigers still exist.
2. How many tigers currently exist, according to this article?
   A. 25
   B. 3,200
   C. 95
3. How many species of tiger are extinct?
   A. 4–5
   B. 2–3
   C. 3–4

Le nombre de tigres a diminué de 95% depuis cinquante-cinq ans. Aujourd'hui, il ne reste que 3.200 tigres sauvages sur 6.000 il y a dix ans. C'est une population très faible qui tient en compte la disparition de trois à quatre espèces de tigres.

Lecture thématique

L'homme rompu

Rencontre avec l'auteur

Écrivain et poète franco-marocain, **Tahar Ben Jelloun** (1944–) est né à Fez, au Maroc. Il a étudié la philosophie et la psychologie. En 1985, il a publié *L'enfant de sable* et en 1987, *La nuit sacrée*—deux grands succès. Dans ses livres, il parle de la dignité humaine et du racisme. Vous allez lire un extrait de *L'homme rompu* (*The Broken Man*). Dans cet extrait, Mourad, un fonctionnaire (*civil servant*) honnête fait de nouvelles résolutions. Quelle sorte d'homme est-ce qu'il veut devenir?

Pré-lecture

Si vous pouviez changer une chose dans votre vie, qu'est-ce que vous changeriez? (*If you could change one thing in your life, what would it be?*)

Stratégie de lecture

Characterization and Inference

Characterization is the act of creating or describing a character. **Inference** is reading between the lines to draw conclusions based on evidence. As you go through the text, draw conclusions about the narrator's character based on what you read. In the left-hand column, write what you infer about how he is now. In the right-hand column, note how he would like to be. An example has been done for you.

How the narrator is now	How the narrator would like to be
1. He walks with his head down, hunched over, and his hands don't move.	He wants to be more confident and energetic, which indicates that he does not currently see himself as a powerful man of action.
2.	
3.	
4.	
5.	
6.	
7.	

Outils de lecture

Using Text Organization and Making a Prediction

Writers may organize events or information in their text chronologically, using words like **d'abord, ensuite**, and **enfin**; writers may also put events in random order, or, they may use detail to show the importance of an event. How does Ben Jelloun organize this selection? Notice the structure of the text. Where is there more detail? Where is there less? How does the organization help you read the selection? How successful do you think the narrator will be in changing his life? Do you think he will change everything on his list?

Je prends un bloc-notes* tout neuf et inscris* sur la première page quelques décisions:

À partir de ce jour, je décide de changer. Je m'arrête* et me pose la question: "Comment un homme de quarante ans peut-il encore changer? Tu sais bien que c'est impossible. On change quand on est jeune, quand on se cherche*, on ne change pas à cet âge-là." (...) Mais changer quoi? Avant toute chose ma manière de marcher. Il faut absolument que je marche la tête haute, le dos droit et les mains en mouvement. (...)

Pendant la lecture

1. Le narrateur veut marcher comment?

Je décide aussi de cesser de fumer*. J'attends le Ramadan* pour cesser de m'empoisonner les poumons*.

Pendant la lecture

2. Pourquoi veut-il cesser de fumer pendant Ramadan?

Je ne regarderai plus la télévision. À la place je lirai*, j'écouterai de la musique. (...)

Je ne passerai plus le week-end à la maison. J'emmènerai* ma famille à la mer* ou à la montagne. Il faut vivre*. (...)

Pendant la lecture

3. Il veut changer aussi les vies de quelles autres personnes?

Manger lentement*. (Ne plus* manger entre les repas.)

Faire du sport (de la gymnastique ou du vélo).

Tenir* un journal.

---

un bloc-notes cahier; **inscris** *write;* **m'arrête** *stop;* **se cherche** *is finding oneself;* **cesser de fumer** *to stop smoking;* **le Ramadan** *ninth month of the Islamic calendar when faithful Muslims fast;* **poumons** *lungs;* **lirai** *will read;* **emmènerai** *will take;* **la mer** *sea;* **vivre** *to live;* **lentement** *slowly;* **Ne plus** *No longer;* **tenir** *to keep*

Post-lecture

Quel changement le narrateur a-t-il déjà commencé?

L'homme assis ou ***L'architecte***, 1914. Roger de La Fresnaye.
Musée National d'Art Moderne, Centre Pompidou, Paris, France.

Le monde visuel

Roger de La Fresnaye (1885–1925) peint (*paints*) dans le style cubiste. Le Cubisme est un mouvement artistique où les personnes et les objets deviennent fragmentés. Fresnaye utilise les formes géométriques pour former l'homme et l'arrière-plan (*background*) dans ce tableau. Quelles formes géométriques est-ce que vous observez? L'artiste utilise-t-il les couleurs sombres (*dark*) ou brillantes? Qu'est-ce qu'on sait de cet homme assis (*seated*)?

23 Activités d'expansion

1. Écrivez un paragraphe qui décrit le narrateur aujourd'hui et comment il voudrait changer dans l'avenir (*future*). Servez-vous (*use*) des informations dans votre grille.
2. Faites une grille avec deux colonnes, une pour les bonnes activités et l'autre pour les mauvaises. Écrivez les expressions ci-dessous dans la colonne appropriée.

   marcher droit / tenir un journal / fumer / lire / manger entre les repas
   manger lentement / faire du sport / quitter la ville le weekend

3. Dites si chaque phrase est un fait (*fact*) ou une opinion.
   A. On change quand on est jeune.
   B. Il vaut mieux lire que regarder la télévision.
   C. Faire du sport est bon pour la santé.
   D. Il vaut mieux aller à la mer que rester à la maison.
   E. Fumer empoisonne les poumons.
4. Faites une résolution pour votre vie (*life*). Nommez une chose que vous pouvez faire aujourd'hui, une chose que vous pouvez faire ce mois, et plusieurs choses que vous pouvez faire cette année.

Les copains d'abord: Le bonheur c'est la santé !

Projets finaux

A Connexions par internet

Sciences de la vie et de la terre

Research and find images of the USDA's new "My Plate" graphic that replaces the food pyramid. Make a graphic similar to the one on the USDA's web site, but with the labels in French. Write five sentences in French stating what one must eat for each food group. For example: **Il faut manger du poulet, du porc, ou du bœuf....**

Search words: **usda my plate**

B Communautés en ligne

Les habitudes alimentaires

Working in groups, design a survey with five questions in French to find out about the eating habits of ten Francophone teens. (A few examples follow for you.) Give your survey to students at a school in a francophone country that your teacher will help you find. After the survey is returned to you, report the results to your class. Be sure to state what the students can do to keep in better shape.

Sample questions:

1. Vous prenez combien de repas par jour?
2. Est-ce que vous mangez rapidement?
3. Est-ce que vous mangez entre les repas?
4. Combien de fois par jour est-ce que vous prenez un coca ou une limonade?
5. Combien de fruits est-ce que vous mangez par jour?
6. Combien de portions de légumes est-ce que vous prenez?

Possible report:
Six élèves canadiens sur dix prennent deux repas par jour, quatre sur dix prennent un repas. Ces élèves peuvent être en forme s'ils prennent trois repas par jour....

C Passez à l'action!

Un plan pour la classe

Join one of two groups in class: one that wants to brainstorm ways to keep physically healthy, and one that wants to brainstorm things you can do to preserve the environment. Develop a statement about your group's beliefs and/or actions you want to take and put them on a poster, in a PowerPoint™ presentation, or on a web page.

D Faisons le point!

Question centrale

How do people stay healthy and maintain a healthy environment?

Make a diagram like the one that follows and fill it in to demonstrate your understanding of how other cultures maintain a healthy lifestyle and environment. An example has been done for you.

Leçon A **Points de départ: Le système de protection de la santé** →	The French people stay healthy because they have good national health insurance.
Leçon A **Points de départ: Garder la forme** →	
Leçon A **Points de départ: Le thermalisme** →	
Leçon A **Rencontres culturelles: Au fitness** →	
Leçon B **Rencontres culturelles: Les malades au Rwanda** →	
Leçon B **Points de départ: La lutte contre le SIDA au Rwanda** →	
Leçon B **Stratégie communicative: Une recette française: La ratatouille** →	
Leçon C **Points de départ: Les Verts** →	
Leçon C **Points de départ: Vélib' Paris** →	
Leçon C **La culture sur place: Le diabète chez les jeunes en Occident** →	

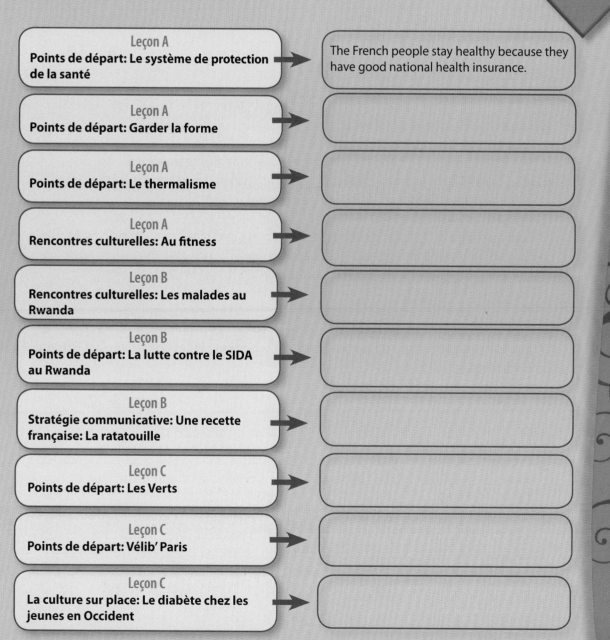

Évaluation

emcl.com
LA *Synthèse*

A Évaluation de compréhension auditive

Number from 1–12 on your paper. Then listen to the conversation between Anissa and Michel. Finally, indicate if each statement you hear is **vrai** (**V**) or **faux** (**F**).

B Évaluation orale

With a partner, play the roles of a teen with a problem and his or her friend. The teen with a problem describes what's wrong. Then the friend offers a solution to the problem, saying what it is necessary to do.

C Évaluation culturelle

In this activity, you will compare francophone cultures with American culture. You may need to do some additional research on American culture.

1. **La sécu**
   Explain the differences between French national health insurance and medical insurance programs in the United States. Begin by discussing with a parent, grandparent, or guardian what they know about health insurance in the United States, such as Medicare, Medicaid, and Veterans hospitals.
2. **Être en forme**
   Compare French and American attitudes about how to maintain a healthy lifestyle. For example, what differences are there between French and Americans with regard to their eating, exercise, and relaxation habits?
3. **Le SIDA**
   Compare the incidence and treatment of **le SIDA** in Rwanda and the United States. How many people have the disease in each country? What treatment programs are available in each country for those with the disease? What initiatives are working?
4. **L'environnement**
   Describe some of the efforts the French have made to protect the planet. What kinds of efforts have been made in your region? By your government? What does your family do to protect the environment? What have you done personally?
5. **Les Verts**
   Research the history of the American green party and what it stands for. Compare these to the French party **Les Verts**. Share five facts that you learn.
6. **La souris verte**
   What kind of background do you have in environmental studies? Do you have a way to make your opinions known like French teens do with the online magazine **La souris verte**? How can young people in the United States get involved in environmental causes? What is a forum for French teens who are interested in preserving the environment?

D Évaluation écrite

Write a letter to your cousin Ryan, who is studying in Montreal. Respond to his letter below, giving him advice on how to live a healthier lifestyle.

Bonjour de Montréal!

Je ne vais pas bien. Je suis toujours fatigué. Je ne prends pas le petit déjeuner parce que mon premier cours est à 9h00. Le weekend je vais à beaucoup de fêtes. J'étudie de minuit à 4h00. Je peux dormir cinq heures par nuit. Je prends toujours le métro. Je ne vais pas au fitness. Je ne fais pas de sport. Maintenant je suis fatigué, j'ai mal à la gorge, et j'ai de la fièvre. Qu'est-ce que tu me conseilles? Et toi, tu vas bien?

Ton cousin,
Ryan

E Évaluation visuelle

With a partner, role-play a conversation between the teens in the illustrations. Talk about how you are feeling and your symptoms. Give advice to your partner about what he or she should or should not do to feel better.

Élève 1

Élève 2

F Évaluation compréhensive

You work for a health care organization. Create a storyboard with six frames. Write captions for each frame that present advice on how to stay healthy. Include what to do in the case of certain symptoms and the environmental problems that can contribute to health issues. Share your storyboard with a group of classmates.

Vocabulaire de l'Unité 9

à: à mon avis in my opinion *B*; **à pied** on foot *C*; **à vélo** by bike *C*
un **accompagnateur, une accompagnatrice** home health worker *B*
l' **aérobic (m.)** aerobics *A*
les **antirétroviraux (m.)** antiretroviral drugs *B*
arrêter to stop *C*
avoir: avoir bonne mine to look healthy *B*; **avoir mauvaise mine** to look sick *B*
biologique organic *C*
bouger to move *A*
causer to cause *C*
ce: ce que what *C*
chimique chemical *C*
circuler to drive, to get around *C*
combattre to fight *C*
conseiller to advise *B*
continuer to continue *C*
le **corps** body *A*
une **cure** spa treatment *A*
décontracté(e) relaxed *A*
un **devoir** assignment *B*
le **dioxyde de carbone** carbon dioxide *C*
l' **effet (m.)** effect *C*; **l'effet de serre** greenhouse effect *C*
électrique electric *C*
éliminer to eliminate *C*
l' **émission (f.)** television program *B*
en **en aluminium, plastique** made of aluminium, plastic *C*
l' **énergie (f.)** energy *C*; **l'énergie nucléaire** nuclear energy *C*; **l'énergie solaire** solar energy *C*
s' **engager** to commit to *C*
l' **engrais (m.)** fertilizer *C*
l' **environnement (m.)** environment *C*
une **éolienne** wind turbine *C*
un **espace** area *C*
être: être au courant to be informed, to know *C*; **être en (bonne, mauvaise) forme** to be in (good, bad) shape *B*; **être vert** to be environmentally friendly *C*
faire: faire marcher to make (something) work *C*
falloir to be necessary, to have to *A*
la **figure** face *A*
le **fitness** health club, gym *A*
géant(e) giant *C*
installer to install *C*
l' **instant (m.)** moment *C*; **pour l'instant** for the moment *C*
laisser to leave, to let *B*
un(e) malade sick person *B*
une **maladie** illness *B*
marcher to walk *A*
la **marée** tide *C*; **marée noire** oil slick *C*
se **mettre: mets-toi** set yourself down *B*
la **montagne** mountain *C*
mort(e) dead *B*
nucléaire nuclear *C*
un **océan** ocean *C*
oh là là oh dear, oh no, wow *A*
ouille ouch *A*
un **panneau: panneau solaire** solar panel *C*
partout everywhere *A*
payer to pay *C*
un **payeur, une payeuse** someone who pays *C*
une **personne** person *B*
persuadé(e) persuaded *C*
le pétrole petroleum *C*
la **planète** planet *C*
polluant(e) polluting *C*
polluer to pollute *C*
un **pollueur, une pollueuse** polluter *C*
la **pollution** pollution *C*
pourrais: tu pourrais you could *C*
presque nearly *B*
profiter de to benefit from *A*; **tu profiterais de** you would benefit from *A*
protéger to protect *C*
quitter to leave *A*
la **radiation** radiation *C*
réchauffer to heat up *C*
recycler to recycle *C*
remplacer to replace *C*
un **reportage** news report *B*
une **résolution** resolution *C*
respiratoire respiratory *C*
le **Rwanda** Rwanda *B*
sais: tu sais you know *B*
sauvage wild *C*
sauvegarder to protect *C*
le **SIDA** AIDS *B*
le **step** step aerobics *A*
survivre to survive *B*
le **thème** topic *B*
thermal(e) hydrotherapeutic *A*
le **toit** roof *C*
une **usine** factory *C*
une **voie** path *C*; **les animaux (m.) en voie de disparition** endangered species *C*
une **voiture** car *C*; **voiture électrique** electric car *C*; **voiture hybride** hybrid car *C*
le **yoga** yoga *A*

Avoir mal + (body part) see p. 471
Endangered species… see p. 486
Illnesses… see p. 471
Parts of the body… see p. 460
Parts of the face… see p. 460

Unité

10 Les grandes vacances

Rendez-vous à Nice!
Épisode 10:
La grande fête

Citation

"Il n'y a d'homme plus complet que celui qui a beaucoup voyagé, qui a changé vingt fois la forme de sa pensée et de sa vie."

There is no man more complete than the one who has traveled a lot, who has changed his thinking and his lifestyle twenty times.

—Alphonse de Lamartine, poète romantique français

À savoir

The people of France and visitors to the country take 80 million train trips a year.

Unité 10

Les grandes vacances

Question centrale

How do travel experiences shape our worldview?

Why are Thomas and Chadia sad?

A. They must stop seeing each other.

B. Thomas is moving to Paris.

C. Chadia is leaving for the summer.

What is the name of this square in Montreal?

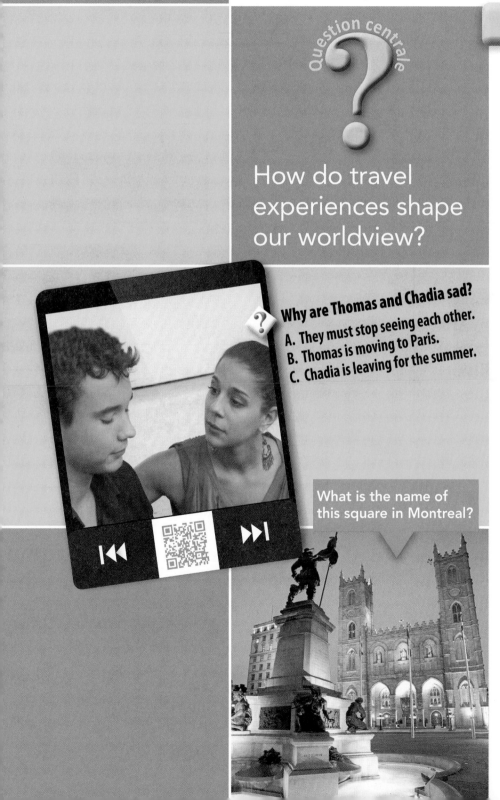

Contrat de l'élève

Leçon A **I will be able to:**

- say where places are located.
- talk about Quebec and Montreal.
- use prepositions before cities, countries, and continents.

Leçon B **I will be able to:**

- remind people and wish them a good trip.
- talk about French departments and regions, and French castles.
- use more negative expressions.

Leçon C **I will be able to:**

- give directions.
- talk about Switzerland, Geneva, and the Red Cross.
- say that people and things are the best, prettiest, oldest, etc.

Leçon A

Vocabulaire actif

emcl.com
WB 1
LA 1
Games

Le Québec

emcl.com
WB 2–5

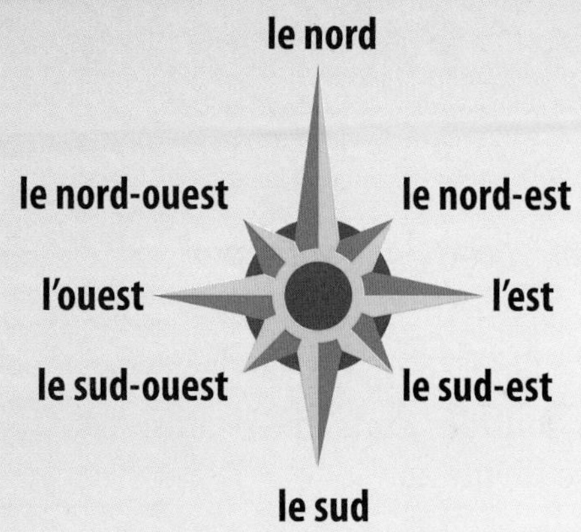

La capitale: la ville de Québec.

Le drapeau du Québec.

Les habitants: les Québécois, les Francanadiens.

La devise du Québec: Je me souviens.

Pour la conversation

How do I tell someone where a place is located?

› **Québec est situé** au nord-est de Montréal.
Quebec is located northeast of Montreal.

Et si je voulais dire...?

à l'étranger	*abroad*
un circuit	*organized tour*
la frontière	*border*
un séjour linguistique	*language study program*
un(e) touriste	*tourist*
un(e) vacancier(ière)	*vacationer*

1 La plus grande province du Canada

Lisez les paragraphes. Ensuite écrivez des légendes (captions) *pour la carte que votre prof va vous donner.*

Quelle est la plus grande province du Canada? C'est le Québec. Au nord du Québec est la Terre-Neuve-et-Labrador. À l'est est le Nouveau-Brunswick. Au sud-est sont des états américains: le Maine, le New Hampshire, et le Vermont. À l'ouest est la province d'Ontario.

Dû à sa situation géographique, il fait très froid au Québec en hiver. On aime jouer au hockey sur glace, faire du patinage, et faire du ski.

La capitale de cette belle province s'appelle aussi Québec. On appelle ses habitants des Québécois ou des Francanadiens. Sa devise est "Je me souviens" (*I remember*).

2 Le Québec

Complétez chaque phrase avec un mot de la liste.

sud drapeau ouest province Nouveau-Brunswick
Francanadiens devise capitale nord

1. Le Québec est une... canadienne.
2. Sa... est la ville de Québec.
3. Les personnes qui habitent au Québec s'appellent des....
4. Le... québécois est bleu et blanc.
5. "Je me souviens" est la... du Québec.
6. La province d'Ontario est à l'... du Québec.
7. La Terre-Neuve-et-Labrador est au... du Québec.
8. Le... est à l'est du Québec.
9. Les États-Unis sont le pays au... du Québec.

3 Ils viennent d'où au Québec?

Écrivez les numéros 1–6 sur votre papier. Ensuite, écoutez les descriptions et choisissez la lettre de la ville qui correspond à chaque description.

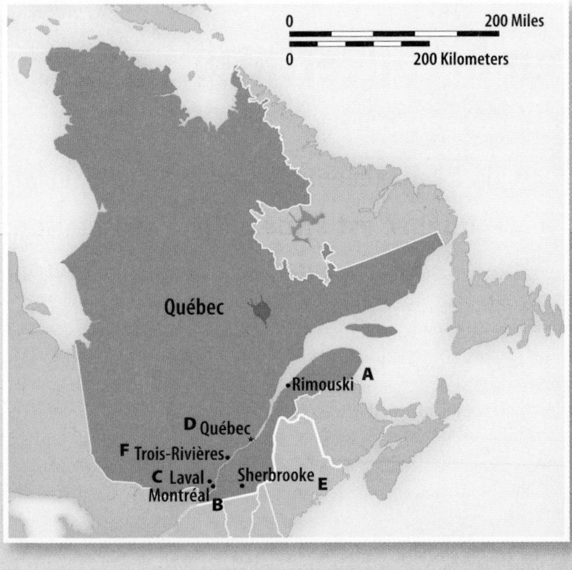

Communiquez!

4 Dans ma ville

Interpersonal Communication

À tour de rôle, demandez à votre partenaire si les endroits suivants sont près de chez toi.

MODÈLE A: **Est-ce qu'il y a une poste près de chez toi?**
B: **Oui, il y a une poste au nord-est de chez moi.**

1. une école
2. un centre commercial
3. un cinéma
4. l'hôtel de ville
5. un restaurant
6. un hôtel
7. une banque
8. un supermarché

Communiquez!

5 Questions personnelles

Interpersonal Communication

Répondez aux questions.

1. Est-ce que ton école est au nord, au sud, à l'est, ou à l'ouest de ta maison?
2. Es-tu allé(e) au Canada? au Québec? à Montréal? à Québec?
3. Est-ce qu'il y a des drapeaux dans ta salle de classe? De quel pays?
4. Est-ce que tu te souviens de l'été dernier? De ton anniversaire? Du dernier film que tu as vu?
5. Les habitants de Montréal s'appellent des Montréalais. Comment s'appellent les habitants de ta ville? de ton état?

Les habitants de ma ville s'appellent les New-Yorkais.

Rencontres culturelles

Une visite à Montréal

À Montréal, Yasmine fait la connaissance de Robert, un copain québécois de sa cousine, Fatima. Elle réalise que le français au Québec est différent que le français en France.

Fatima: C'est ma cousine, Yasmine, qui vit en France. Elle est en visite chez nous autres cet été.
Robert: Allô, c'est un plaisir!
Yasmine: Moi aussi. Qu'est-ce qu'il y a à faire à Montréal en été?
Robert: Ta visite est bien cédulée. Il reste encore un couple de jours des FrancoFolies. Je peux vous offrir des billets parce que je vas avec ma famille à Québec.
Yasmine: Mais tu es déjà à Québec?
Robert: Chu-t *au* Québec, la province, mais je vas *à* Québec, la ville, qui est située au nord-est de Montréal.
Yasmine: Une question de prépositions!
Robert: C'est correct. Pis, vous voulez les billets?
Fatima: Sais-tu pour quel concert c'est?
Robert: Andrea Lindsay.
Fatima: Wô! Merci gros!

Les expressions

Au Québec	En France
vit	habite
chez nous autres	chez nous
allô	bonjour
c'est un plaisir	enchanté(e)
Ta visite est bien cédulée.	Ta visite tombe bien.
un couple de jours	quelques jours
je vas	je vais
chu	je suis
c'est correct	c'est ça
wô	ouah
merci gros	merci beaucoup

6 Une visite à Montréal

Identifiez la personne décrite.

1. ... est la cousine de Yasmine.
2. ... est un copain de Fatima.
3. ... offre des billets pour les FrancoFolies à Montréal.
4. ... va chanter aux FrancoFolies.
5. ... accepte le cadeau.

Extension **Table ronde**

Les participants d'une table ronde se présentent.

Animatrice: Je me présente, Apolline, de Paris. Merci d'être venus. C'est une réunion importante sur la francophonie. Vous voulez bien vous présenter aux spectateurs?
Abdoulaye: Je commence.... Bonjour, je m'appelle Abdoulaye. Je viens de Dakar, au Sénégal.
Claire: Moi, c'est Claire et j'habite à Genève, en Suisse.
Emmanuelle: Je suis Emmanuelle, et j'habite à Monaco.
Jean: Bonjour, Jean. J'habite à Luxembourg, au Luxembourg.
Gilberte: Je m'appelle Gilberte. J'habite à Montréal, au Québec.
Rosalie: C'est moi la dernière? Alors moi, c'est Rosalie et j'habite à Bruxelles, en Belgique.

Extension De quels continents, pays, et villes est-ce que les participants viennent?

Points de départ

emcl.com
WB 6–7

Question centrale
How do travel experiences shape our worldview?

La Francophonie

Le Québec

Le Québec est souvent appelé "La belle province." C'est la plus grande province du Canada (2 millions de km²) et avec le plus de personnes (7,8 millions d'habitants). Elle est traversée* par le fleuve Saint-Laurent. Sa capitale est Québec (500.000 habitants), mais la plus grande ville est Montréal. Le drapeau du Québec est bleu et blanc à quatre fleurs de lys, le symbole des rois* de France, et la devise du Québec est "Je me souviens," qui montre la conviction des Québécois de préserver leur héritage francophone dans cette province où le français est la langue officielle.

Search words: bonjour québec

traversée *crossed;* **rois** *kings*

COMPARAISONS

French is Canada's second language. What do you consider to be the second language of the United States?

Produits

La province de Québec est responsable pour 75% **du sirop d'érable** (*maple syrup*) du monde. Les premiers Européens en Amérique ont appris à le faire des Américains autochtones.

Mon dico québécois

un dépanneur: *convenience store*
Étatsunien(ne): *américain(e)*
magasiner: *faire du shopping*
une piasse: *un dollar canadien ou américain*
la poutine: *frites avec cheese curds et sauce*
C'est le fun!: *C'est amusant!*

Montréal

Montréal est la deuxième ville du Canada après Toronto et la deuxième ville francophone du monde après Paris. (Elle a 2 millions d'habitants, 4 millions d'habitants pour la métropole.) La ville est dominée par le Mont Royal: cet immense espace vert donne son nom à la ville. La vieille ville est constituée par* le Vieux Port, la place Jacques Cartier, l'Hôtel de ville, la Place d'Armes, et la basilique Notre-Dame. La vie culturelle est particulièrement intense avec de nombreux festivals: le Festival International de Jazz, les FrancoFolies, le Festival Juste pour Rire, et le Festival des Films du Monde.

Search words: montréal guide touristique tourisme montréal

constituée par *made up of*

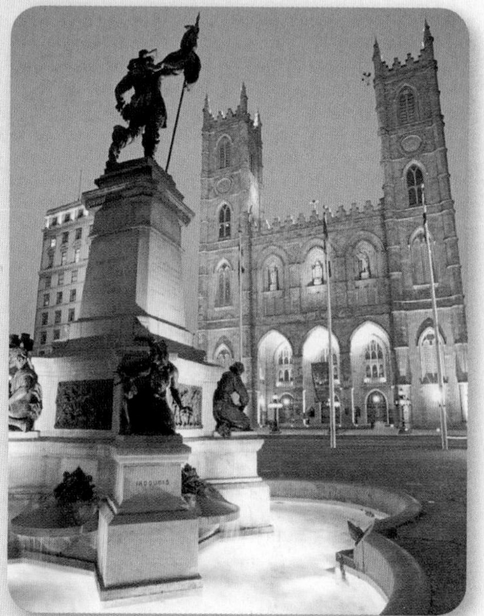
La place d'Armes honore Paul Chomedey de Maisonneuve, qui a fondé Montréal en 1642.

Les FrancoFolies

Les FrancoFolies sont un festival de musique qui a lieu* tous les étés à Montréal. Il y a plus de 1.000 chanteurs de rock, de hip-hop, de rai, de punk, et d'autres genres de musique, venus du monde entier*. Certains concerts sont gratuits* pour le public. Andrea Lindsay, une canadienne anglophone d'Ontario, a chanté aux FrancoFolies récemment. Elle est tombée amoureuse du français lors* d'un voyage à Paris. Elle a étudié la traduction* et a commencé à chanter des chansons et à faire des tournées* en français.

Search words: francofolies montréal
andrea lindsay vidéo

a lieu *takes place;* **entier** *whole;* **gratuits** *free;* **lors** *during;* **traduction** *translation;* **faire des tournées** *to go on tour*

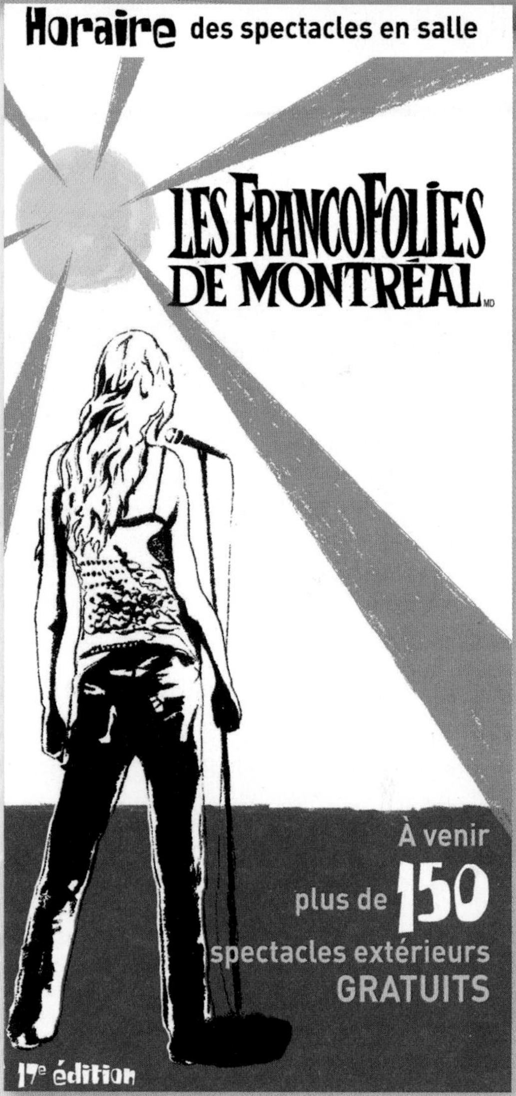

7 Questions culturelles

Faites les activités suivantes.

1. Remplissez la carte d'identité du Québec:
   Population:
   Capitale:
   Principale ville:
   Langue officielle:
2. Situez sur un plan du centre historique de Montréal le Mont Royal, le Vieux Port, la place Jacques Cartier, l'Hôtel de ville, la Place d'Armes, et la basilique Notre-Dame.
3. Faites des recherches sur Internet et trouvez le sens de ces mots québécois:
   • mon best • ma blonde • char • chum • déjeuner

Perspectives

What do you think it would be like to live in a French-speaking province in a country of mostly English speakers? What do you think it is like for people who have just moved to the United States and don't know how to speak English yet?

Du côté des médias

Lisez le paragraphe sur le Vieux-Montréal.

La place d'Armes

Située au centre du quartier historique du Vieux-Montréal, la Place d'Armes est une représentation de toutes les périodes de l'histoire de Montréal. Du plus vieil immeuble de la ville à la grande église modernisée avec le temps, du siège social de la première banque du pays au premier gratte-ciel de huit étages du Canada, le New York Life, construit en 1888, la place a gardé son histoire tout en se modernisant!

8 Vrai ou faux?

*Écrivez **V** si les phrases suivantes sont vraies, et **F** si elles sont fausses.*

1. La place d'Armes est un immeuble à Montréal.
2. Le Vieux-Montréal est un quartier historique.
3. Il y a de vieux immeubles sur la place d'Armes.
4. Le New York Life est un monument ancien.
5. Le gratte-ciel (*skyscraper*) moderne a huit étages.
6. La place d'Armes représente l'histoire ancienne et moderne de Montréal.

9 Vieux Montréal

Faites des recherches et répondez aux questions.

1. Quel est ce monument?
   - Ce lieu public a une statue de l'amiral Nelson.
   - Ce lieu municipal a eu la visite du Général de Gaulle.
   - Ce lieu public a eu beaucoup de batailles (*battles*).
   - Ce lieu public montre toutes les périodes historiques de Montréal.
2. Choisissez un monument, un édifice, ou un lieu dans le Vieux-Montréal. Ensuite, recherchez des informations sur Internet et faites une présentation à la classe.

Structure de la langue

emcl.com
WB 8–11
LA 2
Games

Prepositions before Cities, Countries, and Continents

You have already learned that countries have gender and are singular or plural. You also know how to use a form of **de** with a place to say where you come from or are arriving from. Now you are going to learn how to say "to" or "in" a country or place. Use **au** if the country's name is masculine and singular and **aux** if it is masculine and plural.

Tu vas **au** Canada?	*Are you going to Canada?*
Non, je vais **aux** États-Unis.	*No, I'm going to the United States.*

Use **en** before countries or continents with feminine names.

Nous allons **en** Côte-d'Ivoire, **en** Afrique.	*We're going to the Ivory Coast, in Africa.*

Use **à** before the names of cities.

On est allé **à** Dakar, au Sénégal.	*We went to Dakar, in Senegal.*

10 Deux voyages à destinations différentes

Sabrina et son ami Théo vont voyager pour les vacances, mais ils ne vont pas voyager ensemble. Dites où ils vont.

Sabrina voyage....

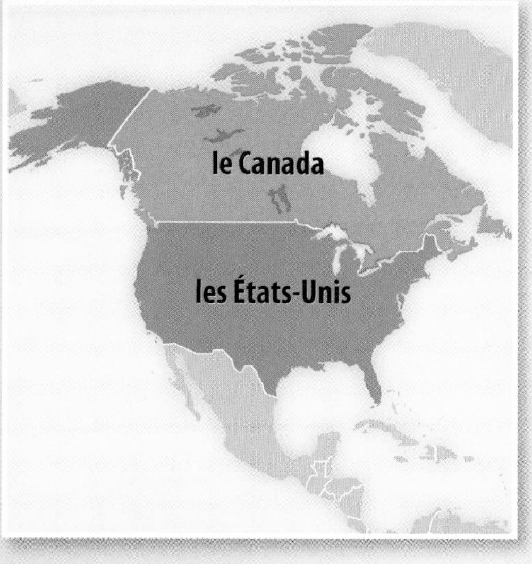

Théo voyage....

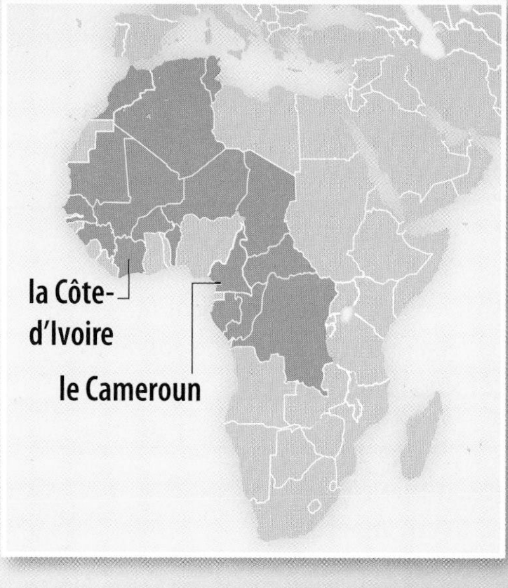

11 Où est-ce qu'ils habitent?

Dites dans quelle capitale et dans quel pays chaque personne habite.

1. Abdoulaye habite... Dakar, ... Sénégal.
2. Pierre habite... Paris, ... France.
3. Mohamed habite... Bamako, ... Mali.
4. Awa habite... Yaoundé, ... Cameroun.
5. Evenye habite... Yamoussoukro, ... Côte-d'Ivoire.
6. Robert habite... Ottawa, ... Canada.
7. Julian habite... Washington, ... États-Unis.
8. Djamel habite... Libreville, ... Gabon.

Abdoulaye habite en Afrique.

12 Le lycée international

*Éric, un élève à une école internationale en Europe, écrit à sa mère à propos des voyages de ses amis pour les grandes vacances. Complétez son e-mail avec les bonnes prépositions (**à, au, aux, en**).*

Salut, Maman!
Tout le monde va voyager bientôt. Ma copine Delphine rentre __1__ Marseille, et mon copain Philippe __2__ Lyon. Lance va __3__ Boise, dans l'Idaho, __4__ États-Unis. Rahina voyage __5__ Burkina Faso, et Amidou __6__ Togo. Naya va __7__ Côte-d'Ivoire. Comme tu le sais bien, j'arrive __8__ France demain!

Bisous,
Éric

13 Quel pays habites-tu?

Écrivez les numéros 1–8 sur votre papier. Ces personnes parlent du pays où elles habitent. Écoutez et écrivez la lettre qui correspond au continent où le pays ou la province est situé.

A. Europe
B. North America
C. Africa

14 Mes voyages

Nommez cinq villes et pays où vous voudriez voyager.

MODÈLE

Je voudrais voyager à Paris, en France.

Je voudrais voyager à la Nouvelle-Orléans, en Louisiane, aux États-Unis.

À vous la parole

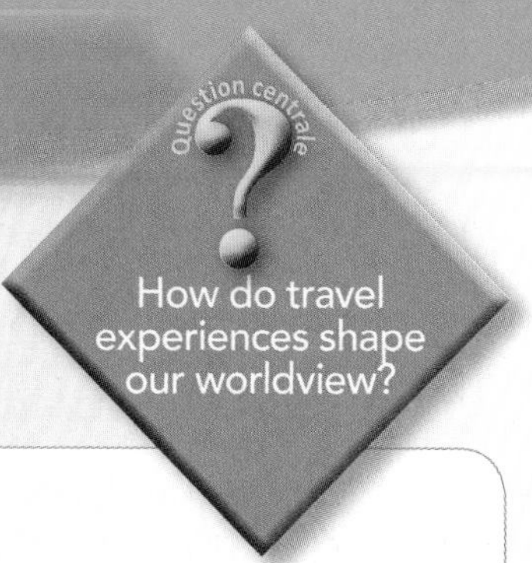

15 Visitons Montréal!

Interpersonal Communication

With a partner, play the role of a tourist and an employee at the Montreal tourist office. In your conversation:

Greet the tourist office employee.	Greet the tourist and ask where he or she is from.
Say where you are from and that you would like to visit Montreal.	Say that Quebec is called the "beautiful province" and he or she will like Montreal. Suggest a few places in the old part of the city for the tourist to visit.
Ask what else you can do in the city.	Give the name of a festival the tourist can go to.
Say thank you.	Say good-bye.

16 Les musiciens aux FrancoFolies

Presentational Communication

Research and create a profile of a francophone musician or group who will play or who has played at the Montreal music festival **les FrancoFolies**. Tell your classmates where the musicians are from, the type of music they play, and the names of some of their songs. Include an audio sample in your profile if possible.

Search words: francofolies, vidéo francofolies montréal

Communiquez!

17 Une leçon de géographie

Presentational Communication

Pick a francophone location and give a geography lesson to a small group of your classmates. Begin by making or finding a map that is large enough for everyone to see. In your presentation:

- point out the names of the countries or provinces that surround the location (**La France est située à l'ouest de....**)
- show where the capital city is (**Voilà la capitale, Paris.**)
- point out four other important cities and where they are located in relationship to the capital (**au nord-est**, etc.)

Communiquez!

18 Les spécialités québécoises!

Interpretive/Presentational Communication

Research online the history and ingredients of a traditional or popular dish from Quebec. Then prepare a presentation with visual aids about the dish and how to make it. (There are a lot of dishes that are made with maple syrup.) Use the imperative.

Search words: plats québécois
recette sirop d'érable

La poutine est composée de frites, avec cheese curds et sauce.

Communiquez!

19 Chu-t au Québec!

Interpersonal Communication

With a partner, create a dictionary of ten vocabulary words and expressions from Québec. Then, write a dialogue with a partner using some of the expressions you found and some of the ones presented in this lesson. Present the dialogue to the class. Ask your classmates to guess the meaning of the expressions given their context in the dialogue.

Search words: expressions québécoises

Prononciation

Descending Intonation in Questions

- In general, intonation rises for questions that can be answered with "yes" or "no," and falls in questions that ask for information.

A L'intonation interrogative descendante

Listen to questions 1-2, paying attention to the type of intonation at the end of the sentence. Then repeat questions 3-4 after the speaker.

1. Tu as beaucoup voyagé?
2. Où es-tu allé(e)?
3. Tu as visité beaucoup de pays?
4. Tu as visité quels pays?

B Une interview

*Write **up** if the intonation you hear at the end of the question rises, or **down** if the intonation falls.*

MODÈLE Tu as quel âge?

down

C Prononcez les questions!

Read the questions that follow out loud, then listen to the speaker to see if your intonation was correct.

1. Tu aimes le basket?
2. Tes parents vont au Sénégal en été?
3. Quelle est ta nationalité?
4. Où voudrais-tu passer les vacances?
5. Comment s'appelle ton top chum?

The Semi-consonants /ɥ/ and /j/

- The sounds /ɥ / and /j/ are semi-consonants.

D Le son /ɥ /

Listen to the following words that contain the sound /ɥ /. Then, the speaker will say them a second time, when you can repeat them.

1. huit
2. la nuit
3. ensuite

E Le son /j/

Listen to the following words that contain the sound /j/. Then, the speaker will say them a second time, when you can repeat them.

1. le billet
2. le maillot
3. la famille

F J'entends une semi-consonne?

*Write **S** if you hear a sentence with a semi-consonant, or **O** if the sentence does not contain a semi-consonant.*

Leçon B

Vocabulaire actif

emcl.com
WB 12–16
LA 1
Games

Un voyage en train à la campagne

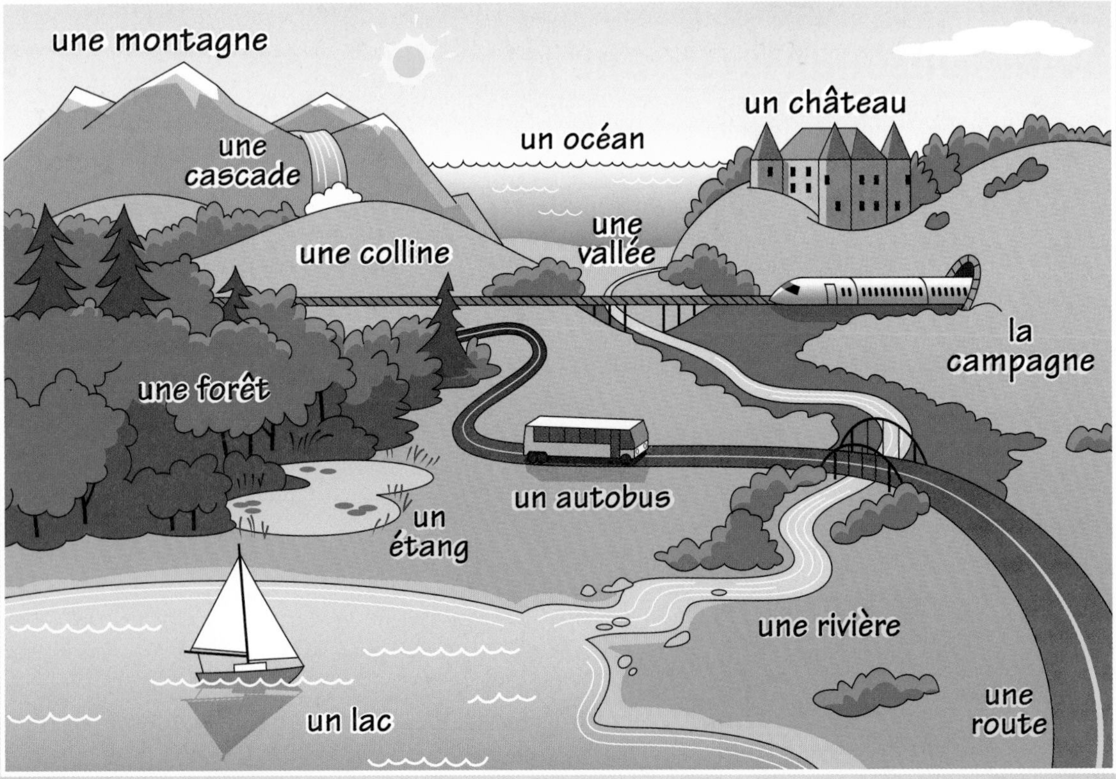

Pour la conversation

How do I remind someone to do something?

> **N'oublie pas de** composter ton billet.
> *Don't forget to validate your ticket.*

How do I wish someone a good trip?

> **Bon voyage!**
> *Have a good trip!*

Et si je voulais dire...?

un appareil-photo	*camera*
les champs (m.)	*fields*
un guide Michelin	*Michelin tourist guidebook*
piqueniquer	*to picnic*

1 Un voyage en train

Djamel fait un voyage en train. Lisez le paragraphe. Ensuite, mettez les phrases en ordre chronologique.

Djamel a acheté son billet en ligne. Le 20 juin, il est allé à la gare en avance. Il a regardé le tableau des arrivées et des départs. Il a vu que son train était à l'heure. Il a composté son billet dans le composteur orange. Puis, il a trouvé la voie numéro 5. Il est monté dans le train et a trouvé son siège à côté de la fenêtre. À midi, il est parti trouver le wagon-restaurant où il a pris un sandwich au jambon et une limonade. Il a parlé à une voyageuse canadienne. Pendant son voyage, il a vu une rivière, une vallée, et un château. Il a pris des photos par la fenêtre. Quand il est arrivé à Tours, il a trouvé son hôtel près de l'hôtel de ville. Demain, il va visiter les châteaux de la Loire en vélo.

1. Djamel a composté son billet.
2. Djamel a mangé dans le wagon-restaurant.
3. Djamel a regardé le tableau des arrivées et des départs.
4. Djamel a trouvé son hôtel.
5. Djamel est monté dans le train.
6. Djamel a visité les châteaux de la Loire.
7. Djamel a acheté un billet de train.

2 Caro voyage.

*Mettez les phrases en ordre chronologique. Utilisez les mots **d'abord** et **ensuite**.*

MODÈLE Caro a cherché son hôtel.
Elle est descendue du train.
D'abord, Caro est descendue du train.
Ensuite, elle a cherché son hôtel.

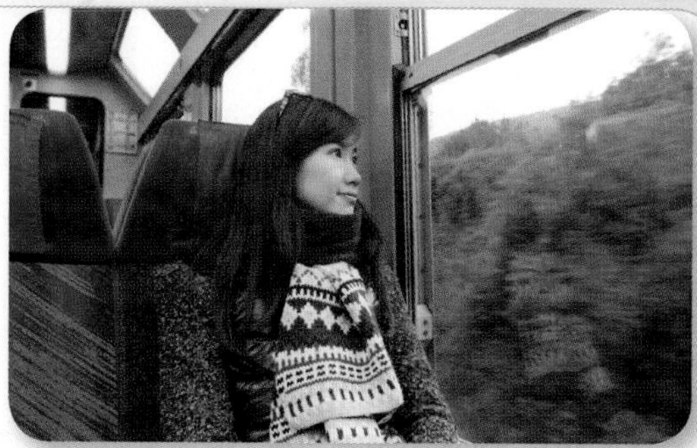

D'abord, Caro a regardé la campagne par la fenêtre.

1. Caro est entrée dans la gare.
   Elle a regardé le tableau des arrivées et des départs.
2. Caro est allée sur la voie numéro 2.
   Elle a acheté son billet au guichet.
3. Caro a composté son billet. Elle est montée dans le train.
4. Caro est allée au wagon-restaurant.
   Elle a trouvé son siège.
5. Caro a regardé la campagne par la fenêtre.
   Elle est arrivée à Tours.

3 Les vacances à Québec!

Annie parle de son voyage en train de Vancouver à Québec. Faites correspondre la phrase avec l'illustration.

A. 

B. 

C. 

D. 

E. 

F. 

4 Bonne route!

Dites ce que ces familles francanadiennes ont vu en route à leurs destinations.

MODÈLE les Tremblay
Les Tremblay ont vu un lac et une cascade.

1. les Charbonneau

2. les Mercier

3. les Vaillancourt

4. les Bouchard

5. les Michaud

Communiquez!

5 Questions personnelles

Interpersonal Communication

Répondez aux questions.

J'ai voyagé en train à Marseille.

1. Préfères-tu faire des promenades à la campagne ou en ville?
2. Est-ce que tu préfères nager dans un lac ou dans l'océan?
3. As-tu voyagé en train? Si oui, où es-tu allé(e)?
4. As-tu jamais visité un château? Si oui, comment s'appelle le château que tu as visité?
5. As-tu jamais oublié tes devoirs de français?

Rencontres culturelles

Un voyage en train à la vallée de la Loire

Maxime et Julien parlent du voyage de Julien en train.

Julien: Tu es sûr… tu ne veux pas m'accompagner?
Maxime: C'est que… Yasmine et moi, on a des projets pour la semaine. Tu as ton billet?
Julien: Dans mon sac à dos. Départ: Paris. Destination: Tours, dans le département d'Indre-et-Loire....
Maxime: Tu voudrais voir quels châteaux de la Loire cette semaine?
Julien: Chambord, Chenonceau.... Je vais louer un vélo.
Maxime: Où peux-tu louer un vélo?
Julien: Pas loin de l'hôtel.
Maxime: Tu as apporté quelque chose à manger dans le train?
Julien: Non, je n'ai rien apporté, mais il y a un wagon-restaurant.
Maxime: Tu es sûr d'avoir tout—ton argent, ton guide, ta carte, ton portable?
Julien: Bien sûr. Donc, je vais monter dans le train.
Maxime: N'oublie pas de composter ton billet! Bon voyage!

6 Un voyage en train à la vallée de la Loire

Complétez les phrases.

1. Maxime parle à....
2. ... voyage à Tours.
3. Julien va... un vélo pour voir les châteaux de la Loire.
4. Il va manger dans... du train.
5. D'abord, il faut... son billet.
6. Ensuite, il... dans le train.

Extension **Décision: un weekend, mais où?**

Léa et Christophe font des projets pour un long weekend.

Léa: Bon, on va où pour le pont de l'Ascension? Quatre jours.... On reste à Paris?
Christophe: Mais c'est dans quatre mois!
Léa: Eh bien, justement, c'est le moment de décider. Alors, la vallée ou la montagne? Lac ou océan?
Christophe: Le plan c'est de ne voir personne et de ne rien faire? Toi, tu as des idées derrière la tête.
Léa: Toutes petites....
Christophe: Bréhat, en Bretagne?
Léa: Oui, j'achète des billets?
Christophe: D'accord!

Extension Quelle sorte de vacances désirent Léa et Christophe?

Points de départ

emcl.com
WB 17–18

Question centrale
How do travel experiences shape our worldview?

Les départements et les régions

La France est composée de 101 départements. Un département est une division administrative du territoire français créé* sous la Révolution française. Les départements sont responsables de l'entretien* des routes départementales, des écoles primaires, et des affaires culturelles. La France est aussi composée de 22 régions. Les régions ont commencé à avoir de vrais pouvoirs en 1982. La conséquence? Un véritable développement régional. Certaines villes ou régions sont maintenant identifiées avec leur spécialités, par exemple, Toulouse avec l'Airbus et l'aérospatiale et Strasbourg avec la génétique.

Search words: carte des départements de France

créé *created;* **l'entretien** *maintenance*

COMPARAISONS

What is the oldest historical building in your city or region?

Les châteaux de la Loire

Les châteaux de la Loire ont été construits* pendant la Renaissance, et particulièrement sous le règne* de François Ier (1497–1550). Chambord est le plus grand château avec 440 pièces. Chenonceau a une galerie qui traverse* une rivière qui s'appelle le Cher. Il est connu comme "le château des six femmes" parce que des femmes en ont été les propriétaires*. D'autres châteaux qui sont populaires à visiter sont Amboise, Blois, Cheverny, et Azay-le-Rideau. Quarante-deux châteaux peuvent être aujourd'hui appelés châteaux de la Loire.

le château de Chambord

le château de Chenonceau

Search words: carte châteaux de la loire
domaine national de chambord
château de chenonceau

construits *built;* **le règne** *the reign;* **traverse** *crosses;* **en ont été propriétaires** *were owners of it*

Tours

Tours est une ville de 300.000 habitants. Elle est située au centre de la vallée de la Loire. Beaucoup de touristes restent à Tours quand ils visitent les châteaux de la région. Fameuse pour son architecture et histoire, Tours est classée Ville d'Art et d'Histoire. Elle est aussi inscrite au Patrimoine mondiale de l'Humanité de l'UNESCO. Les écrivains Rabelais et Balzac sont originaires de Tours, aussi le compositeur Francis Poulenc, le réalisateur Patrice Leconte, et les acteurs Jean Carmet, Jean-Hugues Anglade, et Jacques Villeret.

Search words: **site de la ville de tours**
tours office de tourisme
au pays des châteaux de la loire

7 Questions culturelles

Faites les activités suivantes.

1. Retrouvez ces informations.
   - le nombre de départements en France
   - le nombre de régions
2. Associez une spécialité à chaque ville.
   - Toulouse
   - Strasbourg
3. Situez sur une carte ces châteaux: Chambord, Chenonceau, Amboise, Blois, Cheverny, Azay-le-Rideau.
4. Choisissez une personnalité originaire de Tours et faites son portrait.

Les Airbus viennent de Toulouse, en France.

À discuter

Do you primarily think of France as having old or new buildings and monuments? Which ones would you most want to see on a trip there? Explain your response.

Du côté des médias

Lisez les informations dans la brochure.

8 Dans la vallée de la Loire

Répondez aux questions 1 et 2 et faites les activités qui suivent.

1. Les touristes arrivent dans quelle ville?
2. Dans quel département se situe cette ville?
3. Faites une recherche et cherchez quel château on peut voir dans cette ville.
4. Faites des recherches sur un château de la Loire que vous aimeriez visiter et dites pourquoi.
5. Allez sur le site Internet mentionné dans la brochure et faites une liste des visites suggérées.

emcl.com
WB 19–22
LA 2
Games

Negative Expressions

Mme Roseau aime toujours la Suisse, mais elle ne voyage plus.

There are other negative expressions that follow the same pattern as **ne (n')... pas** to make a verb negative. Compare the following expressions.

Affirmative	Negative
souvent *often* **toujours** *always*	**ne (n')... jamais** *never*
toujours *still*	**ne (n')... plus** *no longer, not anymore*
quelqu'un *someone, somebody*	**ne (n')... personne** *no one, nobody, not anyone*
quelque chose *something*	**ne (n')... rien** *nothing, not anything*

Tu voyages **souvent** en train? — *Do you often travel by train?*
Non, je **ne** voyage **jamais** en train. — *No, I never travel by train.*

Vous avez **toujours** des vélos à louer? — *Do you still have bicycles to rent?*
Non, nous **n'**avons **plus** de vélos à louer. — *No, we don't have any more bicycles to rent.*

Il y a **quelqu'un** à la porte? — *Is there someone at the door?*
Non, il **n'**y a **personne** à la porte. — *No, there's no one at the door.*

Tu prends **quelque chose**? — *Are you having something (to eat)?*
Non, je **ne** prends **rien**. — *No, I'm not having anything (to eat).*

Note that in each of these negative expressions, **ne (n')** comes before the verb and **jamais**, **plus**, **personne**, or **rien** follows the verb. Remember that indefinite articles (**un**, **une**, **des**) and partitive articles (**du**, **de la**, **de l'**) become **de** or **d'** in a negative sentence.

Tu veux **des** cerises? — *Do you want some cherries?*
Non, je **ne** veux **plus de** cerises. — *No, I don't want any more cherries.*

Personne may also be used after a preposition.

Je **ne** parle **à personne**. *I'm not talking to anyone.*

In the **passé composé**, **ne (n')** precedes the helping verb and **pas**, **plus**, **jamais**, or **rien** follows it. **Personne**, however, follows the past participle.

Je **n'**ai **rien** apporté. *I brought nothing. /I didn't bring anyhthing.*
Il **n'**a vu **personne**. *He saw no one. /He didn't see anybody.*

COMPARAISONS

Where are negative expressions in English placed?

I never travel to the mountains.
I no longer ski.
I spend nothing on vacation at home.
There is no one to travel with.

9 Les phrases négatives

Mettez les phrases au négatif. Utilisez ***ne (n')... pas, ne (n')... jamais, ne (n')... plus, ne (n')... personne,*** *ou* ***ne (n')... rien.***

MODÈLE Jean-Luc a quelque chose à lire.
Jean-Luc n'a rien à lire.

1. Heather parle à quelqu'un en français.
2. Jean va souvent au stade du PSG.
3. Caro a un dictionnaire français-allemand.
4. J'ai toujours un chat blanc.
5. Tu apportes quelque chose à la fête.
6. Martin a un portable américain.
7. Nous faisons toujours du sport.
8. Jacqueline fait toujours ses devoirs.

Mlle Mercier n'aime plus les chiens?

COMPARAISONS: In English, negative expressions come before or after the verb.

10 Le voyage de Julien

*Écrivez les numéros 1–8 sur votre papier. Ensuite, écoutez l'histoire de Julien et indiquez si les phrases sont vraies (**V**) ou fausses (**F**).*

1. Julien n'a jamais pris le train.
2. Il prend souvent sa voiture.
3. Il n'a rien mangé dans le train.
4. Il ne fait plus de vélo.
5. Il n'a rien vu par la fenêtre.
6. Il ne marche pas à Chenonceau.
7. Il n'a jamais visité de châteaux avant sa visite à Chenonceau.
8. Il n'a vu personne pendant son voyage.

11 Alain est en forme ou pas?

*Le graphique suivant montre quand Alain a fait certaines choses cette semaine. Pour chaque activité, écrivez une phrase qui utilise **toujours**, **souvent**, **ne (n')... pas souvent**, ou **ne (n')... jamais**. Enfin, répondez à la question dans le titre de cette activité.*

• prendre un jus d'orange le matin (100%)	• manger des légumes frais (0%)
• manger du fast-food (85%)	• faire des promenades (10%)
• faire du sport (10%)	• dormir huit heures par nuit (0%)
• manger des fruits frais (75%)	

Communiquez!

12 Nos activités

Interpersonal Communication

*À tour de rôle, demandez si votre partenaire fait les activités suivantes. Répondez avec **ne (n')... jamais**, **ne (n')... plus**, ou **toujours**.*

MODÈLE A: **Tu joues au foot?**
B: **Je joue toujours au foot.**
ou
Je ne joue jamais au foot.
ou
Je ne joue plus au foot.

1. écouter de la musique alternative
2. manger du pâté
3. étudier pour les contrôles d'histoire
4. faire du ski alpin
5. voyager au Québec
6. visiter un château
7. attendre tes amis à la cantine
8. faire du vélo
9. prendre un hamburger après les cours
10. marcher pour aller à l'école

À vous la parole

Question centrale

How do travel experiences shape our worldview?

Communiquez!

13 À la gare

Interpersonal Communication

With a partner, play the roles of a traveler and the ticket agent at the train station. In your conversation:

Greet the ticket agent and say that you would like to buy a train ticket from Paris to another destination in France. →	Ask the traveler if he or she would like to leave in the morning, afternoon, or evening.
Select a departure time and ask the price of the ticket. →	Provide the price of the ticket and departure and arrival times.
Purchase the ticket and ask where you can find the train. →	Tell the traveler which train track to go to.
Ask if the train is on time. →	Remind the traveler to look at the arrivals and departures board.
Thank the ticket agent. →	Wish him or her a good trip.

Communiquez!

14 Voyage en TGV!

Interpretive/Presentational Communication

With a partner, explore the website for the national French railway (**SNCF: Société nationale des chemins de fer français**) and plan a trip on the high speed French train, the TGV (**train à grande vitesse**) from Paris to another city in France. Then, tell your classmates where you are going, the departure and arrival times of your train, the cost of the ticket, what you can eat on the train, and what geographical features you might see from the train window on the trip. (Note: ticket prices will vary based on the age of the traveler and the class in which you wish to travel.)

Search words: sncf, tgv, idtgv, idzen, idzap, idnight

Communiquez!

15 Itinéraire au "jardin de la France"

Interpretive/Presentational Communication

Research the Loire Valley region of France and prepare a travel poster or PowerPoint™ presentation to share what you learn. Include the following:

- three castles to visit
- the location of each castle in relation to Tours (**à l'est de Tours**, etc.)
- the entrance fee, opening hours, and dates when the castle is closed
- one special feature of each castle
- where you can stay while visiting **les châteaux de la Loire**
- three additional activities you can do in the region

Search words: châteaux de la loire, vallée de la loire, tours

Communiquez!

16 Une enquête

Interpersonal Communication

Poll ten of your classmates to find out if they have traveled to three francophone cities or countries of your choosing. Record their answers in a grid like the one below by checking the box next to each place the person has traveled. After polling your classmates, report the percentage of people who have traveled to each place.

As-tu jamais voyagé à/au/aux/en...?

	1	2	3	4	5	6	7	8	9	10
Montréal			✓		✓				✓	
Paris		✓				✓				
Québec (ville)										

MODÈLE A: **As-tu jamais voyagé à Montréal?**
B: **Oui, j'ai voyagé à Montréal.**
ou
Non, je n'ai jamais voyagé à Montréal.

Report: Vingt pourcent des élèves ont voyagé à Paris; trente pourcent ont voyagé à Montréal, mais il n'y a personne qui a voyagé à Québec.

Stratégie communicative

Writing a Postcard

1. When writing someone a postcard, always begin with the date, for example, **le 18 mai.** Remember that in French the day comes before the month.
2. Next, use a French salutation, or greeting, such as:
   - **Salut, Coralie!**
   - **Cher Patrick** (*Dear Patrick*)
   - **Chère Catherine** (*Dear Catherine*)
   - **Mes chers grands-parents** (*My dear grandparents*)
   - **Mes chères cousines** (*My dear cousins*)

When addressing someone you don't know well, use **Monsieur**, **Madame**, or **Mademoiselle**, followed by the person's last name.

3. After writing the content of your postcard, always finish with an appropriate closing. The following are some possibilities when writing to your family or friends or adults you don't know very well.

Informal	Formal
Gros bisous (*Big kisses*)	**Cordialement** (*Cordially*)
Je pense à toi. (*Thinking about you.*)	**Amitiés** (*Best regards*)
Je t'embrasse très fort. (*Big kisses.*)	**Bien à vous** (*Sincerely*)

17 Une Américaine à Paris

What did Jennifer write about her first day in Paris to her pen pal in Morocco? Put the expressions and sentences in logical order on the postcard that your teacher will give you.

1. Je suis arrivée à l'aéroport Roissy—Charles de Gaulle.
2. Ma chère Yasmine,
3. Enfin, j'ai mangé une crêpe au chocolat sur les bords de la Seine.
4. D'abord, je suis allée au Louvre pour admirer la *Joconde*.
5. Je t'embrasse très fort, Jennifer
6. Puis, je suis montée dans un bâteau-mouche sur la rive gauche.
7. Comment vas-tu?
8. J'ai pris le métro direction la tour Eiffel.
9. Ensuite, je suis montée tout en haut de la tour Eiffel où j'ai pris des photos de tout Paris.
10. le 25 juillet

18 Mon voyage en train

Send a virtual postcard to a friend, relative, or another adult in your life from Montreal or the Loire Valley. Describe your stay, using the **passé composé**, time expressions (**hier matin, mercredi soir, etc.**), and linking words (**d'abord, ensuite, après, enfin**).

Search words: carte virtuelle montréal, carte virtuelle châteaux de la loire

Leçon C

Vocabulaire actif

emcl.com
WB 23–55
LA 1–2
Games

L'Europe et les directions

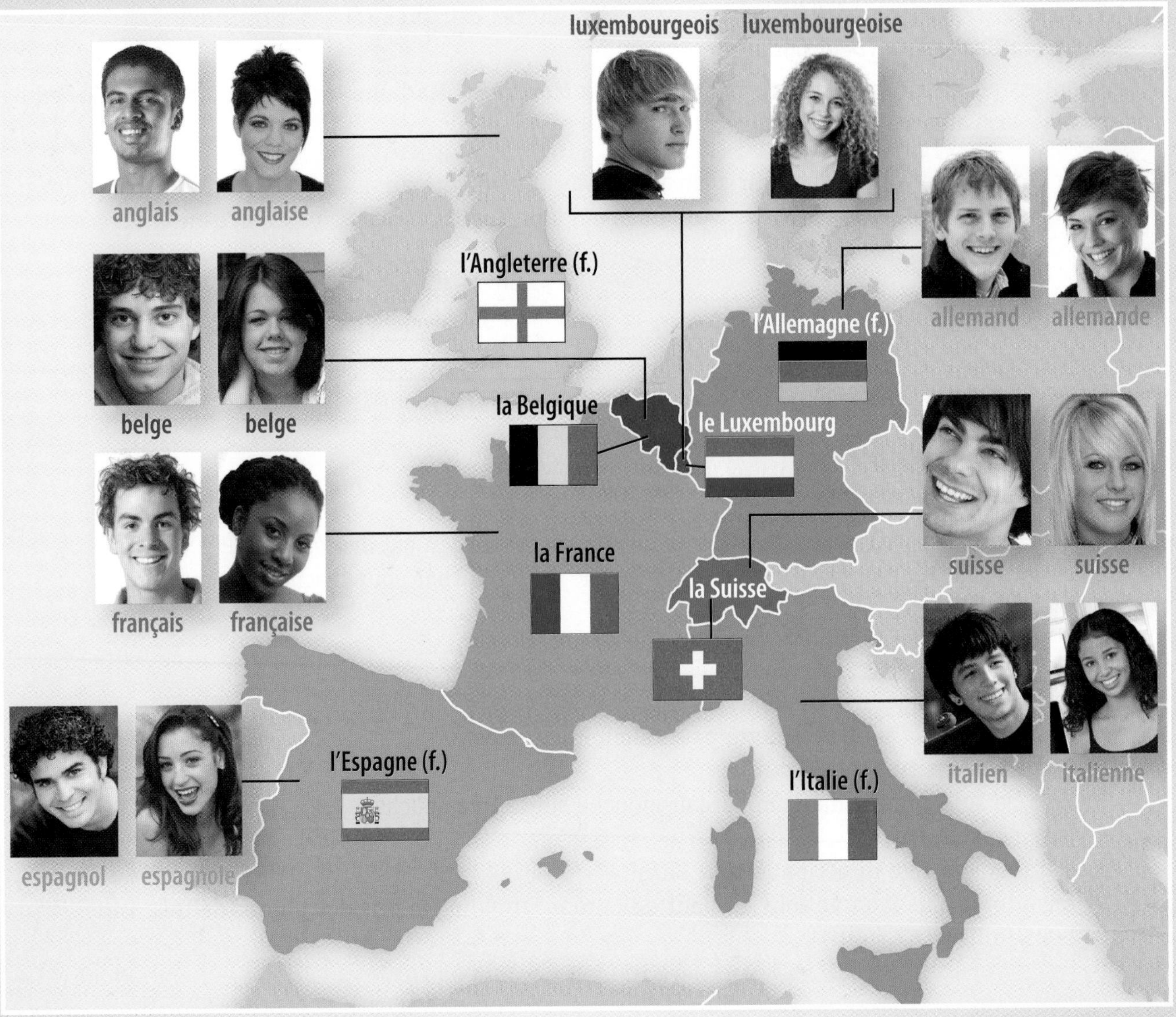

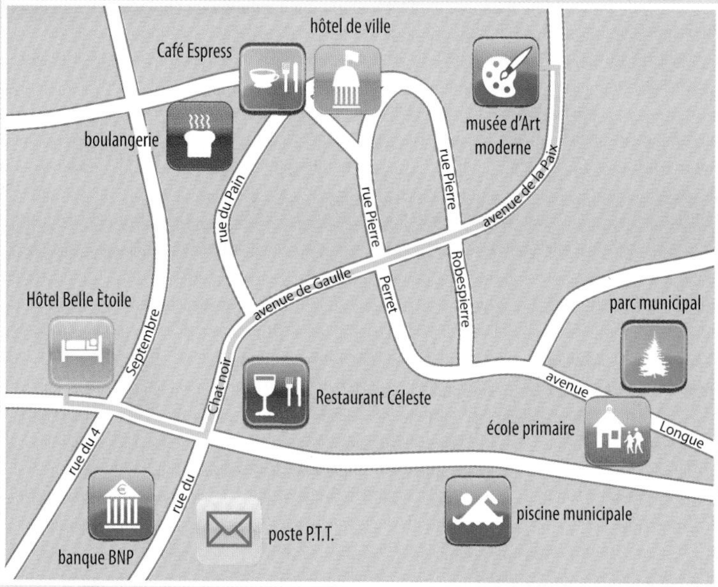

La banque est **en face de** la poste.
Le café est **à côté de** l'hôtel de ville.
L'école est **entre** le parc et la piscine.

Traversez la rue du 4 septembre.

Traversez la rue du 4 septembre.
Tournez à gauche quand vous arrivez au restaurant.
Prenez l'avenue de Gaulle jusqu'à l'avenue de la Paix.
Allez tout droit.
Le musée est sur votre gauche.

Pour la conversation

emcl.com
WB 26–27

How do I ask for directions?

> **Pardon, où se trouve** le Musée international de la Croix-Rouge?

Excuse me, where is the International Red Cross Museum located?

How do I give directions?

> **Va/Allez vers** l'est.

Go towards the east.

> **Continue/Continuez tout droit.**

Continue straight ahead.

> **Tourne/Tournez à** droite.

Turn right.

> **Prends/Prenez** la plus grande avenue.

Take the biggest avenue.

Et si je voulais dire...?

l'Autriche (f.)	*Austria*
autrichien(ne)	*Austrian*
la Chine	*China*
chinois(e)	*Chinese*
le Japon	*Japan*
japonais(e)	*Japanese*
le Madagascar	*Madagascar*
malgache	*from Madagascar*
le Maroc	*Morocco*
marocain(e)	*Moroccan*
le Mexique	*Mexico*
mexicain(e)	*Mexican*
le Portugal	*Portugal*
portugais(e)	*Portuguese*
la Tunisie	*Tunisia*
tunisien(ne)	*Tunisian*

1 Les drapeaux européens

Identifiez le drapeau.

MODÈLE **C'est le drapeau français. Il est bleu, blanc, et rouge.**

1. 

2. 

3. 

4. 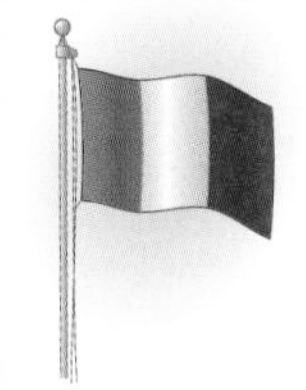

5. 

6. 

7. 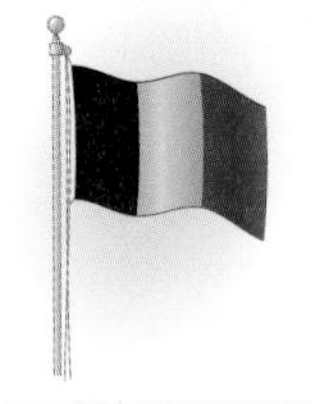

2 Ils sont européens.

Les personnes suivantes font des activités dans leurs pays ce weekend. Complétez la phrase avec un adjectif qui réflète leur pays d'origine.

MODÈLE Angèle est luxembourgeoise. Elle regarde un match....
luxembourgeois

1. Marie-Alix est française. Elle dîne dans un restaurant....
2. Gunther est allemand. Il circule dans une voiture....
3. Carlos est espagnol. Il invite une amie....
4. Gemma est anglaise. Elle regarde un match....
5. Jean-Luc est suisse. Il achète une imprimante....
6. Louis-Jacques est belge. Il va à une gare....
7. Luigi est italien. Il fait les courses dans une boutique....

Marie-Alix dîne sur la terrace d'un café français.

3 En vacances où?

Écrivez les numéros 1–5 sur votre papier. Écoutez chaque description de vacances et choisissez la lettre du pays correspondant.

A. l'Espagne B. la France C. la Suisse D. la Belgique E. l'Angleterre

4 Où est-ce qu'ils vont?

*Lisez les indications que chaque personne reçoit de l'Office de Tourisme. Lisez les phrases pour trouver la destination sur le plan (*on the map*).*

MODÈLE M. Simon
Prenez l'avenue du 14 juillet au nord et tournez à droite sur la rue Frédéric Chopin. C'est en face de la cathédrale.
le musée

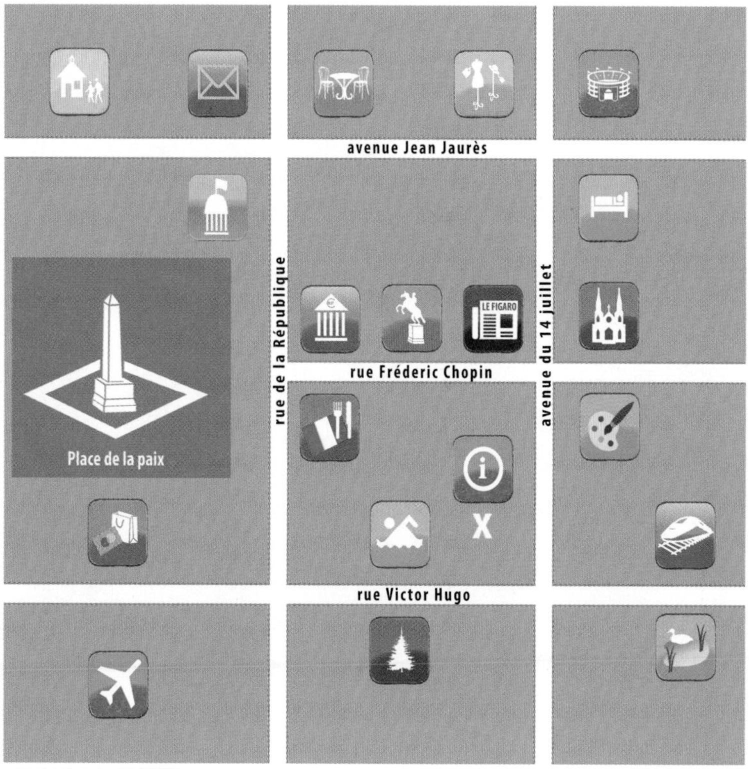

1. Mme Collins
Tournez à droite sur l'avenue du 14 juillet. Prenez la rue Victor Hugo vers l'ouest. C'est sur votre droite en face du parc.
2. M. Martinelli
Prenez l'avenue du 14 juillet vers le nord et traversez la rue Frédéric Chopin. Tournez à gauche sur l'avenue Jean Jaurès. C'est à côté d'une boutique.
3. Mlle Clément
Prenez l'avenue du 14 juillet à gauche et allez tout droit à la rue Frédéric Chopin. Tournez à gauche et allez jusqu'à la rue de la République. Tournez à droite et allez tout droit à l'avenue Jean Jaurès. Tournez à gauche. C'est sur votre gauche.
4. Mme Kraft
Prenez l'avenue du 14 juillet à gauche. Tournez à gauche sur la rue Frédéric Chopin. C'est entre le kiosque à journaux et la banque.
5. M. Redgrave
Tournez à gauche sur l'avenue du 14 juillet. Allez jusqu'à la rue Frédéric Chopin. Tournez à gauche. C'est en face du restaurant italien.
6. Mlle Olsen
Prenez l'avenue du 14 juillet à droite. Allez jusqu'à la rue Victor Hugo. Tournez à droite. Prenez la rue de la République. Allez tout droit. À l'avenue Jean Jaurès tournez à gauche. C'est sur votre droite à côté de l'école.

Communiquez!

5 Dans ma ville

Interpersonal Communication

À tour de rôle, jouez les rôles d'un élève francophone qui visite votre école et d'un élève qui l'aide avec des directions.

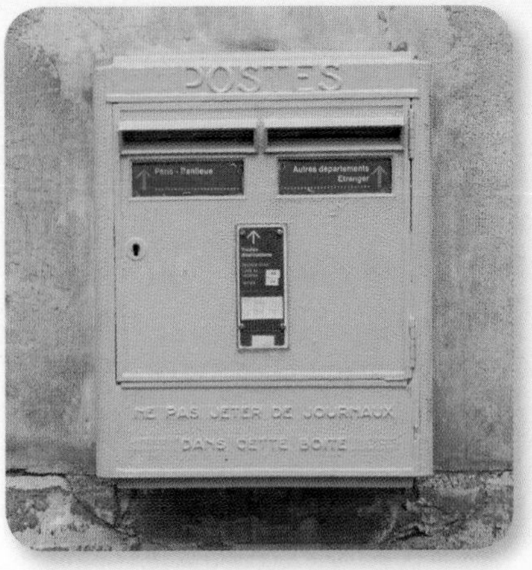

MODÈLE

A: **Pardon, où se trouve la poste?**

B: **Prenez High Street jusqu'à Oak Road. Tournez à droite. C'est à côté de la banque.**

1. la piscine
2. le centre commercial
3. l'hôtel de ville
4. la banque
5. le restaurant italien
6. le supermarché

Communiquez!

6 Questions personnelles

Interpersonal Communication

Répondez aux questions.

1. Dans ta ville, est-ce qu'il y a un centre commercial au nord de ton école?
2. Où se trouve la poste dans ta ville?
3. Comment est-ce que tu vas au cinéma?
4. As-tu voyagé en Europe? Si oui, où es-tu allé(e)?
5. Veux-tu faire du ski alpin dans les montagnes suisses?
6. Ta famille a-t-elle une voiture allemande?

Rencontres culturelles

Julien et ses parents à Genève

Julien et ses parents cherchent le Musée international de la Croix-Rouge, à Genève, en Suisse.

Julien: Qu'est-ce qu'on fait cet après-midi? Pas un autre musée!
Mère de Julien: On est à Genève, on visite le Musée international de la Croix-Rouge! C'est le musée le plus intéressant pour moi!
Père de Julien: Ta passion pour les causes humanitaires, c'est fini?
Julien: Non, pas du tout!

(Le père de Julien regarde son plan de Genève.)

Père de Julien: Bon alors… je suis perdu.
Mère de Julien: Julien, demande le chemin à ce monsieur.
Julien: Pardon, monsieur. Où se trouve le Musée international de la Croix-Rouge?
Monsieur: C'est simple. Continuez tout droit. Au bout de la rue, tournez à droite. Puis allez tout droit, ensuite le pont, le lac. Prenez la plus grande avenue et vous y êtes.
Julien: Merci, monsieur.

7 Julien et ses parents à Genève

Répondez aux questions.

1. Qui insiste d'aller au Musée international de la Croix-Rouge?
2. Julien aime-t-il cette idée?
3. Qui regarde le plan de Genève?
4. Les parents de Julien ont trouvé le musée?
5. Qui demande le chemin?
6. Qu'est-ce qu'il faut faire pour arriver au musée?

Extension **Tourisme à deux**

Léo et Ludivine passent un weekend à Paris. Ils sont à pied.

Léo: On aurait pu prendre le métro.
Ludivine: Pour ne rien voir… merci. Je préfère la lumière, la couleur de la pierre, les gens qui bougent. Regarde les gens, c'est ça la vie!
Léo: Alors, on est venu à Paris pour voir la lumière et les gens? Moi, j'aurais préféré voir les monuments.

Extension Comment les idées de tourisme de Léo et Ludivine sont-elles différentes?

Points de départ

emcl.com
WB 28–29

Question centrale
How do travel experiences shape our worldview?

La Francophonie

La Suisse

La Suisse est un pays formé de 26 cantons. Un canton est une division administrative du territoire. Sa capitale est Berne. Il y a quatre langues nationales: le français, l'allemand, l'italien, et le romanche. La Suisse a une longue tradition de neutralité politique et militaire. Elle est connue aussi pour la fabrication de montres*, ses chocolats délicieux, ses banques, et ses stations de ski.

Search words: myswitzerland.com

La capitale de Berne est dans le canton de Berne.

fabrication de montres *manufacturing of watches*

Produits

En Suisse on fabrique (*make*) beaucoup de **montres.** Une marque de luxe est Rolex, connu au monde entier (*entire*) pour sa beauté et précision. Rolex produit environ 2.000 montres, avec 20 modèles, chaque année. Une autre marque de montre suisse est Swatch, qui est bon marché.

COMPARAISONS

For what products is your state or region known?

Genève

Genève est située sur les bords du Lac Léman et du Rhône*. C'est la deuxième ville de Suisse après Zurich et la première ville francophone en Suisse. Elle est le centre d'une agglomération de 1,2 millions d'habitants. Genève est une capitale financière et le siège* de 250 institutions internationales dont* l'Office de Nations Unies à Genève (ONUG) et le Comité international de la Croix-Rouge (CICR). Avec son jet d'eau*, haut de 140 mètres, et d'autres attraits* comme sa Vieille Ville, Genève est aussi une ville très touristique.

Search words: genève tourisme

Il y a près de 200.000 habitants à Genève.

Rhône *Rhone River*; **siège** *headquarters*; **dont** *including*; **jet d'eau** *fountain*; **attraits** *attractions*

Musée international de la Croix-Rouge* et du Croissant-Rouge

Genève, berceau* de la Croix-Rouge, a inauguré en 1988 un musée consacré à l'œuvre* d'Henry Dunant, fondateur de la Croix-Rouge en 1863. Le musée évoque l'aventure d'hommes et de femmes dans leur mission au service de l'humanité depuis presque 150 ans. Son objectif est de faire connaître* les principes*, l'histoire, et les interventions de la Croix-Rouge et du Croissant-Rouge. Le rôle de la Croix-Rouge est d'assurer une assistance aux blessés*, aux prisonniers, et aux civiles victimes des conflits. Aujourd'hui la Croix-Rouge c'est 12.000 personnes à travers* le monde et des interventions dans 80 pays.

Search words: musée international de la croix-rouge

---

berceau *cradle;* **consacré à l'œuvre** *dedicated to the work;* **Croix-Rouge** *Red Cross;* **faire connaître** *to make known;* **principes** *principles;* **blessés** *wounded;* **à travers** *throughout*

À discuter

How could a visit to Geneva lead to an interest in humanitarian work? What kind of studies do you think you would need to undertake to pursue these types of jobs?

Musées
Museums

MUSEE INTERNATIONAL DE LA CROIX-ROUGE ET DU CROISSANT-ROUGE

AVENUE DE LA PAIX 17 • 1202 GENEVE
☎ 022 748 95 25 FX 022 748 95 28
www.micr.org
: Me au lu: 10h-17h - Fermé: Ma

: Accès: CHF 10.- /
Gratuit pour les moins de 12 ans /

: Sur rendez-vous / *by appointment*
tél. 022 748 95 06
: n° 8, 28, F, V, Z
P: Nations
: Accessible
, Médiathèque: sur rendez-vous
: Restaurant
: Cadeaux, souvenirs

Mon dico suisse

souper: dîner
donner un bec: faire la bise
Il fait bon chaud.: Il fait très chaud.
septante: soixante-dix
octante: quatre-vingts
nonante: quatre-vingt-dix

COMPARAISONS

What has the Red Cross done for residents of your city or region last year or this year?

8 Questions culturelles

Faites les activités suivantes.

1. Faites un profil de la Suisse:
   - Langues officielles
   - Capitale
   - Produits
2. Retrouvez les informations suivantes sur Genève:
   - Situation
   - Nombre d'habitants
   - Nombre d'institutions internationales
3. Situez sur un plan de Genève:
   - Le jet d'eau
   - Le Palais des Nations
   - La Vieille Ville
4. Citez des évènements où la Croix-Rouge est intervenue:
   - Conflit militaire
   - Catastrophe naturelle
   - Catastrophe sanitaire

Le jet d'eau de Genève est haut de 140 m. (*459 feet*).

Du côté des médias

Lisez la carte suisse.

Restaurant La Raclette

ENTRÉES
Raclette nature ou au poivre
Salade composée, asperges et parmesan, vinaigrette à l'érable
Carpaccio de bœuf, tapenade d'olives, et persil
Antipasto misto
(esturgeon fumé, œufs de cailles, rosette de Lyon, olives, câpres, anchois)

PLATS PRINCIPAUX
Raclette traditionnelle garnie de jambon, et de bœuf des Grisons
Émincé de veau à la zurichoise
Pavé de truite, salsa de concombre, aneth, yogourt, et saumon fumé
Escalope de saumon à la moutarde de Meaux
Fondue au fromage suisse
Fondue au fromage suisse aux cèpes et au thym
Poulet grillé aux olives, raisins, et citron
Foie de veau, sauce à l'ail rôti et pleurotes grillés
Bavette de bœuf marinée, vinaigrette aux herbes fraîches

DESSERTS
Poire Belle-Hélène
Vermicelles de marrons glacés
Clafoutis aux cerises noires
Torte au chocolat
Nougat glacé aux fruits séchés et aux noix

À LA CARTE
Portion de rösti
Viandes des Grisons
100G Fromage Raclette

9 Restaurant La Raclette

Faites les activités suivantes.

1. Retrouvez sur la carte l'origine de ces produits:
   - rosette de....
   - moutarde....
   - veau à la....
   - bœuf des....
2. Trouvez sur la carte trois plats typiquement suisses:
   - un plat de fromage:
   - un plat de viande:
   - un plat de légumes:
3. Citez dans la carte deux plats qui viennent de la gastronomie...
   - italienne:
   - française:
4. Choisissez votre menu (une entrée, un plat, un dessert).

La culture sur place

Interview avec un voyageur/une voyageuse

Introduction

Est-ce que vous connaissez (*know*) quelqu'un qui a voyagé à une destination où l'on parle français? Ça peut être un ami, un membre de votre famille, un camarade de classe, ou une connaissance sur votre réseau social (*social network*). Pour ce projet vous allez interviewer cette personne.

10 Investigation: Les questions

Faites des recherches en ligne sur la destination de la personne que vous interviewez. Préparez une liste de questions. Si la personne parle français, posez les questions en français. Sinon, posez les questions en anglais. Commencez avec des questions comme les suivantes.

1. Où est-ce que vous êtes allé(e)?
2. Qu'est-ce que vous avez vu?
3. Qu'est-ce que vous avez fait?
4. Qu'est-ce que vous avez aimé?
5. Qu'est-ce que vous n'avez pas aimé?

Posez encore trois ou quatre questions plus précises sur le voyage, basées sur votre recherche. Évitez (Avoid) *les questions avec les réponses "oui" et "non."*

11 Présentation et discussion

Préparez un résumé (summary) *de votre interview. Vous devez parler du pays ou de la région francophone où la personne est allée, de ses expériences, et de ses souvenirs. Ensuite, présentez votre résumé à un groupe de trois ou quatre camarades de classe.*

MODÈLE **Mon sujet est allé à/au/en.... Il/Elle a vu.... Il/Elle a fait, a visité, a pris, etc. Il/Elle a aimé.... Il/Elle n'a pas aimé....**

12 Faisons l'inventaire!

Discutez ces questions avec vos camarades de classe.

1. What patterns or trends do you see in the experiences of the people who were interviewed by those in your group? Was it an obstacle for them to not speak French?
2. Do you feel like you can make any general statements about what it might be like to travel to a country or a region where French is the primary language spoken?

emcl.com
WB 30–31
Games

Superlative of Adjectives

Quelle fille est la plus chic? Quelle est la plus grande fille?

To say that a person or thing has the most of a certain quality compared to all others, use the superlative construction.

le/la/les + plus + adjectif

Solange est l'athlète **la plus fatiguée.**	*Solange is the most tired athlete.*
La tour Eiffel est **le plus beau** monument.	*The Eiffel Tower is the most beautiful monument.*

If an adjective usually precedes a noun, its superlative form also precedes a noun. If an adjective usually follows a noun, so does its superlative form. Both the definite article and the adjective agree in gender and in number with the noun they describe.

Sometimes the superlative is followed by a form of **de**.

Québec est la ville la plus charmante **du** Québec.	*Quebec is the most charming city in Quebec.*

The superlative of **bon(s)** is **le/la/les meilleur(s)**.

Ce sont **les meilleurs** footballeurs.	*They are the best soccer players.*

COMPARAISONS

How do you form the superlative in English?

New York is the biggest American city.

Daniel is one of its most elegant restaurants.

What is the superlative of "good" in English?

COMPARAISONS: In English superlatives are made by adding **–est** to the adjective or **most** before the adjective. The superlative of "good" is "best," and, like in French, is irregular.

Communiquez!

13 Ma ville

Interpersonal Communication

À tour de rôle, demandez l'opinion de votre partenaire des endroits et personnes dans votre ville ou région.

Quel est le musée le plus intéressant?
Le musée d'art.

MODÈLE le parc/splendide
A: **Quel est le parc le plus splendide?**
B: **Regions est le parc le plus splendide.**

1. l'équipe de basket/paresseux
2. l'école/strict
3. le musée/intéressant
4. le restaurant/chic
5. la boutique/cher
6. l'homme ou la femme d'affaires/généreux

14 Qui est l'élève le plus...?

Écoutez chaque description des personnes suivantes au superlatif et écrivez la lettre qui correspond à l'image la plus logique.

15 Notre école

Vous êtes le guide pour des visiteurs à votre école. Utilisez le superlatif pour décrire ces choses et personnes.

MODÈLES nouveau/l'école
C'est la plus nouvelle école.

profs/énergique
Ce sont les profs les plus énergiques.

1. élèves/diligent
2. profs/intelligent
3. joli/cantine
4. cours/intéressant
5. nouveau/piscine
6. médiathèque/moderne
7. bon/labo
8. bon/équipe de foot
9. grand/salle de classe
10. bon/école

Ce sont les élèves les plus diligents.

16 Mes amis

Utilisez le superlatif d'un adjectif de la liste pour écrire des phrases qui décrivent vos amis.

MODÈLES énergique
Mon ami le plus énergique, c'est Serge.
petit
Ma plus petite amie, c'est Anne.

1. bavard
2. grand
3. généreux
4. égoïste
5. chic
6. joli
7. beau

À vous la parole

Question centrale

How do travel experiences shape our worldview?

Communiquez!

17 La Suisse

Interpretive/Presentational Communication

Plan a vacation in Switzerland that centers around its natural landscape. Tell your classmates what you will visit and what you will do and see there.

MODÈLE **Je vais visiter.... Je vais voir.... Je vais (faire)....**

Search words: **myswitzerland.com: une histoire d'eau**
swissworld: saisons
swissworld: paysages

Communiquez!

18 De l'humanitaire avec La Croix-Rouge

Interpretive/Presentational Communication

You and a friend are organizing volunteers for the Red Cross in various francophone countries. Do online research about current projects and volunteer activities and create a survey listing five of them. Distribute the survey to your classmates and ask them to rank the projects and activities in order of their preferences. Tally the results and present the top volunteer opportunity to the class.

Search words: **croix rouge suisse: jeunesse**

Communiquez!

19 Venez chez moi!

Presentational Communication

You are throwing a birthday party for a friend. Give your friends detailed directions from school to your house. Include buildings and landmarks they will see on their way.

Lecture thématique

Je me souviens

Rencontre avec l'auteur

Louis Aragon (1897–1982) était écrivain et poète français. Très jeune, il faisait partie du mouvement surréaliste. Pendant la Seconde Guerre mondiale (*WWII*), il est devenu l'un des poètes de la Résistance contre les nazis. Son roman (*novel*) le plus célèbre est *Aurélien* (1945), un roman d'amour autobiographique. Poète majeur de la deuxième partie du XXème siècle, beaucoup de ses textes ont été popularisés par des compositeurs et chanteurs. Vous allez lire le poème "Je me souviens." Yves Montand a chanté ce poème dans lequel un homme regarde des cartes postales de ses amis dans un album. De quoi se souvient-il quand il regarde ces photos?

Stratégie de lecture

Imagery is descriptive language used to create word pictures, or **images.** As you read, fill in a graphic organizer like the one below with images from the song lyrics.

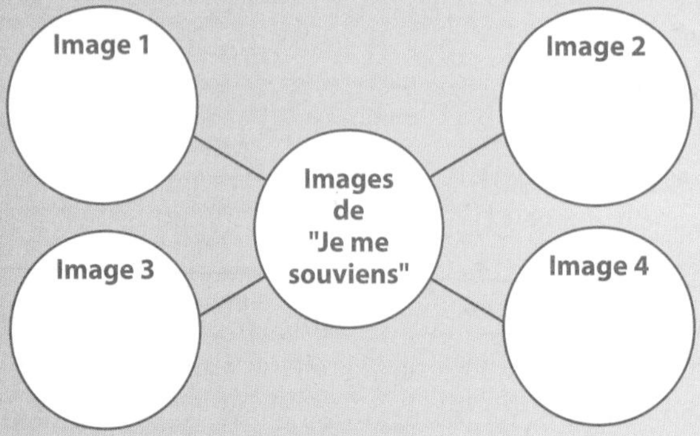

Outils de lecture

Stanzas

A stanza, or **strophe**, is a grouping of lines in a poem or song. This song poem has quintains, or five-line stanzas. In French, such a poem is called **un cinquain**. Note that the rhyme scheme in "**Je me souviens**" is A-A-B-B-A in each stanza. These stanzas progress in meaning. In the first stanza, the speaker feels nostalgia (a longing) for trips he and his friends have taken. In the second stanza, he is looking at a postcard album and rereading how his friends signed their postcards. The third stanza is about whose memories?

Le cerf-volant, 1925. Achille Varin. Château-musée municipal de Nemours, France.

Pre-lecture

De quel voyage est-ce que tu te souviens? La nostalgie évoque quelles images de ce voyage?

Ô la nostalgie à retrouver de vieilles cartes postales
Où le ciel* est toujours bleu, l'arbre* toujours vert, la mer étale*
Sans doute on ne les met dans l'album que* pour les photographies
Je suis seul à savoir* ce que l'écriture* au dos signifie
Les diminutifs*, les phrases banales

Au-dessus de ce monde mort on voit traîner des cerfs-volants*
Poignées de main* de Castelnaudary, bons baisers* du Mont-Blanc,
Un bonjour de Saint-Jean-de-Luz, salutations de la Baule,
Je suis depuis* trois jours ici, c'est plein de* Parisiens très drôles,
Nous avons fait un voyage excellent

Je me souviens de nuits qui n'ont été rien d'autre que des nuits
Je me souviens de jours où rien d'important ne s'était produit
Un café dans le bois* près de la gare Saint Nom La Bretèche
Le bonheur* extraordinaire en été d'un verre d'eau fraîche
Les Champs-Élysées un soir sous la pluie*

Pendant la lecture
1. Les cartes postales sont-elles réalistes ou idéalistes?

Pendant la lecture
2. Qui a la clé de la signification des "diminutifs" et "phrases banales"?

Pendant la lecture
3. Quels endroits les amis du narrateur ont-ils visités?

Pendant la lecture
4. Le narrateur se souvient-il de moments simples ou compliqués?

le ciel *sky*; **l'arbre** *tree*; **étale** *spreads out*; **ne... que** *only*; **savoir** *to know*; **l'écriture** *writing*; **diminutifs** *nicknames*; **traîner des cerfs-volants** *kites floating*; **poignées de main** *handshakes*; **baisers** *kisses*; **depuis** *since*; **plein de** *full of*; **le bois** *woods*; **le bonheur** *happiness*; **la pluie** *rain*

Post-lecture

De quelles façons cette chanson est-elle nostalgique?

Le monde visuel

Le cerf-volant *(The Kite)* d'Achille Varin (1863–1942) montre l'utilisation artistique de la perspective. La perspective est une technique utilisée pour montrer la relation spaciale entre objets, donnant une illusion de distance et de profondeur (*depth*). La ligne qui divise la terre et l'herbe (*grass*), la ligne verticale des arbres, et la ligne horizontale de l'horizon attirent l'œil dans la dimension de cette scène en plein air. Comment la perspective utilisée avec le cerf-volant donne-t-elle une vue plongeante (*diving*) dans la peinture?

20 Activités d'expansion

Faites les activités suivantes.

1. Écrivez un paragraphe dans lequel (*in which*) vous expliquez l'organisation de la chanson et la sélection d'images. Servez-vous de votre organigramme.
2. Écrivez une carte postale à un copain qui décrit un voyage réel ou imaginaire. Commencez votre carte postale avec **Cher** (pour un copain) ou **Chère** (pour une copine) et terminez avec une expression de la deuxième strophe du poème. Dessinez ou imprimez une image pour votre carte postale.
3. Écrivez un cinquain avec des images d'un voyage réel ou imaginaire.

Les copains d'abord: Ce n'est qu'un au revoir mes frères....

T'es branché?

Projets finaux

A Connexions par Internet: L'architecture

Research online the characteristics of the following architectural styles of French castles: **féodal ou médiéval**, **gothique**, **gothique flamboyant**, **renaissance**, **classique**. Find a French castle that you like that illustrates one of these styles and present it to the class. Include its name, location, style, and the time period of that style. Also include one other interesting piece of information that would make your classmates want to visit the castle.

MODÈLE

C'est le château de Cheverny. Il se trouve à l'est de Tours et entre Chenonceau au sud et Chambord au nord. C'est dans le style classique. Le classicisme est un style du XVIIème siècle. Cheverny est le château de la Loire le plus meublé.

B Communautés en ligne

Les 22 régions de France

Learn about one of France's 22 regions by writing to the French tourist office or consulate in your area. Begin by finding a map of the regions. Then, select one that looks interesting to you based on preliminary research. Create a list of questions and, using what you learned about writing correspondence in this unit's **Stratégie communicative** section, write an e-mail asking the French consulate or tourist office to send you information and/or web links for each of the following categories: history; regional traditions, festivals, and celebrations; art and architecture; tourist sites; and, food specialties. Create a PowerPoint™ or other visual presentation about your region for the class.

Search words: **régions de france, office de tourisme de *(name of region)***

C Passez à l'action!

Le programme de notre voyage

Plan a class trip to several French-speaking cities in Europe or Africa. Create an itinerary and draw a map to show where you will go. Include information about the cities (population, history, important sites). Also find places where you will stay and eat (hotels and restaurants) and how you will travel (**en train, en bus, en avion, en voiture**—or a combination of these).

Search words: (*place name*) tourisme
voyager à/au/aux/en (*place name*)

Question centrale
How do travel experiences shape our worldview?

D Faisons le point!

Your teacher will give you a chart like the one below. Fill it in with what you've learned about how travel in other countries shapes one's worldview.

Je comprends	Je ne comprends pas encore	Mes connexions

What did I do well to learn and use the content of this unit?	What should I do to better learn and use the content of this unit?
How can I effectively communicate to others what I have learned?	What was the most important information I learned in this unit?

Évaluation

emcl.com
LA *Synthèse*

A Évaluation de compréhension auditive

Écoutez Sandrine et Lucas décrire leur journée aux châteaux de la Loire. Choisissez la réponse appropriée.

1. Quelle heure est-il?
   A. Il est huit heures.
   B. Il est neuf heures.
   C. Il est dix heures.
2. Sandrine et Lucas vont visiter combien de châteaux?
   A. Ils vont visiter cinq châteaux.
   B. Ils vont visiter un ou deux châteaux.
   C. Ils vont visiter deux ou trois châteaux.
3. Comment est-ce qu'ils vont y aller?
   A. Ils vont y aller en bus.
   B. Ils vont y aller à vélo.
   C. Ils vont y aller en voiture.
4. Quel château vont-ils visiter d'abord?
   A. D'abord ils vont visiter Chambord.
   B. D'abord ils vont visiter Cheverny.
   C. D'abord ils vont visiter Chenonceau.
5. Comment peut-on trouver le château?
   A. Le château est à droite sur la route d'Orléans.
   B. Le château est à gauche sur la route d'Orléans.
   C. Le château est à droite sur la route de Cheverny.
6. Qu'est-ce qu'il y a dans le village?
   A. Il y a un centre commercial près du château.
   B. Il y a des cafés et un bureau de poste au village.
   C. Il n'y a rien dans le village.
7. Comment Sandrine et Lucas vont-ils revenir?
   A. Lucas et Sandrine vont revenir à pied.
   B. Lucas et Sandrine vont revenir à vélo.
   C. Lucas et Sandrine vont revenir en train.

B Évaluation orale

With a partner, role-play a conversation between a traveler who's going somewhere in Quebec, France, or Switzerland by train and a friend who's come to the station to say good-bye. The friend asks if the traveler has bought a ticket, looked at the departures board to see if the train is on time, and brought something to eat. The traveler responds, and then tells the friend what he or she is going to see while on the train. The friend asks what the traveler is going to see and do at his or her destination. After the traveler responds, the friend wishes the traveler a good trip.

Tu as déjà acheté ton billet?
Oui, je l'ai acheté en ligne.

C Évaluation culturelle

In this activity, you will compare francophone cultures with American culture. You may need to do some additional research on American culture.

1. **La province de Québec**
   Compare the province of Quebec to your state. Compare their languages, flags, populations, largest cities, capitals, and popular sports.
2. **Les destinations touristiques**
   Compare tourist attractions in Montreal or Geneva with those in the area where you live.
3. **Les spectacles**
   Compare les FrancoFolies with a music festival you've heard about, followed online, or attended.
4. **La géographie et l'histoire politique**
   Compare geopolitical political subdivisions (regions, provinces, states, counties, etc.) in France, Switzerland, and Canada with those in the United States.
5. **Les monuments historiques**
   Compare the castles of the Loire Valley with old buildings or homes that people visit in your region or other parts of the United States (i.e., the plantations of the South or the mansions of Newport, R.I.).
6. **Les personnes célèbres**
   Compare one of the famous people of Tours with a famous person from your area. Why are/were these people famous? In what field do/did they work? Do you think they will be remembered 100 years from now? Why, or why not?
7. **Les produits**
   For what products is Switzerland known, and how do these products compare with those produced in your state or region?
8. **Une institution internationale**
   Name the international institution with offices in Geneva and in New York City. What is the goal of this organization?
9. **La Croix-Rouge**
   What is the role of the Red Cross, and what has it done for residents in your city, state, or region?

D Évaluation écrite

A French family friend has arrived at your local or regional airport or other transportation station, and has rented a car. She has texted you that she needs directions to your house. Tell her the most efficient way to get there.

E Évaluation visuelle

Compare the illustrations of a train station at two different times of the day. Then, answer the questions below to describe each illustration. The questions below will help you organize your paragraph.

MODÈLE Il y a une voyageuse au composteur?
À 14h00 il y a une voyageuse qui composte son billet.
À 23h00, il n'y a personne qui composte son billet.

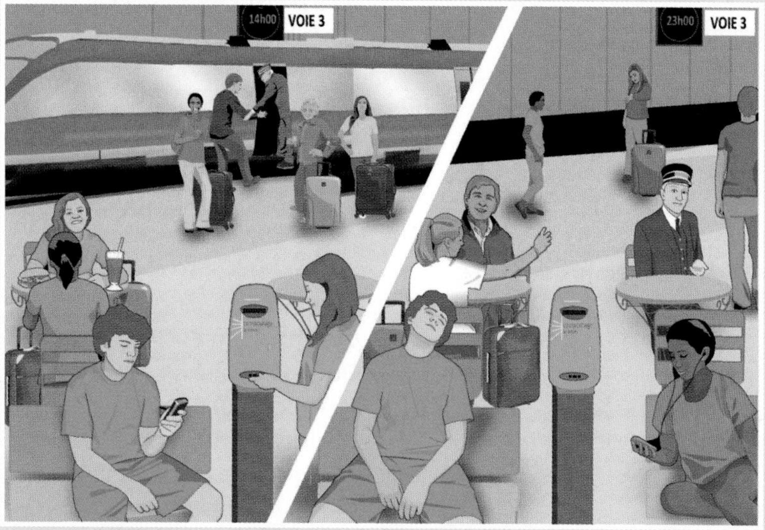

1. Il y a un train sur la voie numéro 3?
2. Il y a des voyageurs qui montent dans le train?
3. Il y a un adolescent qui écoute de la musique?
4. Le conducteur travaille?
5. Les voyageurs prennent quelque chose?

F Évaluation compréhensive

Create a storyboard with six frames. Write captions for each frame, telling about what happened (**passé composé**) on a train trip to Quebec, France, or Switzerland. Begin at the train station, continue with what you saw from the train window and did on the train, and conclude with what happened after you arrived at your destination. Share your storyboard with a group of classmates.

Vocabulaire de l'Unité 10

	accompagner to accompany *B*
l'	**Allemagne (f.)** Germany *C*
l'	**Angleterre (f.)** England *C*
l'	**arrivée (f.)** arrival *B*
un	**autobus** bus *B*
	belge Belgian *C*
la	**Belgique** Belgium *C*
un	**billet** ticket *A*
	bon: Bon voyage! Have a good trip! *B*
le	**bout** end *C*; **au bout de** at the end of *C*
la	**campagne** country(side) *B*
la	**capitale** capital *A*
une	**cascade** waterfall *B*
une	**cause** cause *C*
un	**château** castle *B*
le	**chemin** way, path *C*; **demander le chemin** ask for directions *C*
une	**colline** hill *B*
	composter to validate a ticket *B*
un	**composteur** ticket-stamping machine *B*
un	**contrôleur, une contrôleuse** ticket collector *B*
le	**départ** departure *B*
un	**département** department *B*
une	**destination** destination *B*
une	**devise** motto *A*
une	**direction** direction *C*
un	**drapeau** flag *A*
	droit: tout droit straight ahead *C*
	en: en face (de) across (from) *C*
	entre between *C*
l'	**Espagne (f.)** Spain *C*
l'	**est (m.)** east *A*
un	**étang** pond *B*
l'	**Europe (f.)** Europe *C*
	faire: faire la connaissance (de) to meet *A*
une	**forêt** forest *B*
un(e)	**Francanadien(ne)** from French-speaking Canada *A*
un	**guide** guidebook *B*
un(e)	**habitant(e)** inhabitant, resident *A*
	humanitaire humanitarian *C*
	international(e) international *C*
l'	**Italie (f.)** Italy *C*
	italien(ne) Italian *C*
	jusqu'à until *C*
un	**lac** lake *B*
	loin (de) far (from) *B*
	louer to rent *B*
le	**Luxembourg** Luxembourg *C*
	luxembourgeois(e) from, of Luxembourg *C*
	ne (n')... jamais never *B*
	ne (n')... personne no one, nobody, not anyone *B*
	ne (n')... plus no longer, not anymore *B*
	ne (n')... rien nothing, not anything *B*
le	**nord** north *A*
l'	**ouest (m.)** west *A*
	pas: pas du tout not at all *C*
la	**passion** passion *C*
	perdu(e) lost *C*
un	**plaisir** pleasure *A*
un	**plan** city map *C*
	plus: le/la/les plus (+ adjective) the most (+ adjective) *C*
une	**préposition** preposition *A*
le	**profil** profile *A*
la	**province** province *A*
le	**quai** platform *B*
le	**Québec** Quebec *A*
	québécois(e) from, of Quebec *A*
	quelqu'un someone, somebody *B*
	quelque chose something *B*
	réaliser to realize *A*
une	**rivière** river *B*
une	**route** road, highway, route *B*
un	**siège** seat *B*
	simple simple *C*
	situé(e) located *A*
	souvent often *B*
	souviens: je me souviens I remember *A*
le	**sud** south *A*
	suisse Swiss *C*
la	**Suisse** Switzerland *C*
le	**tableau des arrivées et départs** arrival and departure timetable *B*
	toujours always *B*
	tourner to turn *C*
le	**train** train *B*
	traverser to cross *C*
se	**trouver** to be located *C*
les	**vacances (f.)** vacation *A*
une	**valise** suitcase *B*
une	**vallée** valley *B*
	vers towards *C*
une	**visite** visit *A*
une	**voie** train platform *B*
un	**voyageur, une voyageuse** traveler *B*
	vrai(e) true *A*
un	**wagon-restaurant** dining car *B*

Unité 10 Bilan cumulatif

Listening

I. You will hear a short conversation. Select the reply that would come next. You will hear the conversation twice.

1. A. Il ne faut jamais sortir.
   B. Faisons une fête entre amis!
   C. Bon voyage!
   D. Je pense que tu dois rester à la maison ce soir et ne rien faire!

II. Listen to the conversation. Select the best completion to each statement that follows.

2. Comment va Madame Sanchez?
   Mme Sanchez....
   A. a froid
   B. va bien; elle est avec son ami, Monsieur Duris
   C. a mal à la tête et à la gorge
   D. va à la maison

3. Madame Sanchez veut....
   A. demander le chemin
   B. aller chez le médecin
   C. rester à la campagne
   D. rencontrer un médecin

Reading

III. Read Elisa Guttierez' journal of her family vacation in Quebec, Canada. Then select the best completion to each statement.

Nous sommes partis en vacances de Los Angeles dans notre nouvelle voiture hybride mercredi soir. Pour arriver le plus vite, nous avons pris la route qui va tout droit au nord jusqu'au Canada et ensuite, nous sommes allés à l'est en direction de Montréal. Après cinq jours de route, nous sommes enfin arrivés à notre destination. D'abord, nous avons visité Montréal, la ville la plus internationale du Canada. Ensuite, nous sommes allés à la ville de Québec où nous sommes restés trois jours. C'est aussi une très jolie ville qui se trouve au bord du fleuve St. Laurent. Les Québécois sont très sympas! En plus, protéger l'environnement est très important au Canada où l'on fait tout pour arrêter la pollution. J'adore le Canada!

4. Elisa et sa famille sont arrivées au Canada....
   A. à une école internationale
   B. après cinq jours
   C. lundi
   D. pour apprendre le français et l'anglais

5. Les Guttierez ont....
   A. voyagé en train
   B. pris l'avion
   C. circulé en voiture
   D. pris un bateau

6. Elisa pense que....
   A. la ville de Montréal est la capitale du Québec
   B. protéger l'environnement est important pour les Canadiens
   C. Montréal est la plus belle ville du Canada
   D. les Québécois sont généreux

Writing

IV. Complete the dialogue between Julien and Sophie with appropriate words or expressions.

Julien: Qu'est-ce que tu vas faire __1__ été?
Sophie: Pendant le __2__ de juillet, je vais accompagner ma famille __3__ Espagne. On y va avec notre nouvelle voiture __4__. En août, je vais travailler avec des amis pour protéger __5__ à Paris. Il faut __6__ la pollution. Et toi? Est-ce que tu as des __7__ pour les vacances?
Julien: Je __8__ ai __9__ encore fait des projets avec des copains, mais avec __10__ mère, mon père, et ma sœur, on part pour la Suisse bientôt. On prend le __11__. Un __12__ en train coûte seulement 15 euros. J'adore manger dans le __13__ du train aussi. En plus, on peut beaucoup voir pendant le voyage. La __14__, avec ses belles __15__ et montagnes, est vraiment géniale.

V. Complete the paragraph with the correct form of the verbs. Note: there will be verbs in the **passé composé** and others that require the infinitive.

Janvier dernier, Sarah et sa sœur Marie __16__ au Canada pour le Carnaval de Québec. Avant d'y aller, elles __17__ un guide et elles __18__ l'histoire de cette région et ville splendides et francophones. En général, en hiver il __19__ très froid au Québec, mais les deux sœurs ont porté les vêtements nécessaires. Elles __20__ tout au Carnaval. Après cette visite, elles veulent maintenant y __21__ en été. Elles veulent __22__ Montréal pour aller au festival des FrancoFolies. Le Québec, c'est le fun!

16. (aller)
17. (acheter)
18. (apprendre)
19. (faire)
20. (voir)
21. (retourner)
22. (visiter)

Composition

VI. Write a postcard about an imaginary trip to Quebec in which you:
- write the date.
- write a salutation and say hello from Montreal in Quebec.
- tell your friends that you went to **les FrancoFolies** and the music genre you liked the best.
- describe the weather.
- name a tourist attraction that you visited and what you saw or did there.
- sign your postcard at the bottom, using an appropriate closing.

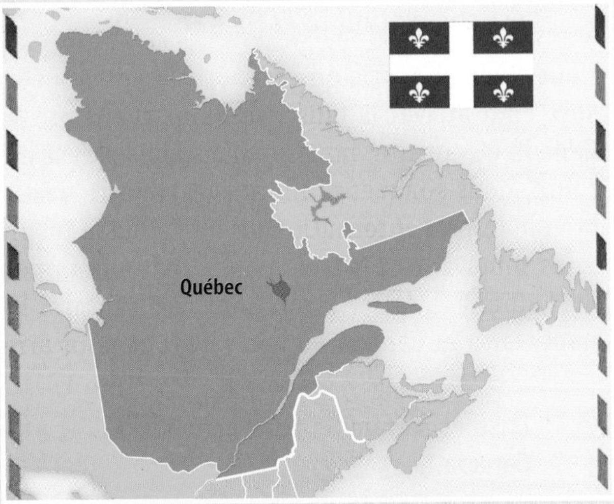

Speaking

VII. Play the roles of an American tourist who speaks French and a **Francanadienne** who meet at the FrancoFolies festival in Montreal. The **Francanadienne** asks the American tourist's name and age, where he or she is from, the classes he or she has, what he or she likes to do, what he or she did last summer, and what he or she plans to do after the concert. The American tourist responds.

Grammar Summary

The Grammar Summary is in alphabetical order.

Adjectives

Agreement of Regular Adjectives

Masculine	Masculine Plural	Feminine	Feminine Plural
	+ s	**masculine adjective + e**	**masculine adjective + es**
grand	grands	grande	grandes

Exceptions

Masculine	Masculine Plural	Feminine	Feminine Plural
Adjectives ending in **e** bête	**+ s** bêtes	no change bête	**+ s** bêtes
Adjectives ending in **n, l** bon intellectuel	**+ s** bons intellectuels	**double consonant + e** bonne intellectuelle	**double consonant + es** bonnes intellectuelles
Adjectives ending in **s** gros	no change gros	**double consonant + e** grosse	**double consonant + es** grosses
Adjectives ending in **eux** généreux	no change généreux	**-euse** généreuse	**-euses** généreuses

Irregular Adjectives

Masculine	Masculine Before a Vowel	Masculine Plural	Feminine	Feminine Plural
beau	bel	beaux	belle	**+ s**
nouveau	nouvel	nouveaux	nouvelle	
vieux	vieil	vieux	vieille	
frais		} **+ s**	fraîche	
cher			chère	
blanc			blanche	
long			longue	

Position of Adjectives

Article + Noun	+ Adjective
des stylos **bleus**	

Exceptions

beau, joli, nouveau, vieux, bon, mauvais, grand, petit, gros *(BAGS: beauty, age, goodness, size)*

Article + Adjective	+ Noun
une **belle** voiture	

Comparative of Adjectives

plus	(*more*)	**+ adj**	**+ que**	(*than*)
moins	(*less*)	**+ adj**	**+ que**	(*than*)
aussi	(*as*)	**+ adj**	**+ que**	(*as*)

Superlative of Adjectives

For regular adjectives, placed after the noun

le/la/les + noun + **le/la/les** + **plus** + adjective

For adjectives placed before the noun

le/la/les + **plus** + adjective + noun
Exception: bon = le/la/les **meilleur**(e)(s)

Interrogative Adjective *quel*

Masculine	Masculine Plural	Feminine	Feminine Plural
quel	quels	quelle	quelles

Possessive Adjectives

Masculine	Feminine	Plural
mon	ma	mes
ton	ta	tes
son	sa	ses
notre	notre	nos
votre	votre	vos
leur	leur	leurs

Adverbs

assez	mal
beaucoup	peu
bien	un peu
déjà	trop
enfin	vite

Expressions of Quantity

assez de	une boîte de	une bouteille de
beaucoup de	un paquet de	un pot de
peu de	un morceau de	une tranche de
un peu de	un gramme de	un kilo de
trop de	un litre de	

Articles

Indefinite Articles

Singular		Plural
Masculine	Feminine	
un	une	des

Definite Articles

Singular			Plural
Before a Consonant Sound		Before a Vowel Sound	
Masculine	Feminine		
le	la	l'	les

À + Definite Articles

Singular			Plural
Before a Consonant Sound		Before a Vowel Sound	
Masculine	Feminine		
au	à la	à l'	aux

De + Definite Articles

Singular			Plural
Before a Consonant Sound		Before a Vowel Sound	
Masculine	Feminine		
du	de la	de l'	des

Partitive Articles

Before a Consonant Sound		Before a Vowel Sound	In the Negative
Masculine	Feminine		
du	de la	de l'	**pas de** coca **pas de** viande **pas d'**eau minérale

C'est vs. il/elle est

c'est	vs.	ce n'est pas
C'est un ballon de foot.		Ce n'est pas un gâteau.
c'est	**vs.**	**il/elle est**
C'est un garçon. C'est une fille.		Il s'appelle Karim. Elle s'appelle Amélie.
ce sont	**vs.**	**ils/elles sont**
Ce sont des étudiants. Ce sont des étudiantes.		Ils sont sportifs. Elles sont sympa.

Negation

ne (n')… pas	Il **ne** joue **pas**. Il **n'**a **pas** joué.
ne (n')… plus	Elle **n'**aime **plus** les frites.
ne (n')… jamais	Nous **ne** dansons **jamais**.
ne (n')… personne	Vous **n'**invitez **personne**?
ne (n')… rien	Ma grand-mère **ne** comprend **rien**.

Numbers

Cardinal Numbers	Ordinal Numbers
un	premier, première
deux	deuxième
trois	troisième
quatre	quatrième
cinq	cinquième
six	sixième
sept	septième
huit	huitième
neuf	neuvième
dix, etc.	dixième, etc.

Prepositions

Prepositions before Cities, Countries, Continents

City (no article)	Masculine (le Japon)	Feminine (la France)	Plural (les États-Unis)
à	au	en	aux

Pronouns

Subject Pronouns

Singular	Plural
je	nous
tu	vous
il/elle/on	ils/elles

Questions

Forming Questions

using **n'est-ce-pas**	Il fait chaud, **n'est-ce pas**? Ils regardent un DVD, **n'est-ce pas**?
using **est-ce que**	**Est-ce qu'**il fait chaud? **Est-ce qu'**ils regardent un DVD?
using **inversion:** Verb-Subject	**Fait-il** chaud? **Regardent-ils** un DVD?

Telling Time

Il est une **heure** …et quart. …et demie. …moins le quart.
Il est midi.
Il est minuit.

Verbs

Regular Verbs—Present Tense

-er aimer			
j'	aim**e**	nous	aim**ons**
tu	aim**es**	vous	aim**ez**
il/elle/on	aim**e**	ils/elles	aim**ent**

-ir finir			
je	fin**is**	nous	fin**issons**
tu	fin**is**	vous	fin**issez**
il/elle/on	fin**it**	ils/elles	fin**issent**

-re **vendre**			
je	vend**s**	nous	vend**ons**
tu	vend**s**	vous	vend**ez**
il/elle/on	vend	ils/elles	vend**ent**

Irregular Verbs—Present Tense

acheter			
j'	ach**è**te	nous	achetons
tu	ach**è**tes	vous	achetez
il/elle/on	ach**è**te	ils/elles	ach**è**tent

aller			
je	vais	nous	allons
tu	vas	vous	allez
il/elle/on	va	ils/elles	vont

avoir (avoir besoin de/avoir chaud/avoir faim/avoir froid/avoir soif)			
j'	ai	nous	avons
tu	as	vous	avez
il/elle/on	a	ils/elles	ont

devoir			
je	dois	nous	devons
tu	dois	vous	devez
il/elle/on	doit	ils/elles	doivent

être			
je	suis	nous	sommes
tu	es	vous	êtes
il/elle/on	est	ils/elles	sont

faire			
je	fais	nous	faisons
tu	fais	vous	faites
il/elle/on	fait	ils/elles	font

falloir
il faut

mettre			
je	mets	nous	mettons
tu	mets	vous	mettez
il/elle/on	met	ils/elles	mettent

offrir			
j'	offre	nous	offrons
tu	offres	vous	offrez
il/elle/on	offre	ils/elles	offrent

pouvoir			
je	peux	nous	pouvons
tu	peux	vous	pouvez
il/elle/on	peut	ils/elles	peuvent

préférer			
je	préf**è**re	nous	préférons
tu	préf**è**res	vous	préférez
il/elle/on	préf**è**re	ils/elles	préf**è**rent

prendre			
je	prends	nous	prenons
tu	prends	vous	prenez
il/elle/on	prend	ils/elles	prennent

Irregular Verbs—Present Tense *continued*

venir			
je	viens	nous	venons
tu	viens	vous	venez
il/elle/on	vient	ils/elles	viennent

voir			
je	vois	nous	voyons
tu	vois	vous	voyez
il/elle/on	voit	ils/elles	voient

vouloir			
je	veux	nous	voulons
tu	veux	vous	voulez
il/elle/on	veut	ils/elles	veulent

Regular Imperatives

-er chanter	-ir choisir	-re pendre
Chante! Chantons! Chantez!	Choisis! Choisissons! Choisissez!	Prends! Prenons! Prenez!

Expressing the Near Future

aller + Infinitive
Nous allons dîner.

Passé composé with *avoir*

avoir + past participle

-er verbs → é	-ir verbs → i	-re verbs → u
Nous avons gagné.	Tu as fini.	On a attendu.

Irregular Past Participles								
avoir	→	**eu**	devoir	→	**dû**	être	→	**été**
faire	→	**fait**	mettre	→	**mis**	offrir	→	**offert**
pouvoir	→	**pu**	prendre	→	**pris**	vendre	→	**vendu**
venir	→	**venu**	voir	→	**vu**	vouloir	→	**voulu**

Passé composé with *être*

être + past participle (+ **agreement** in gender and number)					
je	suis	arrivé(e)	nous	sommes	arrivé(e)s
tu	es	arrivé(e)	vous	êtes	arrivé(e)s
il	est	arrivé	ils	sont	arrivés
elle	est	arrivée	elles	sont	arrivées

Some of the verbs that use *être* as the helping verb in the **passé composé** are:

Infinitive	Past Participle
aller	**allé**
arriver	**arrivé**
entrer	**entré**
monter	**monté**
rentrer	**rentré**
rester	**resté**
retourner	**retourné**
partir	**parti**
sortir	**sorti**
descendre	**descendu**
vendre	**vendu**
venir	**venu**

Verbs + Infinitives

aimer	aller	désirer
devoir	falloir	pouvoir
préférer	venir	vouloir
Nous préférons faire du ski.		

Vocabulaire

Français–Anglais

A

à to 1; at 2; on 4; in 5; by 9; *À bientôt.* See you soon. 1; *à bord* on board 7; *à côté (de)* beside, next to 7; *À demain.* See you tomorrow. 1; à droite on the right 7; à gauche on the left 7; à *l'heure* on time 4; à mon avis in my opinion 9; à pied on foot 9; à vélo by bike 9

un **accompagnateur, une accompagnatrice** home health worker 9
accompagner to accompany 10
les **accras de morue (m.)** cod fritters 5
un **achat** purchase 6
acheter to buy 3
un **acteur, une actrice** actor 4
l' **action (f.)** action 4
une **activité** activity 2
l' **addition (f.)** bill 4
l' **aérobic (m.)** aerobics 9
un **aéroport** airport 8
une **affiche** poster 3
l' **Afrique (f.)** Africa 5
l' **âge (m.)** age 5; *Tu as quel âge?* How old are you? 5
un **agent de police** police officer 5
l' **agriculture (f.)** agriculture 9
ah oh 1
aider to help 1
aimer to like, love 2
l' **air (m.)** air 6
algérien(ne) Algerian 1
l' **Allemagne (f.)** Germany 10
l' **allemand (m.)** German (language) 3
allemand(e) German 10
aller to go 1; *Tu trouves que... me va bien?* Does this... look good on me? 6; *Vas-y!* Go for it! 6
allô hello (on telephone) 1
alors so, then 3
l' **aluminium (m.)** aluminum 9; *en aluminium* made of aluminum 9
américain(e) American 1
un(e) **ami(e)** friend 2
un **an** year 5
un **ananas** pineapple 6
l' **anglais (m.)** English (language) 3
anglais(e) English 10
l' **Angleterre (f.)** England 10
un **animal** animal 8; *animaux en voie de disparition* endangered species 9
une **année** year 5
un **anniversaire** birthday 5
les **antirétroviraux (m.)** antiretroviral drugs 9
août August 5
un **appartement** apartment 7
s' **appeler: je m'appelle** my name is 1; *On s'appelle.* We'll call each other. 1; *tu t'appelles* your name is 1
apporter to bring 5
apprendre to learn 4
après after 2
l' **après-midi (m.)** afternoon 3
l' **argent (m.)** money 8
une **armoire** wardrobe 7
arrêter to stop 9
s' **arrêter** to stop 8
une **arrivée** arrival 10
arriver to arrive 4
les **arts plastiques (m.)** visual arts 3
assez (de) enough (of) 6
une **assiette** plate 7
un(e) **athlète** athlete 5
attendre to wait (for) 4
Attention! Watch out!, Be careful! 7
au to (the) 1; in (the), on (the) 8; *au bout (de)* at the end (of) 10; *au-dessus de* above 7; *au fond (de)* at the end (of) 7; *Au revoir.* Good-bye. 1
une **aubergine** eggplant 6
aujourd'hui today 4
aussi also, too 2; as 7
un **autobus** bus 10
l' **automne (m.)** autumn 8
autre other 7
autrement otherwise 6
aux at (the), in (the), to (the) 3
avance: en avance early 4
avec with 1
une **aventure** adventure 4
une **avenue** avenue 8
un **avion** airplane 8
un **avis** opinion 9; *à mon avis* in my opinion 9
un(e) **avocat(e)** lawyer 5
avoir to have 3; *avoir... an(s)* to be... year(s) old 5; *avoir besoin de* to need 3; *avoir bonne mine* to look healthy 9; *avoir chaud* to be hot 8; *avoir envie de* to want, to feel like 8; *avoir faim* to be hungry 4; *avoir froid* to be cold 8; *avoir mal (à...)* to be hurt, to have a/an... ache 9; *avoir mal au cœur* to feel nauseous 9; *avoir mauvaise mine* to look awful 9; *avoir quel âge* to be how old 5; *avoir soif* to be thirsty 4; *avoir un petit air du pays* to look like (something from) my country 7
avril April 5

B

une **baguette** long thin loaf of bread 6
une **baignoire** bathtub 7
un **ballon (de foot)** (soccer) ball 4
banal(e) banal 8
une **banane** banana 6

un **banc** bench 7
une **banque** bank 8
le **bas** bottom 8
le **basket (basketball)** basketball 2
un **bateau** boat 8
bavard(e) talkative 5
beau, bel, belle beautiful, handsome 7
beaucoup a lot, very much 2; *beaucoup de* a lot of 6
un **beau-frère** stepbrother 5
un **beau-père** stepfather 5
beige beige 6
belge Belgian 10
la **Belgique** Belgium 10
une **belle-mère** stepmother 5
une **belle-sœur** stepsister 5
ben well 7
le **Bénin** Benin 5
béninois(e) Beninese 5
berbère Berber 7
bête unintelligent 5
le **beurre** butter 6
bien well 1; really 2
bientôt soon 1; *à bientôt* see you soon 1
bienvenue welcome 4
un **billet** bill (money) 6; ticket 10
la **biologie** biology 3
biologique organic 9
blanc, blanche white 6
un **blason** team logo 4
bleu(e) blue 5; *la bleue* the blue one 3
un **blogue** blog 2
blond(e) blond 5
un **blouson** jacket 4
le **bœuf** beef 6
une **boisson** drink 4
une **boîte (de)** can (of) 6
un **bol** bowl 7
bon(ne) good 1; *Bon Appétit!* Enjoy your meal! 4; *bon marché* cheap 6; *Bon voyage!* Have a good trip! 10
bonjour hello 1
les **bottes (f.)** boots 6
la **bouche** mouth 9; *bouche du métro* subway entrance 4
une **boucherie** butcher shop 6
bouger to move 9
une **boulangerie** bakery 6
le **bout** end 10; *au bout (de)* at the end (of) 10
une **bouteille (de)** bottle (of) 6
une **boutique** shop 6
le **bras** arm 9
brun(e) brown, dark (hair) 5
un **bureau** desk, office 3; *bureau du proviseur* principal's office 3
le **Burkina Faso** Burkina Faso 5
burkinabè from, of Burkina Faso 5
un **but** goal 4

C

c'est this is, that is, it is 1; *C'est ça.* That's right. 1; *C'est le (+ date)* It's the (+ date) 5; *C'est le top!* That's awesome! 1
ça it, this 1; that 2; *Ça fait combien?* How much is it? 6; *Ça va?* How are things going? 1
une **cabine: cabine d'essayage** dressing room 6
un **cadeau** gift 5
un **café** café 1; coffee 4
un **cahier** notebook 3
un **calendrier** calendar 2
un(e) **camarade de classe** classmate 1
le **camembert** camembert cheese 6
le **Cameroun** Cameroon 5
camerounais(e) Cameroonian 5
la **campagne** country(side) 10
le **Canada** Canada 5
canadien(ne) Canadian 1
un **canapé** sofa 7
une **cantine** school cafeteria 3
une **capitale** capital 10
une **carotte** carrot 6
un **carré** square 7; *en carrés* in squares 7
une **carte** map 3; menu 4; map 5; *carte cadeau* gift card 5
une **cascade** waterfall 10
une **casquette** cap 4
une **cathédrale** cathedral 8
une **cause** cause 10
causer to cause 9
un **CD** CD 2
ce it 1; this 3; *ce, cet, cette, ces* this, that, these, those 6; *ce que* what 9
un **cédérom** CD 3
cent (one) hundred 3
un **centre** center 1; *centre commercial* mall, shopping center 1
une **cerise** cherry 6
une **chaise** chair 3
une **chambre** bedroom 7
un **champignon** mushroom 6
une **chanson** song 7
chanter to sing 5
un **chanteur, une chanteuse** singer 5
un **chapeau** hat 6
une **charcuterie** delicatessen 6
charmant(e) charming 7
un **chat** cat 8
un **château** castle 10
chaud(e) hot 8; *avoir chaud* to be hot 8; *il fait chaud* it's hot 8; *j'ai chaud* I am hot 8
une **chaussette** sock 4
une **chaussure** shoe 4
un **chemin** way, path 10
une **chemise** shirt 6
cher, chère expensive 3
chercher to look for 6
un **cheval** horse 8
les **cheveux (m.)** hair 5
chez to, at the house (home) of 3; *chez moi* at/to my house 3
chic chic 6
un **chien** dog 8
la **chimie** chemistry 3
chimique chemical 9
le **chocolat** chocolate 4
choisir to choose 5
chouette great 8
un **ciné (cinéma)** movie theatre 1; *le cinéma* movies 2
cinq five 2
cinquante fifty 3
cinquième fifth 7
circuler to drive, to get around 9
une **classe** class 1
un **clavier** keyboard 7
une **clé USB** USB key 7
cliquer to click 7

un **coca** cola 4
le **cœur** heart 9; *avoir mal au cœur* to feel nauseous 9
le **coin** corner 8; *du coin* on the corner 8
une **colline** hill 10
combattre to fight 9
combien how much 3; *Ça fait combien?* How much is it? 6; *C'est combien le kilo?* How much per kilo? 6; *Il coûte combien?* How much does it cost? 3
une **comédie** comedy 4; *comédie romantique* romantic comedy 4
comme for 4; like 5; *comme ci, comme ça* so-so 1
commencer to begin 7
comment how, what 1; *Comment allez-vous? [form.]* How are you? 1; *Comment est...?* What is... like? 5
commerçant(e) shopping, business 6
un **compositeur, une compositrice** composer, songwriter 5
composter to validate (a ticket) 10
un **composteur** ticket-stamping machine 10
comprendre to understand 4
un **concert** concert 2; *concert R'n'B* R&B concert 2
un **concombre** cucumber 6
la **confiture** jam 4
connais: je connais I know 5
conseiller to advise 9
consommer to consume 8
continuer to continue 9
contre versus, against 4
un **contrôle** test 1
un **contrôleur, une contrôleuse** ticket collector 10
un **copain, une copine** (boy/girl) friend 1
le **corps** body 9
côté: à côté (de) beside, next to 7
la **Côte-d'Ivoire** Ivory Coast 5
le **cou** neck 9
une **couleur** color 6; *De quelle(s) couleur(s)?* In what color(s)? 6
un **couloir** hallway 7
couper to cut 7
une **courgette** zucchini 6
un **cours** course, class 2
le **couscous** couscous 6
un(e) **cousin(e)** cousin 5
un **coussin** pillow 7
un **couteau** knife 7
coûter to cost 3
le **couvert** table setting 7; *mettre le couvert* to set the table 7
un **crayon** pencil 3
une **crémerie** dairy store 6
une **crêpe** crêpe 4
un **croissant** croissant 6
un **croque-monsieur** grilled ham and cheese sandwich 4
une **cuiller** spoon 7
la **cuisine** cooking 2; kitchen 7
un **cuisinier, une cuisinière** cook, chef 5
une **cuisinière** stove 7
culturel, culturelle cultural 5
une **cure** spa treatment 9

D

d'abord first of all 6
d'accord OK 1
dans in 3
de/d' of, from 1; some, any 2; *De quelle(s) couleur(s)?* In what color(s)? 6
décembre December 5
décontracté(e) relaxed 9
un **degré** degree 8
déjà already 8
le **déjeuner** lunch 3
délicieux, délicieuse delicious 3
demain tomorrow 1; *À demain.* See you tomorrow. 1
demander to ask (for) 7; *demander le chemin* to ask for directions 10
démarrer to start 7
demi(e) half 3; *et demie* half past 3
un **demi-frère** half-brother 5
une **demi-sœur** half-sister 5
une **dent** tooth 9
un(e) **dentiste** dentist 5
un **départ** departure 10
un **département** department 10
dernier, dernière last 8
derrière behind 3
des some 2; from (the), of (the) 5
désagréable unpleasant 8
descendre to go down, to get off 8
désirer to want 4
désolé(e) sorry 8
un **dessert** dessert 4
dessus: au-dessus de above 7
une **destination** destination 10
deux two 2
deuxième second 7
devant in front of 3
devenir to become 5
une **devise** motto 10
devoir to have to 7
un **devoir** assignment 9; *les devoirs (m.)* homework 1
un **dictionnaire** dictionary 3
difficile difficult 3
diligent(e) diligent 5
dimanche Sunday 2
dîner to have dinner 7
le **dîner** dinner 7
le **dioxyde de carbone** carbon dioxide 9
une **direction** direction 10
dis say 1; *disons* let's say 4
une **discussion** discussion 5
disponible free 8
divorcé(e)(s) divorced 5
dix ten 2
dix-huit eighteen 2
dix-neuf nineteen 2
dix-sept seventeen 2
dixième tenth 7
un **documentaire** documentary 4
le **doigt** finger 9; *doigt de pied* toe 9
dois (see **devoir**) 1
donc so, therefore 4
donner to give 4; *donnez-moi* give me 4
dormir to sleep 2
le **dos** back 9

une **douche** shower 7
douze twelve 2
un **drame** drama 4
un **drapeau** flag 10
droite: à droite to the right 7; *à droite de* to (on) the right of 7; *tout droit* straight ahead 10
drôle funny 3
du some 2; of (the) 4; from (the) 5; about (the) 8; *du coin* on the corner 8
un **DVD** DVD 3

E

l' **eau (f.)** water; *eau minérale* mineral water 4
une **écharpe** scarf 4
un **éclair** eclair 8
une **école** school 3
écouter to listen (to) 2; *écouter de la musique* to listen to music 2; *écouter mon lecteur MP3* to listen to my MP3 player 3
un **écran** monitor, screen 7
écrire to write 3
un **écrivain** writer 5
l' **éducation physique et sportive (EPS) (f.)** gym class 3
un **effet** effect 9; *l'effet de serre* greenhouse effect 9
égoïste selfish 5
eh: eh bien well 1
électrique electric 9
un(e) **élève** student 3
éliminer to eliminate 9
elle she 1; it 3
elles they 2
embrasser to kiss 8
une **émission** television program 9
en in 3; on 4; of (pronoun) 8; by 9; *en aluminium, plastique* made of alumnum, plastic 9; *en avance* early 4; *en face de* across from 10; *en ligne* online 6; *en retard* late 4; *en solde* on sale 4; *en ville* downtown 3; *en voiture électrique* by electric car 9; *en voiture hydride* by hybrid car 9
enchanté(e) delighted 1
un **endroit** place 3
l' **énergie (f.)** energy; *énergie nucléaire* nuclear energy 9; *énergie solaire* solar energy 9
énergique energetic 3
un **enfant** child 5
enfin finally 4
s' **engager** to commit to, to be committed to 9
l' **engrais (m.)** fertilizer 9
une **enquête** survey 2
ensemble together 4
un **ensemble** outfit 6
ensuite next 6
entre between 10
entrer to enter, to come in 8
l' **environnement (m.)** environment 9
envoyer to send 2; *envoyer des textos* to send text messages 2
une **éolienne** wind turbine 9
l' **épaule (f.)** shoulder 9
une **épicerie** grocery store 6
l' **EPS (f.)** gym class 3
une **équipe** team 4
un **espace** area 9
l' **Espagne (f.)** Spain 10
l' **espagnol (m.)** Spanish (language) 3
espagnol(e) Spanish 10
essayer to try (on) 6
est (see **être**) 1
l' **est (m.)** east 10
est-ce que (phrase introducing a question) 3
l' **estomac (m.)** stomach 9
et and 1; *et demie* half past 3; *et quart* quarter past 3
un **étage** floor, story 7; *le premier étage* the second floor 7
un **étang** pond 10
les **États-Unis (m.)** United States 5
l' **été (m.)** summer 2
être to be 3; *être au courant* to know, to be informed 9; *être d'accord* to agree 7; *être libre* to be free 8; *être en (bonne, mauvaise) forme* to be in (good, bad) shape 9; *être en train de (+ infinitive)* to be (busy) doing something 7; *être occupé(e)* to be busy 8; *être situé(e)* to be located 10; *être vert* to be environmentally friendly 9; *Nous sommes le (+ date).* It's the (+ date). 5
étudier to study 2
euh um 3
un **euro** euro 3
l' **Europe (f.)** Europe 10
un **évier** sink 7
exactement exactly 8

F

face: en face de across from 10
facile easy 3
faim: avoir faim to be hungry 4
faire to do, to make 1; *faire de la gym (gymnastique)* to do gymnastics 2; *faire du footing* to go running 2; *faire du patinage (artistique)* to (figure) skate 2; *faire du roller* to in-line skate 2; *faire du shopping* to go shopping 2; *faire du ski (alpin)* to (downhill) ski 2; *faire du sport* to play sports 2; *faire du vélo* to bike 2; *faire la connaissance (de)* to meet 10; *faire la cuisine* to cook 2; *faire les courses* to go grocery shopping 6; *faire marcher* to run, make (something) work 9; *faire mes devoirs* to do my homework 1; *faire une promenade* to go for a walk 8
fais: je fais (see **faire**) 2
fait: *Ça fait combien?* How much is it? 6; *il fait beau* it's beautiful out 2; *il fait chaud* it's hot 8; *il fait du soleil* it's sunny 8; *il fait du vent* it's windy 8; *il fait frais* it's cool 8; *il fait froid* it's cold 8; *il fait mauvais* the weather's bad 2; *Quel temps fait-il?* What's the weather like? 8
falloir to be necessary, to have to 9; *il faut* it is necessary, one has to/must, we/you have to/must 9

une **famille** family 5
fatigué(e) tired 8
faut (see **falloir**) 9
un **fauteuil** armchair 7
une **femme** wife 5; *femme d'affaires* businesswoman 5
une **fenêtre** window 3
fermer to close 7
une **fête** party 1
une **feuille de papier** sheet of paper 3
février February 5
la **fièvre** fever 9
la **figure** face 9
une **fille** girl 1; daughter 5
un **film** film 4; *film d'action* action movie 4; *film d'aventures* adventure movie 4; *film d'horreur* horror movie 4; *film de science-fiction* science fiction movie 4; *film musical* musical 4; *film policier* detective movie 4
un **fils** son 5
fin(e) fine 7
finir to finish 5
un **fitness** health club, gym 9
un **fleuve** river 8
fond: au fond (de) at the end (of) 7
le **foot** soccer 2
un **footballeur, une footballeuse** soccer player 4
le **footing** running 2
une **forêt** forest 10
forme: être en (bonne, mauvaise) forme to be in (good, bad) shape 9
fort(e) strong 7
un **foulard** scarf 6
un **four** oven 7
une **fourchette** fork 7
frais, fraîche fresh 6; cool 8; *il fait frais* it's cool 8
une **fraise** strawberry 6
le **français** French (language) 3
français(e) French 1
francanadien(ne) from, of French-speaking Canada 10
la **France** France 3
francophone French-speaking 5
un **frère** brother 5; *beau-frère* stepbrother 5; *demi-frère* half-brother 5
un **frigo** refrigerator 7
les **frissons (m.)** chills 9
les **frites (f.)** French fries 2
froid(e) cold 8; *avoir froid* to be cold 8; *il fait froid* it's cold 8; *j'ai froid* I am cold 8
le **fromage** cheese 4
un **fruit** fruit 6; *une tarte aux fruits* fruit tart 6

G

le **Gabon** Gabon 5
gabonais(e) Gabonese 5
gagner to win 4
un **garçon** boy 1
une **gare** train station 8
un **gâteau** cake 5
gauche: à gauche on the left 7; *à gauche de* to (on) the left of 7
géant(e) giant 9
généreux, généreuse generous 5
génial(e) fantastic, great, terrific 2
le **genou** knee 9
un **genre** type 4
les **gens (m.)** people 5
une **glace** ice cream 4; *glace à la vanille* vanilla ice cream 4; *glace au chocolat* chocolate ice cream 4
la **gorge** throat 9
un **gorille** gorilla 9; *gorille des montagnes* mountain gorilla 9
gourmand(e) fond of food 8
le **goûter** snack 7
un **gramme (de)** gram (of) 6
grand(e) big, large, tall 5
une **grand-mère** grandmother 5
les **grands-parents (m.)** grandparents 5
un **grand-père** grandfather 5
grandir to grow 5
un(e) **graphiste** graphic designer 5
grave serious 8
la **grippe** flu 9
gris grey 5
gros, grosse big, fat, large 6
grossir to gain weight 5
un **guichet** ticket booth 4
un **guide** guidebook 10; *guide touristique* tourist guide 8
la **gym (gymnastique)** gymnastics 2; *faire de la gym (gymnastique)* to do gymnastics 2

H

un(e) **habitant(e)** inhabitant, resident 10
habiter to live 7
un **hamburger** hamburger 2
les **haricots verts (m.)** green beans 6
le **haut** top 8
l' **heure (f.)** hour, o'clock, time 3; *à l'heure* on time 4; *Quelle heure est-il?* What time is it? 3
hier yesterday 8
le **hip-hop** hip-hop 2
l' **histoire (f.)** history 3
l' **hiver (m.)** winter 2
un **homme** man 5; *homme d'affaires* businessman 5
l' **horreur (f.)** horror 4
un **hôtel** hotel 8; *hôtel de ville* city hall 8
huit eight 2
huitième eighth 7
humanitaire humanitarian 10
hybride hybrid 9

I

ici here 7
une **idée: Bonne idée!** Good idea! 8
il he 1; it 3
il y a there is/are 3
ils they 2
un **immeuble** apartment building 7
impossible impossible 7
une **imprimante** printer 7
imprimer to print 7
l' **informatique (f.)** computer science 3
un **ingénieur** engineer 5
installer to install 9
un **instant** moment 9; *pour l'instant* for the moment 9

intelligent(e) intelligent 3
intéressant(e) interesting 3
international(e) international 10
(l') **Internet (m.)** Internet 2
un(e) **invité(e)** guest 7
inviter to invite 2
l' **Italie (f.)** Italy 10
italien(ne) Italian 10
ivoirien(ne) from, of the Ivory Coast 5

J

la **jambe** leg 9
le **jambon** ham 4
janvier January 5
un **jardin** garden, park 8
le **jasmin** jasmine 7
jaune yellow 6
je (j') I 1
un **jean** jeans 6
jeudi Thursday 2
les **Jeux Olympiques (m.)** Olympic Games 2
des **jeux vidéo (m.)** video games 2
joli(e) pretty 6
jouer to play 2; *jouer au basket (basketball)* to play basketball 2; *jouer au foot (football)* to play soccer 2; *jouer au hockey sur glace* to play ice hockey 2; *jouer aux jeux vidéo* to play video games 2; *jouer un rôle* to play a role 4
un **jour** day 2; one day, someday 5
une **journée** day 8
juillet July 5
juin June 5
une **jupe** skirt 6
un **jus** juice 4; *jus d'orange* orange juice 4
jusqu'à until 10

K

le **ketchup** ketchup 6
un **kilo (de)** kilogram (of) 6
un **kilomètre** kilometer 5
un **kiosque à journaux** newstand 4

L

là there 1
là-bas over there 5
un **labo (laboratoire)** science lab 3
un **lac** lake 10
laisser to leave, to let 9; *Laisse-moi finir!* Let me finish! 8
le **lait** milk 6
une **lampe** lamp 7
une **langue** language 3
le, la, l' the 1; it (object pronoun) 4
un **lecteur de DVD** DVD player 3; *lecteur de MP3* MP3 player 3
un **légume** vegetable 6
les the 2
leur, leurs their 5
un **lien** link 7
la **ligne** figure 8; *en ligne* online 6
une **limonade** lemon-lime soda 4
lire to read 2
un **lit** bed 7
un **litre (de)** liter (of) 6
un **livre** book 3
une **livre** pound 6
un **logiciel** software 7
loin (de) far (from) 10
long, longue long 7
louer to rent 10
lui to him/her 5
lundi Monday 2
le **Luxembourg** Luxembourg 10
luxembourgeois(e) from, of Luxembourg 10
un **lycée** high school 9

M

m'appelle: je m'appelle my name is 1
madame (Mme) Ma'am, Mrs., Ms. 1
mademoiselle (Mlle) Miss, Ms. 1
un **magasin** store 3
mai May 5
maigrir to lose weight 5
un **maillot** jersey 4; *maillot de bain* bathing suit 6
la **main** hand 8; *la main dans la main* hand in hand 8
maintenant now 3
mais but 3
une **maison** house, home 1
mal badly 1; *Ça va mal.* Things are going badly. 1; *avoir mal (à...)* to be hurt, to have a/an... ache 9
malade sick 9
un(e) **malade** sick person 9
une **maladie** illness 9
le **Mali** Mali 5
malien(ne) Malian 5
manger to eat 2
un **mannequin** model 6
un **manteau** coat 6
un(e) **marchand(e)** merchant 6
un **marché** outdoor market 6; *marché aux puces* flea market 6
marcher to walk 9; *faire marcher* to make (something) work 9
mardi Tuesday 2
une **marée** tide 9; *marée noire* oil slick 9
un **mari** husband 5
marquer to score 4
marron brown 5
mars March 5
la **Martinique** Martinique 5
un **match** game 4
les **maths (f.)** math 1
la **matière** class subject 3
le **matin** morning 3
mauvais bad 8; *il fait mauvais* the weather is bad 2
la **mayonnaise** mayo 6
me (m') me 4
méchant(e) mean 5
un **médecin** doctor 5
une **médiathèque** media center 3
les **meilleurs (m.)** the best 4
un **melon** melon 6
même same 6
un **menu fixe** fixed menu 4
merci thank you 4
mercredi Wednesday 2
une **mère** mother 1; *belle-mère* stepmother 5
mesdemoiselles (f.) plural of *mademoiselle* 4
un **métier** job 5
le **métro** subway 4

un **metteur en scène** director 4
mettre to put (on), to set 7; *mettre le couvert* to set the table 7
se **mettre: mets-toi devant l'écran** place yourself in front of the TV 9
un **meuble** piece of furniture 7
un **micro-onde** microwave 7
midi noon 3
mieux better 1
mille thousand 4
un **millefeuille** layered custard pastry 8
un **million** million 5
une **mine** appearance, expression 9
une **minute** minute 7
minuit midnight 3
moche ugly 6
moi me 1
moins less 7; *moins le quart* quarter to 3
un **mois** month 5
mon, ma, mes my 1
le **monde** everyone, world 1
un **moniteur** monitor 7
monsieur (M.) Mr., sir 1
une **montagne** mountain 9
monter to go up, to get in/on 8
montrer to show 8
un **monument** monument 8
un **morceau (de)** piece (of) 6
mort(e) dead 9
morue: accras de morue (m.) cod fritters 5
une **mosquée** mosque 7
la **moutarde** mustard 6
moyen(ne) medium 5
mûr(e) ripe 6
un **musée** museum 8
la **musique** music 2; *musique alternative* alternative music 2

N

n'est-ce pas? isn't that so? 2
nager to swim 2
une **nappe** tablecloth 7
naviguer to browse 7
ne (n')... jamais never 10
ne (n')... pas not 1
ne (n')... personne no one, nobody, not anyone 10
ne (n')... plus no longer, not anymore 10
ne (n')... rien nothing 3
neige: il neige it's snowing 8
neuf nine 2
neuvième ninth 7
le **nez** nose 9
niçoise: une salade niçoise tuna salad 6
noir(e) black 5
un **nombre** number 2
non no 1
le **nord** north 10
une **note** grade 3
notre, nos our 5
nous we 2; us 5
nouveau new 2; *nouvel, nouvelle* new 8
le **Nouveau-Brunswick** New Brunswick 7
novembre November 5
nucléaire nuclear 9
la **nuit** night 3
un **numéro** number 2; *numéro de téléphone* phone number 2

O

obligatoire mandatory 8
occupé(e) busy 8; *être occupé(e)* to be busy 8
un **océan** ocean 9
octobre October 2
l' **œil (m.)** eye 9
un **œuf** egg 6
offrir to offer, to give 5
oh oh 1
oh là là oh dear, oh no, wow 9
un **oignon** onion 6
un **oiseau** bird 8
une **olive** olive 6
une **omelette** omelette 4
on they, we, one 1; *On s'appelle.* We'll call each other. 1
un **oncle** uncle 5
onze eleven 2
orange orange 6
une **orange** orange 4
un **ordinateur** computer 3; *ordinateur portable* laptop computer 3
l' **oreille (f.)** ear 9
ou or 2
où where 3; when 8
oublier to forget 8
l' **ouest (m.)** west 10
oui yes 1
ouille ouch 9
un **ours** bear 9; *ours polaire* polar bear 9
ouvre: elle ouvre she opens 7

P

paie (see **payer**) 7
le **pain** bread 6
un **pamplemousse** grapefruit 6
un **panda** panda 9; *panda géant* giant panda 9
un **panneau** panel 9
un **pantalon** pants 6
le **papier** paper 3; *une feuille de papier* sheet of paper 3
un **paquet (de)** packet (of) 6
par with 7
un **parc** park 7
parce que because 3
pardi (régional) of course 7
pardon pardon me 8
les **parents (m.)** parents 5
paresseux, paresseuse lazy 5
parler to speak, to talk 5
se **parler** to talk to each other/one another 8
les **paroles (f.)** lyrics 7
partir to leave 8
partout everywhere 9
pas not 1; *pas du tout* not at all 10; *pas mal* not bad 1; *pas très bien* not very well 1
passer to spend (time) 7
un **passe-temps** pastime 2
une **passion** passion 10
passionné(e) (de) passionate (about) 5
une **pastèque** watermelon **6**
le **pâté** pâté 6
les **pâtes (f.)** pasta 2
le **patinage (artistique)** (figure) skating 2

une **pâtisserie** bakery, pastry shop 6
payer to pay 9
un **payeur, une payeuse** someone who pays 9
un **pays** country 7
une **pêche** peach 6
pendant during 2; for 8
une **pendule** clock 3
penser to think 7
perdre to lose 4
perdu(e) lost 10
un **père** father 1; *beau-père* stepfather 5
une **personne** person 9; *ne (n')... personne* no one, nobody, not anyone 10
persuadé(e) persuaded 9
petit(e) little, short, small 5
le **petit déjeuner** breakfast 7
les **petits pois (m.)** peas 6
(un) **peu** (a) little 2; *un peu de* a little of 6
peut (see **pouvoir**) 3
peut-être maybe 4
peux (see **pouvoir**) 1; *Je peux vous aider?* May I help you? 6
une **photo** photo 7; *re-photo* another photo 8
la **physique** physics 3
une **pièce** room 7
le **pied** foot 9; *à pied* on foot 9
une **piscine** swimming pool 3
une **pizza** pizza 2
un **placard** closet 7
une **place** square 8
un **plaisir** pleasure 10
un **plan** city map 10
une **planète** planet 9
le **plastique** plastic 9; *en plastique* made of plastic 9
pleurer to cry 4
pleuvoir to rain 8; *il pleut* it's raining 8
plonger to dive 2
plus more 7; *le/la/les plus (+adjectif)* the most (+ adjective) 10
une **poire** pear 6
un **poisson (rouge)** (gold)fish 8
la **poitrine** chest 9
le **poivre** pepper 7
un **poivron** bell pepper 6
polluant polluting 9
polluer to pollute 9
un **pollueur, une pollueuse** polluter 9
la **pollution** pollution 9
une **pomme** apple 6; *une tarte aux pommes* apple pie 6
une **pomme de terre** potato 6
un **pont** bridge 8
le **porc** pork 6
un **portable** cell phone 7
une **porte** door 3
porter to wear 4
possible possible 1
une **poste** post office 8
un **pot (de)** jar (of) 6
le **poulet** chicken 6
pour for 3
pourquoi why 2
pourrais: tu pourrais you could 9
pouvoir can, to be able (to) 7
préféré(e) favorite 2
préférer to prefer 2
premier, première first 5
prendre to take, to have (food or drink) 4; *je prends* I'll take 3
un **prénom** first name 1
préparer to prepare 5
une **préposition** preposition 10
près de near 7
présenter to introduce 1; *Je te/vous présente...* I'd like to introduce you to... 1
presque nearly 9
prêt(e) ready 6
le **printemps** spring 8
un **problème** problem 7
un(e) **prof** teacher 1
une **profession** profession 5; *Quelle est votre profession?* What is your profession? 5
un **profil** profile 10
profiter to take advantage of 8; *profiter de* to benefit from 9; *tu profiterais de* you would benefit from 9
un **projet** project 5
une **promenade** walk 8
protéger to protect 9
provençal(e) from, of Provence 7
une **province** province 10
un **proviseur** principal 3
puis then 3
un **pull** sweater 6

Q

qu'est-ce que what 2; *Qu'est-ce qu'elle a?* What's wrong with her? 9; *Qu'est-ce que tu aimes faire?* What do you like to do? 2; *Qu'est-ce que tu fais?* What are you doing? 2
un **quai** platform 10
quand when 2
quarante forty 3
un **quart** quarter 3; *et quart* quarter past 3; *moins le quart* a quarter to 3
quatorze fourteen 2
quatre four 2
quatre-vingt-dix ninety 3
quatre-vingts eighty 3
quatrième fourth 7
que that 5; than, as 7
le **Québec** Quebec 10
québécois(e) from, of Quebec 10
quel, quelle what, which 2
quelqu'un somebody, someone 10
quelque chose something 10
une **question** question 2
qui that, who 3
une **quiche** quiche 4
quinze fifteen 2
quitter to leave 9
quoi what 3

R

la **radiation** radiation 9
un **raisin** grape 6
la **ratatouille** ratatouille 7
réaliser to realize 10
une **recette** recipe 7
réchauffer to heat up 9
recycler to recycle 9
réfléchir (à) to think over, consider 5
regarder to watch 2
une **religieuse** cream puff pastry 8

un **rendez-vous** meeting 4

rembourser to reimburse 4

remplacer to replace 9

un **rendez-vous** meeting 4

rentrer to come back, to come home, to return 8

un **repas** meal 7

re-photo another photo 8

un **reportage** news report 9

une **résolution** resolution 9

respiratoire respiratory 9

ressembler (à) to resemble 5

un **restaurant** restaurant 8

rester to remain, to stay 8

retourner to return 8

se **retrouver** to meet 4; *on se retrouve....* we'll meet.... 3

réussir (à) to pass (a test), to succeed 5

revenir to come back 5; to return 8

le **rez-de-chaussée** the ground floor 7

un **rhume** cold 9

une **riad** riad 7

rien: ne (n')... rien nothing 3

rigoler to laugh 8

rire to laugh 4

une **rivière** river 10

une **robe** dress 6

le **rock** rock (music) 2

un **rôle** role 5

le **roller** in-line skating 2

une **rondelle** circular piece of food 7; *en rondelles* in circles 7

rose pink 6

rouge red 6

rougir to blush 5

une **route** highway, road, route 10

roux, rousse red (hair) 5

une **rue** street 6

le **Rwanda** Rwanda 9

S

s'il vous plaît please 4

un **sac à dos** backpack 3

sais: je sais I know 4; *tu sais* you know 9

une **salade** salad 2; lettuce 6; *salade niçoise* tuna salad 6

une **salle** room 3; *salle à manger* dining room 7; *salle de bains* bathroom 7; *salle de classe* classroom 3; *salle d'informatique* computer lab 3

un **salon** living room 7

salut hi, good-bye 1

samedi Saturday 2

un **sandwich** sandwich 4; *sandwich au fromage* cheese sandwich 4; *sandwich au jambon* ham sandwich 4

le **saucisson** salami 6

sauvage wild 9

sauvegarder to protect 9; to save 7

la **science-fiction** science fiction 4

les **sciences (f.)** science 3

une **séance** film showing 4

seize sixteen 2

un **séjour** living room 7

le **sel** salt 7

une **semaine** week 2

le **Sénégal** Senegal 5

sénégalais(e) Senegalese 5

sentir to smell 7; *Ça sent quoi?* What does it smell like? 7

sept seven 2

septembre September 5

septième seventh 7

une **série** series 4

un **serveur, une serveuse** server 4

une **serviette** napkin 7

le **shopping** shopping 2

un **short** shorts 4

si yes (on the contrary) 2; if 4

le **SIDA** AIDS 9

un **siège** seat 10

simple simple 10

un **site web** website 7

situé(e) located 10

six six 2

sixième sixth 7

le **ski (alpin)** (downhill) skiing 2

une **sœur** sister 5; *belle-sœur* stepsister 5; *demi-sœur* half-sister 5

soif: avoir soif to be thirsty 4

le **soir** evening 2

soixante sixty 3

soixante-dix seventy 3

solaire solar 9; *l'énergie (f.)* solaire solar energy 9

solde: en solde on sale 4

soleil: il fait du soleil it's sunny 8

son, sa, ses his, her, one's, its 5

sortir to go out 2; to come out 6

la **soupe** soup 6

une **souris** mouse 7

sous under 3

soutenir to support 4; *je soutiens* I support 4

un **souvenir** memory 8

souvent often 10

souviens: je me souviens I remember 10

une **spécialité: spécialité du jour** daily special 4

un **sport** sport 2

un **stade** stadium 4

une **statue** statue 8

un **steak-frites** steak with fries 4

le **step** step aerobics 9

une **stéréo** stereo 3

strict(e) strict 1

un **stylo** pen 3

le **sucre** sugar 7

le **sud** south 10

suis (see **être**) 1

suisse Swiss 10

la **Suisse** Switzerland 10

super awesome 5

un **supermarché** supermarket 6

sur on 2; of 8

sûr(e) sure 7

surfer to surf 2; *surfer sur Internet* to surf the Web 2

surprend: ça ne me surprend pas it doesn't surprise me 4

surtout especially 4

survivre to survive 9

sympa nice 5

synchroniser to synchronize 7

T

t'appelles: tu t'appelles your name is 1; *Tu t'appelles comment?* What's your name? 1

une **table** table 3

un **tableau** chalkboard 3; painting 8; *tableau des arrivées et des départs* arrival and departure timetable 10
une **tablette** tablet 7
un **taf** work 7
tahitien(ne) Tahitian 3
une **taille** size 5; *de taille moyenne* of average height 5; *Quelle taille faites-vous?* What size are you? 6
un **taille-crayon** pencil sharpener 3
tant pis too bad 6
une **tante** aunt 5
un **tapis** rug 7
une **tarte** pie 6; *tarte aux fruits* fruit tart 6; *tarte aux pommes* apple pie 6
une **tasse** cup 7
te (t') you, to you 1
un **tee-shirt** T-shirt 6
une **télé (télévision)** TV, television 2
télécharger to download 7
téléphoner to phone (someone), to make a call 2
la **température** temperature 8
le **temps** weather 8; *Quel temps fait-il?* What's the weather like? How's the weather? 8
des **tennis (m.)** sneakers 6
une **terrasse** terrace 8
un **testeur de jeux vidéo** video game tester 5
la **tête** head 9
une **teuf** party 1
un **texto** text message 2
un **thème** topic 9
thermal(e) hydrotherapeutic 9
le **thon** tuna 6
un **thriller** thriller 4
un **ticket** ticket 4
tiens hey 6
un **tigre** tiger 9; *tigre de Sumatra* Sumatran tiger 9
timide shy 5
un **tissu** fabric 7
le **Togo** Togo 5
togolais(e) Togolese 5
toi you 1
les **toilettes (f.)** toilet 7
un **toit** roof 9
une **tomate** tomato 6
ton, ta your 1; *tes* your 5
top awesome 1; *C'est le top!* That's awesome! 1
total(e): Total vintage! It has a totally vintage look! 3
une **touche** key (on keyboard) 7
toujours always 10; still 4
un **tour** tour 8
tourner to turn 10
tout(e), tous, toutes all 1; *Tout ça!* All that! 4
un **train** train 10
une **tranche (de)** slice (of) 6
travailler to work 5
traverser to cross 10
treize thirteen 2
trente thirty 3
très very 1; *Très bien, et toi/vous?* Very well, and you? 1
trois three 2
troisième third 7
trop too 1; *trop de* too much of 6
une **trousse** pencil case 3
trouver to find 6
se **trouver** to be located 10
tu you 1

U

un a, an 1; one 2
une a, an, one 3
une **usine** factory 9

V

va (see **aller**) 1
les **vacances (f.)** vacation 10
une **valise** suitcase 10
une **vallée** valley 10
vas (see **aller**) 1; *Tu vas bien?* Are things going well? 2
un **vélo** bike 2; *à vélo* by bike 9
un **vendeur, une vendeuse** salesperson 6
vendre to sell 6
vendredi Friday 2
venir to come 1
vent: il fait du vent it's windy 8
le **ventre** stomach 9
un **verre** glass 7
vers towards 10
vert(e) green 5
une **veste** jacket 6
des **vêtements (m.)** clothes 4
veux: je veux bien I'd like that 1
vieux, vieil, vieille old 8
une **ville** city 3; *en ville* downtown 3
vingt twenty 2
violet, violette purple 6
une **visite** visit 10
visiter to visit 8
vite fast, quickly 8
une **voie** path 9; train platform 10; *animaux en voie de disparition* endangered species 9
voilà here is/are 4
voir to see 3
se **voir** to see each other/one another 8
une **voiture** car 9; *voiture électrique* electric car 9; *voiture hybride* hybrid car 9
votre, vos your 5
voudrais: je voudrais I would like 5; *tu voudrais* you would like 1
vouloir to want 6
vous you 1, to you 5; *Vous voulez...?* Would you like...? 4
un **voyage** trip 8
voyager to travel 5
un **voyageur, une voyageuse** traveller 10
vrai(e) true 10
vraiment really 5
une **vue** view 7; *Quelle belle vue!* What a beautiful view! 7

W

les **W.C. (m.)** toilet 7
un **wagon-restaurant** dining car 10
le **weekend** weekend 2
la **world** world music 2

Y

y: On y va? Are we going (there)? 3
un **yaourt** yogurt 6
les **yeux (m.)** eyes 5
le **yoga** yoga 9

Z

zéro zero 2

Vocabulary

English–French

A

a, an un 1; une 3; *(a) little* (un) peu 2; *a little of* un peu de 6; *a lot* beaucoup 2; *a lot of* beaucoup de 6

to be **able (to)** pouvoir 7

about (the) du 8

above au-dessus de 7

to **accompany** accompagner 10

ache: to have a/an... ache avoir mal (à)... 9

across from en face de 10

action l'action (f.) 4

activity une activité 2

actor un acteur, une actrice 4

adventure une aventure 4

to **advise** conseiller 9

aerobics l'aérobic (m.) 9; *step aerobics* le step 9

Africa l'Afrique (f.) 5

after après 2

afternoon l'après-midi (m.) 3

against contre 4

age l'âge (m.) 5

to **agree** être d'accord 7

agriculture l'agriculture (f.) 9

AIDS le SIDA 9

air l'air (m.) 6

airplane un avion 8

airport un aéroport 8

Algerian algérien(ne) 1

all tout(e), toutes, tous 1; *All that!* Tout ça! 4

already déjà 8

also aussi 2

aluminum l'aluminium (m.) 9; *made of aluminum* en aluminium 9

always toujours 10

American américain(e) 1

and et 1

animal un animal 8

another: another photo re-photo 8

antiretroviral drugs les antirétroviraux (m.) 9

any d', de 2

apartment un appartement 7; *apartment building* un immeuble 7

appearance une mine 9

apple une pomme 6; *apple pie* une tarte aux pommes 6

April avril 5

area un espace 9

arm le bras 9

armchair un fauteuil 7

arrival une arrivée 10; *arrival and departure timetable* un tableau des arrivées et des départs 10

to **arrive** arriver 4

as aussi, que 7

to **ask (for)** demander 7; *to ask for directions* demander le chemin 10

assignment un devoir 9

at à 2; *at (the)* au, aux 3; *at my house* chez moi 3; *at the end (of)* au fond (de) 7; au bout (de) 10; *at the house (home) of* chez 3

athlete un(e) athlète 5

August août 5

aunt une tante 5

autumn l'automne (m.) 8

avenue une avenue 8

awesome top 1; super 8; *That's awesome!* C'est le top! 1

B

back le dos 9

backpack un sac à dos 3

bad mal 1; mauvais 8; *the weather is bad* il fait mauvais 2

badly mal 1; *Things are going badly.* Ça va mal. 1

bakery une boulangerie, une pâtisserie 6

banal banal(e) 8

banana une banane 6

bank une banque 8

basketball le basket (basketball) 2

bathing suit un maillot de bain 6

bathroom une salle de bains 7

bathtub une baignoire 7

to **be** être 3; *to be able (to)* pouvoir 7; *to be busy* être occupé 8; *to be (busy) doing something* être en train de (+ infinitive) 7; *to be cold* avoir froid 8; *to be committed to* s'engager 9; *to be environmentally friendly* être vert 9; *to be free* être libre 8; *to be hot* avoir chaud 8; *to be how old* avoir quel âge 5; *to be hungry* avoir faim 4; *to be hurt* avoir mal (à...) 9; *to be informed* être au courant 9; *to be in (good, bad) shape* être en (bonne, mauvaise) forme 9; *to be located* être situé(e), se trouver 10; *to be necessary* falloir 8; *to be thirsty* avoir soif 4; *to be... year(s) old* avoir... an(s) 5

bear un ours 9; *polar bear* un ours polaire 9

beautiful beau, bel, belle 7; *It's beautiful out.* Il fait beau. 2

because parce que 3

to **become** devenir 5

bed un lit 7

bedroom une chambre 7

beef le bœuf 6

to **begin** commencer 7

behind derrière 3

beige beige 6

Belgian belge 10

Belgium la Belgique 10

bench un banc 7

to **benefit from** profiter de 9; *you would benefit from* tu profiterais de 9

Benin le Bénin 5

Beninese béninois(e) 5

Berber berbère 7

beside à côté de 7

best: the best les meilleurs (m.) 4

better mieux 1

between entre 10

big grand(e) 5; gros, grosse 6

bike un vélo 2

to **bike** faire du vélo 2; *by bike* à vélo 9

bill l'addition (f.) 4; *bill (money)* un billet 6

biology la biologie 3

bird un oiseau 8

birthday un anniversaire 5

black noir(e) 5

blog un blogue 2

blond blond(e) 5

blue bleu(e) 5; *the blue one* la bleue 3

to **blush** rougir 5

boat un bateau 8

body le corps 9

book un livre 3

boots les bottes (f.) 6

bottle (of) une bouteille (de) 6

bottom le bas 8

bowl un bol 7

boy un garçon 5

bread le pain 6; *long thin loaf of bread* une baguette 6

breakfast le petit déjeuner 7

bridge un pont 8

to **bring** apporter 5

brother un frère 5; *half-brother* un demi-frère 5; *stepbrother* un beau-frère 5

brown marron 6; *brown (hair)* brun(e) 5

to **browse** naviguer 7

building: apartment building un immeuble 7

Burkina Faso le Burkina Faso 5; *from, of Burkina Faso* burkinabè 5

bus un autobus 10

business commerçant(e) 6

businessman un homme d'affaires 5

businesswoman une femme d'affaires 5

busy occupé(e) 8

to be **busy** être occupé(e) 8; *to be (busy) doing something* être en train de (+ infinitive) 7

but mais 3

butcher shop une boucherie 6

butter le beurre 6

to **buy** acheter 3

by à 9; en 9; *by bike* à vélo 9; by electric car en voiture électrique 9; *by hybrid car* en voiture hybride 9

C

café un café 1

cafeteria: school cafeteria une cantine 3

cake un gâteau 5

camembert cheese le camembert 6

Cameroon le Cameroun 5

Cameroonian camerounais(e) 5

can (of) une boîte (de) 6

Canada le Canada 5

Canadian canadien(ne) 1

cap une casquette 4

capital une capitale 8

car une voiture 9; *dining car* un wagon-restaurant 10; *electric car* une voiture électrique 9; *hybrid car* une voiture hybride 9

carbon dioxyde le dioxyde de carbone 9

card une carte 5

careful: Be careful! Attention! 7

carrot une carotte 6

castle un château 10

cat un chat 8

cathedral une cathédrale 8

cause une cause 10

to **cause** causer 9

CD un CD 2; un cédérom 3

cell phone un portable 7

center un centre 1; *shopping center* un centre commercial 1

chair une chaise 3

chalkboard un tableau 3

charming charmant(e) 7

cheap bon marché 6

cheese le fromage 4; *camembert cheese* le camembert 6; *cheese sandwich* un sandwich au fromage 4

chef un cuisinier, une cuisinière 5

chemical chimique 9

chemistry la chimie 3

cherry une cerise 6

chest la poitrine 9

chic chic 6

chicken le poulet 6

child un enfant 5

chills les frissons (m.) 9

chocolate le chocolat 4

to **choose** choisir 5

circular: circular object or piece of food une rondelle 7

city ville 3

city hall un hôtel de ville 8

class une classe 1; un cours 2; *class subject* la matière 3; *gym class* l'éducation physique et sportive (EPS) (f.) 3

classmate un(e) camarade de classe 1

classroom la salle de classe 3

to **click** cliquer 7

clock une pendule 3

to **close** fermer 7

closet un placard 7

clothes des vêtements (m.) 4

coat un manteau 6

cod fritters les accras de morue (m.) 5

coffee un café 4

cola un coca 4

cold froid 8; *I am cold* j'ai froid 8; *it's cold* il fait froid 8; *to be cold* avoir froid 8

cold un rhume 9

color une couleur 6; *In what color(s)?* De quelle(s) couleur(s) 7

to **come** venir 1; *to come back* revenir 5; rentrer 8; *to come home* rentrer 8; *to come in*

entrer 8; *to come out* sortir 6
comedy une comédie 4; *romantic comedy* une comédie romantique 4
to **commit to** s'engager 9
composer un compositeur 5
computer un ordinateur 3; *computer lab* une salle d'informatique 3; *computer science* l'informatique (f.) 3; *laptop computer* un ordinateur portable 3
concert un concert 2
to **consider** réfléchir (à) 5
to **consume** consommer 8
to **continue** continuer 9
cool frais, fraîche 8; *it's cool* il fait frais 8
cook un cuisinier, une cuisinière 5
to **cook** faire la cuisine 2
cooking la cuisine 2
corner le coin 8; *on the corner* du coin 8
to **cost** coûter 3
could: you could tu pourrais 9
country un pays 7
country(side) la campagne 10
course un cours 2
couscous le couscous 6
cousin un(e) cousin(e) 5
cream puff pastry une religieuse 8
crêpe une crêpe 4
croissant un croissant 6
to **cross** traverser 10
to **cry** pleurer 4
cucumber un concombre 6
cultural culturel, culturelle 5
cup une tasse 7
to cut couper 7

D

daily special une spécialité du jour 4
dairy store une crémerie 6
dark (hair) brun(e) 5
daughter une fille 5
day un jour 2; une journée 8; *one day, some day* un jour 5
dead mort(e) 9
December décembre 5
degree un degré 8
delicatessen une charcuterie 6
delicious délicieux, délicieuse 3
delighted enchanté(e) 1
dentist un(e) dentiste 5
department un département 10
departure un départ 10
desk un bureau 3
dessert un dessert 4
destination une destination 10
dictionary un dictionnaire 3
difficult difficile 3
diligent diligent(e) 5
dining: dining car un wagon-restaurant 10; *dining room* la salle à manger 7
dinner le dîner 7
to have dinner dîner 7
direction une direction 10
director un metteur en scène 5
discussion une discussion 5
to **dive** plonger 2
divorced divorcé(e)(s) 5
to **do** faire 1; *to do gymnastics* faire de la gym (gymnastique) 2; *to do my homework* faire mes devoirs 1
doctor un médecin 5
documentary un documentaire 4
dog un chien 8
door une porte 3
to **download** télécharger 7
downtown en ville 3
drama un drame 4
dress une robe 6
dressing room une cabine d'essayage 6
drink une boisson 4
to **drive** circuler 9
during pendant 2
DVD un DVD 3; *DVD player* un lecteur de DVD 3

E

ear l'oreille (f.) 9
early en avance 4
east l'est (m.) 10
easy facile 3
to **eat** manger 2
eclair un éclair 8
effect un effet 9; *greenhouse effect* l'effet de serre 9
egg un œuf 6
eggplant une aubergine 6
eight huit 2
eighteen dix-huit 2
eighth huitième 7
eighty quatre-vingts 3
electric électrique 9
eleven onze 2
to **eliminate** éliminer 9
end le bout 10; *at the end (of)* au fond (de) 7; au bout (de) 10
endangered species les animaux en voie de disparition 9
energetic énergique 3
energy l'énergie (f.) 9; *nuclear energy* l'énergie nucléaire 9; *solar energy* l'énergie solaire 9
engineer un ingénieur 5
England l'Angleterre (f.) 10
English anglais(e) 10; *(language)* l'anglais (m.) 3
enjoy: Enjoy your meal! Bon Appétit! 4
enough (of) assez (de) 6
to **enter** entrer 8
environment l'environnement (m.) 9
especially surtout 4
euro un euro 3
Europe l'Europe (f.) 10
evening le soir 2
everyone le monde 1
everywhere partout 9
exactly exactement 8
expensive cher, chère 3
expression une mine 9
eye l'œil (m.) 9; *eyes* les yeux (m.) 5

F

fabric un tissu 7
face la figure 9
factory une usine 9
family une famille 5
fantastic génial(e) 2
far (from) loin (de) 10
fast vite 8
fat gros, grosse 6
father un père 1; *stepfather*

un beau-père 5
favorite préféré(e) 2
February février 5
to **feel: to feel like** avoir envie de 8; *to feel nauseous* avoir mal au cœur 9
fertilizer l'engrais (m.) 9
fever la fièvre 9
fifteen quinze 2
fifth cinquième 7
fifty cinquante 3
to **fight** combattre 9
figure la ligne 8; *your figure* ta ligne 8
film un film 4; *film showing* une séance 4
finally enfin 4
to **find** trouver 6
fine fin(e) 7
to **finish** finir 5
finger le doigt 9
first premier, première 5; *first of all* d'abord 6; *first name* un prénom 1
fish: (gold)fish un poisson (rouge) 8
five cinq 2
fixed menu un menu fixe 4
flag un drapeau 10
floor un étage 7; *ground floor* le rez-de-chaussée 7; *second floor* le premier étage 7
flu la grippe 9
fond of food gourmand(e) 8
foot le pied 9; *on foot* à pied 9
for comme 1; pour 3; pendant 8
forest une forêt 10
to **forget** oublier 8
fork une fourchette 7
forty quarante 3
four quatre 2
fourteen quatorze 2
fourth quatrième 7
France la France 3
free disponible 8
French français(e) 1; *(language)* le français 3; *French fries* les frites (f.) 2; *French-speaking* francophone 5; *from, of French-speaking Canada* francanadien(ne) 10
fresh frais, fraîche 6
Friday vendredi 2
friend un(e) ami(e) 2; *(boy/girl) friend* un copain, une copine 1
fritters: cod fritters les accras de morue (m.) 5
from d', de 1; *from (the)* du, des 5
front: in front of devant 3
fruit un fruit 6; *fruit tart* une tarte aux fruits 6
funny drôle 3
furniture: piece of furniture un meuble 7

G

Gabon le Gabon 5
Gabonese gabonais(e) 5
to **gain weight** grossir 5
game un match 4
garden un jardin 8
generous généreux, généreuse 5
German allemand(e) 10; *(language)* l'allemand (m.) 3
Germany l'Allemagne (f.) 10
to **get: to get around** circuler 9; *to get in/on* monter 8; *to get off* descendre 8
giant géant(e) 9
gift un cadeau 5; *gift card* une carte cadeau 5
girl une fille 2
to **give** donner 4; offrir 5; *give me* donnez-moi 4
glass un verre 7
to **go** aller 1; *Go for it!* Vas-y! 6; *to go down* descendre 8; *to go for a walk* faire une promenade 8; *to go grocery shopping* faire les courses 6; *to go out* sortir 2; *to go running* faire du footing 2; *to go shopping* faire du shopping 2; *to go up* monter 8
goal un but 4
(gold)fish un poisson (rouge) 8
good bon(ne) 1; *Good-bye.* Au revoir., Salut. 1; *Good idea!* Bonne idée! 8; *Have a good trip!* Bon voyage! 10
gorilla un gorille 9; *mountain gorilla* un gorille des montagnes 9
grade une note 3
gram (of) un gramme (de) 6
grandfather un grand-père 5
grandmother une grand-mère 5
grandparents les grands-parents (m.) 5
grape un raisin 6
grapefruit un pamplemousse 6
graphic designer un(e) graphiste 5
great génial(e) 2; chouette 8
green vert(e) 5; *green beans* des haricots verts (m.) 6
grey gris 5
grocery store une épicerie 6
ground floor le rez-de-chaussée 7
to **grow** grandir 5
guest un(e) invité(e) 7
guidebook un guide 10
gym un fitness 9; *gym class* l'éducation physique et sportive (l'EPS) (f.) 3
gymnastics la gym (gymnastique) 2

H

hair les cheveux (m.) 5
half demi(e) 3; *half-brother* un demi-frère 5; *half past* et demie 3; *half-sister* une demi-sœur 5
hallway un couloir 7
ham le jambon 4; *ham sandwich* un sandwich au jambon 4
hamburger un hamburger 2
hand la main 8; *hand in hand* la main dans la main 8
handsome beau, bel, belle 7
hat un chapeau 6
to **have** avoir 3; *(food or drink)* prendre 4; *one/we/you have to* il faut 8; *to have a/an... ache* avoir mal (à...) 9; *to have dinner* dîner 7; *to have to* devoir 7; falloir 9
he il 1
head la tête 9

health club un fitness 9

heart le cœur 9

to heat up réchauffer 9

hello bonjour 1; *(on the telephone)* allô 1

to help aider 1

her son, sa, ses 5

here ici 7; *here is/are* voilà 4

hey tiens 6

hi salut 1

high school un lycée 9

highway une route 10

hill une colline 10

hip-hop le hip-hop 2

his son, sa, ses 5

history l'histoire (f.) 3

home une maison 1; *home health worker* un accompagnateur, une accompagnatrice 9

homework les devoirs (m.) 1

horror l'horreur (f.) 4

horse un cheval 8

hot chaud(e); *to be hot* avoir chaud 8; *it's hot* il fait chaud 8; *I am hot* j'ai chaud 8

hotel un hôtel 8

hour l'heure (f.) 3

house une maison 1

how comment 1; *How are things going?* Ça va? 1; *How are you?* Comment allez-vous? *[form.]* 1; *how much* combien 3; *How much is it?* Ça fait combien? 6; *How much per kilo?* C'est combien le kilo? 6; *How old are you?* Tu as quel âge? 5; *How's the weather?* Quel temps fait-il? 8

humanitarian humanitaire 10

hundred: (one) hundred cent 3

hungry: to be hungry avoir faim 4

hurt: to be hurt avoir mal (à...) 9

husband un mari 5

hybrid hybride 9

hydrotherapeutic thermal(e) 9

I

I je/ j' 1

ice cream une glace 4; *chocolate ice cream* une glace au chocolat 4; *vanilla ice cream* une glace à la vanille 4

ice-skating (figure skating) le patinage (artistique) 2

if si 4

illness une maladie 9

impossible impossible 7

in dans, en 3; à 5; *in circles* en rondelles 7; *in-line skating* le roller 2; *in front of* devant 3; *in my opinion* à mon avis 9; *in the* au, aux 3; *In what color(s)?* De quelle(s) couleur(s)? 6

inhabitant un(e) habitant(e) 10

to install installer 9

intelligent intelligent(e) 3

interesting intéressant(e) 3

international international(e) 10

Internet (l')Internet (m.) 2

to introduce présenter 1; *I'd like to introduce you to...* Je te/vous présente... 1

to invite inviter 2

is (see to be) 1; *Isn't that so?* N'est-ce pas? 2

it ça, ce 1; elle, il 3; le, la, l' (object pronoun) 4; *it doesn't surprise me* ça ne me surprend pas 4; *It has a totally vintage look!* Total vintage! 3; *it is* c'est 1; *it is necessary* il faut 8; *it's beautiful out* il fait beau 2; *it's cold* il fait froid 8; *it's cool* il fait frais 8; *it's hot* il fait chaud 8; *it's raining* il pleut 8; *it's snowing* il neige 8; *it's sunny* il fait du soleil 8; *It's the (+ date).* C'est le (+ date). Nous sommes le (+ date). 5; *it's windy* il fait du vent 8

its son, sa, ses 5

Italian italien(ne) 10

Italy l'Italie (f.) 10

Ivory Coast la Côte-d'Ivoire 5; *from, of the Ivory Coast* ivorien(ne) 5

J

jacket un blouson 4; une veste 6

jam la confiture 4

January janvier 5

jar (of) un pot (de) 6

jasmine le jasmin 7

jeans un jean 6

jersey un maillot 4

job un métier 5

juice un jus 4; *orange juice* un jus d'orange 4

July juillet 5

June juin 5

K

ketchup le ketchup 6

key (on keyboard) une touche 7

keyboard un clavier 7

kilogram (of) un kilo (de) 6

kilometer un kilomètre 5

to kiss embrasser 8

kitchen la cuisine 7

knee le genou 9

knife un couteau 7

know être au courant 9; *I know* je connais 5; je sais 4; *you know* tu sais 9

L

lab: computer lab une salle d'informatique 3; *science lab* un labo (laboratoire) 3

lake un lac 10

lamp une lampe 7

language une langue 3

large grand(e) 5; gros, grosse 6

last dernier, dernière 8

late en retard 4

to laugh rire 4; rigoler 8

lawyer un(e) avocat(e) 5

lazy paresseux, paresseuse 5

to learn apprendre 4

to leave partir 8; laisser, quitter 9

left: on the left à gauche 7; *to(on) the left of* à gauche de 7

leg la jambe 9

less moins 7

to **let** laisser 9; *Let me finish!* Laisse-moi finir! 8

lettuce une salade 6

like comme 5

to **like** aimer 2

link un lien 7

to **listen (to)** écouter 2; *to listen to music* écouter de la musique 2; *to listen to my MP3 player* écouter mon lecteur MP3 2

liter (of) un litre (de) 6

little petit(e) 5; *(a) little* (un) peu 2; *a little of* un peu de 6

to **live** habiter 7

living room un salon, un séjour 7

located situé(e) 10; *to be located* être situé(e) 10

logo: team logo un blason 4

long long, longue 7

to **look for** chercher 6; *to look awful* avoir mauvaise mine 9; *to look healthy* avoir bonne mine 9; *to look like (something from) my country* avoir un petit air du pays 7; *Does this... look good on me?* Tu trouves que... me va bien? 6

to **lose** perdre 4; *to lose weight* maigrir 5

lost perdu(e) 10

lot: a lot beaucoup 2; *a lot of* beaucoup de 6

to **love** aimer 2

lunch le déjeuner 3

Luxembourg le Luxembourg 10; *from, of Luxembourg* luxembourgeois(e)

lyrics les paroles (f.) 7

M

Ma'am madame (Mme) 1

made: made of aluminum en aluminium 9; *made of plastic* en plastique 9

to **make** faire 1; *to make a call* téléphoner 2; *to make (something) work* faire marcher 9

Mali le Mali 5

Malian malien(ne) 5

mall un centre commercial 1

man un homme 5

mandatory obligatoire 8

map une carte 3; *city map* un plan 10

March mars 5

market: flea market un marché aux puces 6; *outdoor market* un marché 6

Martinique la Martinique 5

math les maths (f.) 1

May mai 5

may: May I help you? Je peux vous aider? 6

maybe peut-être 4

mayo la mayonnaise 6

me m', moi 1; me 4

meal un repas 7

mean méchant(e) 5

media center une médiathèque 3

medium moyen(ne) 5

to **meet** faire la connaissance (de) 10; se retrouver 4; *we'll meet* on se retrouve 3

meeting un rendez-vous 4

melon un melon 6

memory un souvenir 8

menu une carte 4

merchant un(e) marchand(e) 6

microwave un micro-onde 7

midnight minuit 3

milk le lait 6

million un million 5

mineral water une eau minérale 4

minute une minute 7

Miss mademoiselle (Mlle) 1

model un mannequin 6

moment un instant 9; *for the moment* pour l'instant 9

Monday lundi 2

money l'argent (m.) 8

monitor un écran 7; un moniteur 7

month un mois 5

monument un monument 8

more plus 7

morning le matin 3

mosque une mosquée 7

most: the most (+ adjective) le/la/les plus (+ adjectif) 10

mother une mère 1; *stepmother* une belle-mère 5

motto une devise 10

mountain une montagne 9

mouse une souris 7

mouth la bouche 9

to **move** bouger 9

movies le cinéma 2; *action movie* un film d'action 4; *adventure movie* un film d'aventure 4; *detective movie* un film policier 4; *horror movie* un film d'horreur 4; *movie theatre* un ciné (cinéma) 1; *science fiction movie* un film de science-fiction 4

MP3 player un lecteur de MP3 3

Mr. monsieur (M.) 1

Mrs. madame (Mme) 1

Ms. madame (Mme), mademoiselle (Mlle) 1

much: very much beaucoup 2; *How much is it?* Ça fait combien? 6

museum un musée 8

mushroom un champignon 6

music la musique 2; *alternative music* la musique alternative 2

musical un film musical 4

must (see **to have to**) 1; *one/we/you must* il faut 8

mustard la moutarde 6

my mon, ma, mes 1

N

name: first name un prénom 1; *my name is* je m'appelle 1; *your name is* tu t'appelles 1

napkin une serviette 7

nauseous: to feel nauseous avoir mal au cœur 9

near près de 7

nearly presque 9

neck le cou 9

to **need** avoir besoin de 3

never ne (n')... jamais 10

new nouvelle 2; nouveau, nouvel 8

New Brunswick le Nouveau-Brunswick 10

news report un reportage 9

newstand un kiosque à journaux 4
next prochain(e) 4; ensuite 6; *next to* à côté (de) 7
nice sympa 5
night la nuit 3
nine neuf 2
nineteen dix-neuf 2
ninety quatre-vingt-dix 3
ninth neuvième 7
no non 1; *no longer* ne (n')... plus 10; *no one* ne (n')... personne 10
nobody ne (n')... personne 10
noon midi 3
north le nord 10
nose le nez 9
not ne (n')... pas, pas 1; *not anymore* ne (n')... plus 10; *not anyone* ne (n')... personne 10; *not at all* pas du tout 10; *not bad* pas mal 1; *not well* pas très bien 1
notebook un cahier 3
nothing ne (n')... rien 3
November novembre 5
now maintenant 3
nuclear nucléaire 9
number un nombre, un numéro 2; *phone number* un numéro de téléphone 2

O

ocean un océan 9
o'clock l'heure (f.) 3
October octobre 5
of de/d' 1; en (pronoun), sur 8; *of (the)* des 5; du 4; *of average height* de taille moyenne 5; *of course* pardi (regional) 7
often souvent 10
to **offer** offrir 5
office un bureau 3; *principal's office* le bureau du proviseur 3
oh ah, oh 1; *oh dear* oh là là 9; *oh no* oh là là 9
oil slick une marée noire 9
OK d'accord 1
old vieil, vielle, vieux 8
olive une olive 6
Olympic Games les Jeux Olympiques (m.) 2
omelette une omelette 4
on sur 2; à, en 4; *on board* à bord 7; *on foot* à pied 9; *on sale* en solde 4; *on the* au, du 8; *on the corner* du coin 8; *on the left* à gauche 7; *on the right* à droite 7; *on time* à l'heure 4
one on 1; un 2; une 3; *one's* son, sa, ses 5
onion un oignon 6
online en ligne 6
open: she opens elle ouvre 7
opinion un avis 9; *in my opinion* à mon avis 9
or ou 2
orange une orange 4; orange 6; *orange juice* un jus d'orange 4
organic biologique 9
other autre 7
otherwise autrement 6
ouch ouille 9
our notre, nos 5
outfit un ensemble 6
oven un four 7
over there là-bas 6

P

packet (of) un paquet (de) 6
painting un tableau 8
panda un panda 9; *giant panda* un panda géant 9
panel un panneau 9
pants un pantalon 6
paper le papier 3; *sheet of paper* une feuille de papier 3
pardon: pardon me pardon 8
parents les parents (m.) 5
park un jardin 8; un parc 7
party une fête, une teuf 1
to **pass (a test)** réussir (à) 5
passion une passion 10
passionate (about) passionné(e) (de) 5
pasta les pâtes (f.) 2
past: half past et demie 3
pastime un passe-temps 2
pastry: cream puff pastry une religieuse 8; *layered custard pastry* un millefeuille 8; *pastry shop* une patisserie 6
pâté le pâté 6
path un chemin 10; une voie 9
to **pay** payer 9; *someone who pays* un payeur, une payeuse 9
peach une pêche 6
pear une poire 10
peas les petits-pois (m.) 6
pen un stylo 3
pencil un crayon 3; *pencil case* une trousse 3; *pencil sharpener* un taille-crayon 3
people les gens (m.) 9
pepper le poivre 7; *bell pepper* un poivron 6
person une personne 1
persuaded persuadé(e) 9
to **phone (someone)** téléphoner 2
photo une photo 7; *another photo* re-photo 8
physics la physique 3
pie une tarte 6; *apple pie* une tarte aux pommes 6
piece (of) un morceau (de) 6; *piece of furniture* un meuble 7
pillow un coussin 7
pineapple un ananas 6
pink rose 6
pizza une pizza 2
place un endroit 3; *place yourself in front of the TV* mets-toi devant l'écran 9
planet une planète 9
plastic le plastique 9; *made of plastic* en plastique 9
plate une assiette 7
platform un quai 10
to **play** jouer 2; *to play a role* jouer un rôle 4; *to play basketball* jouer au basket (basketball) 2; *to play ice hockey* jouer au hockey sur glace 2; *to play soccer* jouer au foot (football) 2; *to play sports* faire du sport 2; *to play video games* jouer aux jeux vidéo 2

please s'il vous plaît 4
pleasure un plaisir 10
police officer un agent de police 5
to **pollute** polluer 9
polluter un pollueur, une pollueuse 9
polluting polluant 9
pollution la pollution 9
pond un étang 10
pork le porc 6
potato une pomme de terre 6
pound une livre 6
possible possible 1
post office une poste 8
poster une affiche 3
to **prefer** préférer 2
to **prepare** préparer 5
preposition une préposition 10
pretty joli(e) 6
principal un proviseur 3
to **print** imprimer 7
printer une imprimante 7
problem un problème 7
profession la profession 5; *What is your profession?* Quelle est votre profession? 5
profile un profil 10
program: television program une émission 9
project un projet 5
to **protect** protéger, sauvegarder 9
Provence: from, of Provence provençal(e) 7
province une province 10
purchase un achat 6
purple violet, violette 6
to **put (on)** mettre 7

Q

quarter un quart 3; *quarter past* et quart 3; *quarter to* moins le quart 3
Quebec le Québec 10; *from, of Quebec* québécois(e) 10
question une question 7
quiche une quiche 4
quickly vite 8

R

radiation la radiation 9
to **rain** pleuvoir 8; *it's raining* il pleut 8
ratatouille la ratatouille 10
to **read** lire 2
ready prêt(e) 6
to **realize** réaliser 10
really bien 2; vraiment 5
recipe une recette 7
to **recycle** recycler 9
red rouge 6; *red (hair)* roux, rousse 5
refrigirator un frigo 7
to **reimburse** rembourser 4
relaxed décontracté(e) 9
to **remain** rester 8
to **remember: I remember** je me souviens 10
to **rent** louer 10
to **replace** remplacer 9
report: news report un reportage 9
to **resemble** ressembler (à) 5
resident un(e) habitant(e) 10
resolution une résolution 9
respiratory respiratoire 9
restaurant un restaurant 8
to **return** rentrer, retourner, revenir 8
riad une riad 7
right: That's right. C'est ça. 1; *to the right* à droite 7; *to (on) the right of* à droite de 7
ripe mûr(e) 6
river un fleuve 8; une rivière 10
R&B: R&B concert un concert R'n'B 2
road une route 10
rock (music) le rock 2
role un rôle 5
roof un toit 9
room une salle 3; une pièce 7; *bathroom* une salle de bains 7; *classroom* une salle de classe 3; *dining room* une salle à manger 7; *living room* un salon 7
route une route 10
rug un tapis 7
running le footing 2
Rwanda le Rwanda 9

S

salad une salade 2; *tuna salad* une salade niçoise 6
salami le saucisson 6
sale: on sale en solde 4
salesperson un vendeur, une vendeuse 6
salt le sel 7
same même 6
sandwich un sandwich 4; *cheese sandwich* un sandwich au fromage 4; *ham sandwich* un sandwich au jambon 4; *grilled ham and cheese sandwich* un croque-monsieur 4
Saturday samedi 2
to **save** sauvegarder 7
say dis 1; *let's say* disons 4
scarf une écharpe 4; un foulard 6
school une école 3; *school cafeteria* une cantine 3
science les sciences (f.) 3; *science fiction* la science-fiction 4; *science lab* un labo (laboratoire) 3
to **score** marquer 4
screen un écran 7
seat un siège 10
second deuxième 7
to **see** voir 3; *to see each other/one another* se voir 8; *See you soon.* À bientôt. 1; *See you tomorrow.* À demain. 1
selfish égoïste 5
to **sell** vendre 6
to **send** envoyer 2; *to send text messages* envoyer des textos 2
Senegal le Sénégal 5
Senegalese sénégalais(e) 5
September septembre 5
series une série 4
serious grave 8
server un serveur, une serveuse 4
to **set** mettre 7; *to set the table* mettre le couvert 7
seven sept 2
seventeen dix-sept 2
seventh septième 7
seventy soixante-dix 3

she elle 1
sheet of paper une feuille de papier 3
shirt une chemise 6
shoe une chaussure 4; **tennis shoe** tennis 6
shop une boutique 6; *butcher shop* une boucherie 6
shopping le shopping 2; commerçant(e) 6; *shopping center* un centre commercial 1
short petit(e) 5
shorts un short 4
shoulder l'épaule (f.) 9
to **show** montrer 8
shower une douche 7
shy timide 5
sick malade 9; *sick person* un(e) malade 9
simple simple 10
to **sing** chanter 5
singer un chanteur, une chanteuse 5
sink un évier 7
sir monsieur (M.) 1
sister une sœur 5; *half-sister* une demi-sœur 5; *stepsister* une belle-sœur 5
six six 2
sixteen seize 2
sixth sixième 7
sixty soixante 3
size une taille 5
to **skate: to (figure) skate** faire du patinage (artistique) 2; *to in-line skate* faire du roller 2
skating: (figure) skating le patinage (artistique) 2
to **ski: to (downhill) ski** faire du ski (alpin) 2
skiing (downhill) le ski (alpin) 2
skirt une jupe 6
to **sleep** dormir 2
slice (of) une tranche (de) 6
small petit(e) 5
to **smell** sentir 7; *What does it smell like?* Ça sent quoi? 7
snack le goûter 7
sneakers des tennis (f.) 6
snow: it's snowing il neige 8
so alors 3; donc 4; *so-so* comme ci, comme ça 1
soccer le foot 2; *soccer ball* un ballon de foot 4; *soccer player* un footballeur, une footballeuse 4
sock une chaussette 4
soda: lemon-lime soda une limonade 4
sofa un canapé 7
software un logiciel 7
solar solaire 9; *solar energy* l'énergie (f.) solaire 9
some d', de, des, du 2
somebody quelqu'un 10
someday un jour 5
someone quelqu'un 10
something quelque chose 10
son un fils 5
song une chanson 7
songwriter un compositeur 5
soon bientôt 1
sorry désolé(e) 8
soup la soupe 6
south le sud 10
spa treatment une cure 9
Spain l'Espagne (f.) 10
Spanish espagnol(e) 10; *(language)* l'espagnol (m.) 3
to **speak** parler 3
species: endangered species les animaux (m.) en voie de disparition 9
to **spend (time)** passer 7
spoon une cuiller 7
sport un sport 2
spring le printemps 8
square un carré 7; une place 8; *in squares* en carrés 7
stadium un stade 4
to **start** démarrer 7
statue une statue 8
to **stay** rester 8
steak: steak with fries un steak-frites 4
step: step aerobics le step 9; *stepbrother* un beau-frère 5; *stepfather* un beau-père 5; *stepmother* une belle-mère 5; *stepsister* une belle-sœur 5
stereo une stéréo 3
still toujours 4
stomach l'estomac (m.), le ventre 9
to **stop** s'arrêter 8; arrêter 9
store un magasin 3; *dairy store* une crémerie 6; *grocery store* une épicerie 6
story un étage 7
stove une cuisinière 7
straight ahead tout droit 10
strawberry une fraise 10
street une rue 6
strict strict(e) 1
strong fort(e) 7
student un(e) élève 3
to **study** étudier 2
subway le métro 4; *subway entrance* une bouche du métro 4
to **succeed** réussir (à) 5
sugar le sucre 7
suitcase une valise 10
summer l'été (m.) 2
Sunday dimanche 2
sunny: it's sunny il fait du soleil 8
supermarket un supermarché 6
to **support** soutenir; *I support* je soutiens 2
sure sûr(e) 7
to **surf** surfer 2; *to surf the Web* surfer sur Internet 2
survey une enquête 2
to **survive** survivre 9
sweater un pull 6
to **swim** nager 2
swimming pool une piscine 3
Swiss suisse 10
Switzerland la Suisse 10
to **synchronize** synchroniser 7

T

table une table 3; *table setting* le couvert 7
tablecloth une nappe 7
Tahitian tahitien(ne) 3
to **take** prendre 4; *I'll take* je prends 3; *to take advantage of* profiter 8
to **talk** parler 3; *to talk to each*

other/one another se parler 8
talkative bavard(e) 5
tall grand(e) 5
tart: fruit tart une tarte aux fruits 6
teacher un(e) prof 1
team une équipe 4; *team logo* un blason 4
television une télé (télévision) 2; *television program* une émission 9
temperature la température 8
ten dix 2
tenth dixième 7
terrace une terrasse 8
terrific génial(e) 2
test un contrôle 1
text message un texto 2
thank you merci 4
than que 7
that ça 2; qui 3; que 5; ce, cet, cette, ces 6; *that is* c'est 1; *That's* awesome! C'est le top! 1; *That's right.* C'est ça. 1
the le, la, l' 1; les 2; *the most (+ adjectif)* le/la/les plus (+ adjective) 10
their leur, leurs 5
then alors, puis 3
there là 1; *there is/are* il y a 3; *Are we going (there)?* On y va? 3; *over there* là-bas 6
therefore donc 4
these ce, cet, cette, ces 6
they *they (f.)* elles 2; *they (m.)* on 1; ils 2
to **think** penser 7; *to think over* réfléchir (à) 5
third troisième 7
thirsty: to be thirsty avoir soif 4
thirteen treize 2
thirty trente 3
this ce, cet, cette, ces 6; *this is* c'est 1
those ce, cet, cette, ces 6
thousand mille 4
three trois 2
thriller un thriller 4
throat la gorge 9
Thursday jeudi 2
ticket un billet 10; un ticket 4; *ticket booth* un guichet 4; *ticket collector* un contrôleur, une contrôleuse 10; *ticket-stamping machine* un composteur 10
tide une marée 9
tiger un tigre; *Sumatran tiger* un tigre de Sumatra 9
time l'heure (f.) 3; *on time* à l'heure 4; *What time is it?* Quelle heure est-il? 3
tired fatigué(e) 8
to à 1; chez 3; *to my house* chez moi 3; *to the* au 1; aux 3; *to him* lui 5; *to her* lui 5; *to me* moi 4; *to you* te 1; vous 5
today aujourd'hui 4
toe le doigt de pied 9
together ensemble 3
Togo le Togo 5
Togolese togolais(e) 5
toilet les toilettes (f.), les W.C. (m.) 7
tomato une tomate 6
tomorrow demain 1; *See you tomorrow.* À demain. 1
too trop 1; aussi 2; *too bad* tant pis 6; *too much of* trop de 6
tooth une dent 9
top le haut 8
topic un thème 9
tour un tour 8
tourist guide un guide touristique 8
towards vers 10
train un train 10; *train platform* une voie 10; *train station* une gare 8**to**
travel voyager 5
traveller un voyageur, une voyageuse 10
trip un voyage 8
true vrai(e) 10
to **try (on)** essayer 6
T-shirt un tee-shirt 6
Tuesday mardi 2
tuna le thon 6; *tuna salad* une salade niçoise 6
to **turn** tourner 10
TV une télé (télévision) 2
twelve douze 2
twenty vingt 2
two deux 2
type un genre 4

U

ugly moche 6
um euh 3
uncle un oncle 5
under sous 3
to **understand** comprendre 10
unintelligent bête 5
United States les États-Unis (m.) 5
unpleasant désagréable 8
until jusqu'à 10
us nous 5
USB key une clé USB 7

V

vacation les vacances (f.) 10
to **validate (a ticket)** composter 10
valley une vallée 10
vegetable un légume 6
versus contre 4
very très 1; *Very well, and you?* Très bien, et toi/vous? 1
video: video games les jeux vidéo (m.) 2; *video game tester* un testeur de jeux vidéo 5
view une vue 7; *What a beautiful view!* Quelle belle vue! 7
visit une visite 10
to **visit** visiter 8
visual arts les arts plastiques (m.) 3

W

to **wait (for)** attendre 4
walk une promenade 8
to **walk** marcher 9
to **want** désirer 4; avoir envie de 8; vouloir 6
wardrobe une armoire 7
to **watch** regarder 2; *Watch out!* Attention! 7
water l'eau (f.) 4

waterfall une cascade 10

watermelon une pastèque 6

way un chemin 10

we on 1; nous 2; *We'll call each other.* On s'appelle. 1

to **wear** porter 4

weather le temps 8; *the weather's bad* il fait mauvais 2

website un site web 7

Wednesday mercredi 2

week une semaine 2

weekend le weekend 2

welcome bienvenue 4

well bien, eh bien 1; ben 7; *Are things going well?* Tu vas bien? 2

west l'ouest (m.) 10

what comment 1; qu'est-ce que, quel, quelle 2; quoi 3; ce que 9; *What a beautiful view!* Quelle belle vue! 7; *What are you doing?* Qu'est-ce que tu fais? 2; *What do you like to do?* Qu'est- ce que tu aimes faire? 2; *What does it smell like?* Ça sent quoi? 7; *What is... like?* Comment est...? 5; *What is your profession?* Quelle est votre profession? 5; *What size are you?* Quelle taille faites-vous? 6; *What's the weather like?* Quel temps fait-il? 8; *What's wrong with her?* Qu'est-ce qu'elle a? 9; *What's your name?* Tu t'appelles comment? 1

when où 8; quand 2

where où 3

which quel, quelle 2

white blanc, blanche 6

who qui 3

why pourquoi 2

wife une femme 5

wild sauvage 9

to **win** gagner 4

wind turbine une éolienne 9

window une fenêtre 3

windy: it's windy il fait du vent 8

winter l'hiver (m.) 8

with avec 1; par 7

work un taf 7

to **work** travailler 5

world le monde 1

world music la world 2

would: I would like je voudrais 5; *you would like* tu voudrais 1; *Would you like...?* Vous voulez...? 4

wow oh là là 9

to **write** écrire 3

writer un écrivain 5

Y

year un an, une année 5

yellow jaune 6

yes oui 1; *yes (on the contrary)* si 2

yesterday hier 8

yoga le yoga 9

yogurt le yaourt 6

you te/t', toi, tu, vous 1

your ton, ta 1; tes, votre, vos 5; *your name is* tu t'appelles 1

Z

zero zéro 2

zucchini une courgette 6

Grammar Index

Credits

Abbreviations: top (t), bottom (b), right (r), center (c), left (l)

Photo Credits

3alexd/iStockphoto: 487 (#3)
4x6/iStockphoto: 220 (l'oncle)
A & M Photography/iStockphoto: 486 (tiger), 487 (#5)
Acilo Photography/iStockphoto: 111 (l)
AGMIT//iStockphoto: 89
Aguilarphoto/iStockphoto: 536 (t)
Ahturner/iStockphoto: 276 (tr)
Alberto Pomares Photography/iStockphoto: 76
AlcelVision/Fotolia.com: 360 (tl)
Aldomurillo/iStockphoto: 6 (3. #5), 69 (dormir)
Alex/iStockphoto: 276 (une veste), 277 (tc)
Alex Nikada | Photography/iStockphoto: 52 (sortir avec mes amis), 413 (A)
Alfieri, Michele/iStockphoto: x (bl)
Almeida, Helder/Istock: 240
Alvarez, Luis/Fotolia.com: 4 (algérien)
Alxpin/iStockphoto: 371 (b: software)
Amoceptum/iStockphoto: 310 (les petits-pois)
Amysuem/iStockphoto: 169 (t)
Andersen, ULF/SIPA Press: 41
Anderson, Leslie: 16 (t), 78 (le hip-hop, le rock, la musique alternative, la world), 86 (#1), 118 (#2, #5, #6), 164 (un ticket), 197 (Amélie poster), 292 (mayonnaise, soupe), 294 (spaghetti, soup), 300 (Orangina), 324 (metro ticket), 351 (Mississippi Market), 487 (#7), 541 (r)
Andykazie/iStockphoto: 310 (les pêches)
AngiePhotos/iStockphoto: 123 (intelligent(e))
Anmarie98121/iStockphoto: 27 (tr)
Apomares/iStockphoto: 99 (t)
Arcurs, Yuri/Fotolia.com: 31 (#3)
Arianespace/SIPA Press: 35
Arnau Design/iStockphoto: 348 (#3)
Arpad, Benedek/iStockphoto: 426 (#4), 516 (Ontario)
Artemis Gordon/iStockphoto: 244
Asiseeit/Istock: 6 (2: #2)
Ataman, Stefan/iStockphoto: 382 (MP3 player), 411 (un pont)
Atlasphoto/Fotolia.com: 373 (#7)
Auremar/Fotolia.com: vi (t), 205 (b), 384 (r), 556
Auris/Istock: 137, 148 (#5)
AustralianDream/Fotolia.com: 410 (une cathédrale)
Avava/Fotolia.com: 108 (un prof), 262 (#5)
Avid Creative, Inc./iStockphoto: 108 (un élève), 249 (une athlète)
Badami, Khoj/iStockphoto: 544 (anglais)
Baltel/SIPA Press: 504
Barbara HelgasonPhotography/iStockphoto: 291 (le bœuf), 297 (Modèle), 303 (#2)
Barbier, Bruno/Photononstop: 157
Barsik/iStockphoto: 53 (faire de la gym), 71, 136 (b)
Barskaya, Galina/ Fotolia.com: viii (t)
Bassouls, Sophie/Sygma/CORBIS: 327 (t)
Bebert, Bruno/SIPA Press: 33
Beboy/Fotolia.com: 111 (c)
Bedridin Avedyli/Fotolia.com: 88 (b)
Bellanger, Stéphanie: 292 (ketchup)
Benamalice/Fotolia.com: 292 (le pâté), 303 (#4)
Benard, Guillaume/Fotolia.com: 561
Benpowell2007/iStockphoto: 341 (2.)
Bergman, Hal/iStockphoto: 250 (tl)
Bidouze, Stéphane/iStockphoto: 251 (#3)
Blackwaterimages/iStockphoto: 318 (l)
Blanc, Jessica/Fotolia.com: 31 (#1)
Blaze Kure/Fotolia.com: 108 (une fenêtre), 109 (1. #1)
Blend_Images/iStockphoto: 412
Blowback Photography/iStockphoto: 4 (tr)
Blue Cutler/iStockphoto: 545
Bluestocking/iStockphoto: 108 (un lecteur de DVD), 109 (1. #7), 245 (Modèle)
Bo1982/iStockphoto: 399 (br)
Bobbieo/iStockphoto: 27, 227, 396 (Pierre a froid)
Bognar/Megapress: 524
Bognar, Tibor/Photononstop: 515, 522
Boone/iStockphoto: 7 (t)
Boratti, Silvia/iStockphoto: 422 (b)
Boston, Frank/Fotolia.com: 533 (#2)
Bowdenimages/iStockphoto: 352 (c)
Brandenburg, Dan/iStockphoto: 248 (béninois)
Brian, Zach/SIPA Press: 93
Broeb/iStockphoto: 374 (G)
Brown, Katrina: 4 (français)
Bulent Ince/iStockphoto: 399 (#5)
Bumann, Uwe/Fotolia.com: 544 (allemande)
Buzbuzzer/iStockphoto: 516 (Quebec city), 517 (capital), 520
Campbell, William/CORBIS: 477(t)
Capeloto, Louis/Fotolia.com: 352 (t)
Caracterdesign/iStockphoto: 52 (tl, tr)
Case, Justine/Author's Image/Photononstop: xi (Bora-Bora)
Cassini, Isabella: 371 (t), 377
Caziopeia/iStockphoto: 53 (une salade), 66 (Modèle), 181 (B. salad)
CEFutcher/iStockphoto: 221 (br), 432 (t)

Cervo, Diego/iStockphoto: 251 (#4), 383 (l)
Chandlerphoto/iStockphoto: 370 (b)
Charles Knox Photography/iStockphoto: 64
Chibane, Baziz/SIPA Press: 196
Chic type/iStockphoto: 52 (faire du footing), 54 (Suzanne/ mardi), 78 (le footing), 284 (#2. orange)
Chine Nouvelle/SIPA Press: 50, 59
Chistoprudov, Dmitriy/Fotolia.com: 499 (#7)
Chlorophylle/Fotolia.com: 37
Chris Hepburn Photography/iStockphoto: 310 (les poivrons)
Chris Pecoraro Photography/iStockphoto: 533 (b)
Christelle NC/Fotolia.com: 533 (Modèle)
Claireliz/Fotolia.com: 361(oil and vinegar)
Clinton, Patrick/Photononstop: IN*Haiti, Port au Prince, bus: 402 (c)
Clochard, Céleste/Fotolia.com: 533 (#4)
Coburn, Stephen/Fotolia.com: 137, (à la salle d'informatique), 138 (E), 148 (#6)
Collection/Ribière/SIPA Press: 58 (t)
Collection Yli/SIPA Press: 385
Combo Design/iStockphoto: 562
Consu1961/iStockphoto: 434 (t)
Contrastwerkstatt/Fotolia.com: 6 (2. #1)
Coquilleau, Claude/Fotolia.com: 411 (un hôtel de ville)
Corbis/Fotolia.com: 519, 526 (b)
Corot Classical Images/iStockphoto: 348 (#1)
Couillaud, Alain/iStockphoto: 9
Craftvision/iStockphoto: 115 (#7), 262 (#2)
Creative Shot/iStockphoto: 382 (USB key)
Crosseyedphoto/iStockphoto: 477 (b)
Cummin, Anthia/iStockphoto: 108 (un cédérom), 110 (2. #8), 115 (#6), 245 (#2)
Dahu/ Fotolia.com: ix (t)
Dalmas/SIPA Press: 94, 152
Damjanac, Svetlana /Istockphoto: vii (c)
Dancurko/iStockphoto: 86 (#7)
Dangers, Steve/iStockphoto: 53 (nager), 54 (Suzanne/ samedi), 66 (#2)
Darklord_71/iStockphoto: 52 (faire du roller)
Davaine, Laurent/Fotolia.com: 536 (b)
Dbrimages/Fotolia.com: 16 (Pas très bien.), 123 (drôle)
Dbufoo/iStockphoto: 206, 220 (le frère)
Degas, Jean-Pierre/Hemis: 106
Designs of Integrity/iStockphoto: 14, 69 (téléphoner), 396 (Chloé a chaud)
Diane39/iStockphoto: 79 (t)
Digital Planet Design/iStockphoto: 108 (une prof), 249 (un médecin)
Digitalskillet/iStockphoto: 221 (tc)
Dizeloid/iStockphoto: 342 (#10)
DN/Fotolia.com: 6 (2. #5)
Dogist/Fotolia.com: 539
DonNichols/iStockphoto: 115 (#2)
Dononeg/iStockphoto: 382 (mouse)
Doucet, Martine/iStockphoto: 517 (people)
DRB Images/Istockphoto: iv (bl)
Driving South/Fotolia.com: 544 (français)
Drxy/iStockphoto: 99 (b)
DSGpro/iStockphoto: 66 (#5)
Dunouau, Franck/Photononstop: 435
Duris, Guillaume/Fotolia.com: 17, 156 (b)
Edward ONeil Photography Inc./iStockphoto: 374 (E)
Egal/iStockphoto: 323
Elasesinodifuso/Fotolia.com: 550 (t)
Elenathewise/iStockphoto: 364, 500 (#3 l)
Elke, Dennis/Fotolia.com: 544 (italienne)
Elnur/iStockphoto: 277 (tl)
Email2ying/Stockphoto: 191
EMC Publishing, LLC: 29, 53 (de la pizza), 54 (Karim/ samedi), 66 (#7), 180 (un coca), 181 (C. coke), 182 (#4 coke), 189 (#3), 210, 211
Encrier/Istockphoto: vii (tr)
Erel photography/iStockphoto: 479
Eremm/iStockphoto: 374 (Modèle)
Erikson Photography/iStockphoto: 182 (Modèle)
Erikwkolstad/iStockphoto: 51, 74 (t)
Eurobanks/iStockphoto: 220 (Théo), 544 (belge, boy)
Evrigen/iStockphoto: 110 (2. #1)
Fabien/Fotolia.com: 108 (un ordinateur portable), 110 (2. #7)
Fabien R. C./Fotolia.com: ix (b)
Fabio Boari Fotografo/iStockphoto: 303 (#1), 322, 405 (#5)
Falataya/iStockphoto: 255 (b)
Falcatraz/iStockphoto: 220 (le père)
Fanfan/Fotolia.com: 410 (un monument)
Fayole, Pascal/SIPA Press: 492
Fei, Wong Sze/Fotolia.com: iv (bc)16 (Pas mal.), 233 (tr)
Felinda/iStockphoto: 276 (un foulard), 324 (scarf)
Ffolas/iStockphoto: 78 (le roller)
Flavyx197/Fotolia.com: 535 (t)
Floris70/Fotolia.com: 78 (le cinéma)
FocalHelicopter/iStockphoto: 242 (t)
Foster, Caleb/Fotolia.com: 552
FotoliaXIV/Fotolia.com: 218
Franco Deriu Photographer/iStockphoto: 310 (les oignons)
Franklin, David/iStockphoto: 393 (b)
Freephoto/Fotolia.com: 127 (b)
French Embassy to the US/Press Office: 44
Freyermuth, Sylvain/Théâtre des Zonzons: 74 (c)
Fried, Robert/robertfriedphotography.com: 4 (tc), 10 (b), 20 (t), 21 (t), 34, 60, 128 (t), 142 (b), 219, 220 (le grand-père, la grand-mère), 225, 238, 245 (#8), 249 (un cuisinier), 262 (#7), 291 (la tarte aux pommes, le gâteau), 296 (#2), 310 (t, les raisins), 316 (b), 324

(crêpe), 332, 344, 348 (t), 357, 375 (b), 394, 397 (horse), 399 (#4), 405 (#3), 410 (une statue), 413 (B), 420 (Modèle, #1, #2, #3), 422 (t), 423, 476, 500 (#4)

Frischhut, Thomas/Tellus Vision Production AB, Lund, Sweden: 8, 19, 32 (tlc), 56, 72 (t), 81, 111 (t), 126, 140, 168, 184, 199, 224, 236, 253, 280, 298, 314, 345, 358, 376, 400, 415, 433, 463, 475, 491, 520, 534, 549

Frincu, Edith/Shutterstock: 307 (b)

Fstop123/iStockphoto: 176

Fuzephoto/iStockphoto: 250 (tr), 251 (#5)

Gaillot, Bernard: 39 (b)

Gchutka/iStockphoto: 404

Ghiea, Vlad/Shutterstock.com: xi (Quebec)

Ghispoppins/Fotolia.com: 517 (plate)

Gillow, Mark/iStockphoto: 180 (une quiche), 181 (B.quiche), 182 (#5 quiche), 189 (#4), 291 (les œufs), 297 (#7)

Ginies/SIPA Press: 265

Glade Christine/iStockphoto: 234 (b), 471 (flu)

Godong/Photononstop: 141

Goldberg, Beryl: 17 (c), 108 (un DVD, une pendule), 109 (1. #2, #3), 115 (Modèle, #4), 121 (t), 129, 136, 137 (à la piscine), 139 (C,D), 148 (t, #7), 181, 179 (t), 198, 205 (#1), 212 (t), 222 (br), 248 (sénégalaise), 254 (b), 282 (b), 291 (la boucherie)

Golden Pixels, LLC/iStockphoto: 26

Gordon's Life Photo/iStockphoto: 4 (américain)

Gorilla/Fotolia.com: 407 (t)

Gough, Laurence/Fotolia.com: 108 (une élève)

Gould, Phillip/CORBIS: 10 (t)

Govin-Sorel/Photononstop: 165

Gray, Michael C/Shutterstock: 180 (une glace au chocolat), 182 (#6. ice-cream), 189 (#3)

Green Machine/iStockphoto: 108 (une stéréo), 115 (#5)

Greg/Fotolia.com: 310 (les ananas)

Gretener Ivo/iStockphoto: 229

Guillet, Frédéric/Fotolia.com: 535 (b)

Hadj/Jobard/SIPA Press: 57

Hähnel, Christoph/Fotolia.com: 544 (anglaise, allemande)

Hart Creations/iStockphoto: 6 (2. #3), 303 (b), 424, 432 (b)

HayesPhotos/iStockphoto (New Brunswick)

Hoa-Qui/Wolf Alfred/Fête foraine auxTuileries, Paris 1/ Gamma Rapho: 266

Iconogenic/iStockphoto: 221 (tr)

Idambies/iStockphoto: 52 (Il fait beau.), 54 (météo/lundi, météo/mardi, météo/samedi, météo/dimanche), 90 (Modèle 1, #2, #3, #6)

Ika PrikhodkoPhotography/iStockphoto: 78 (le basketball)

Ileximage/iStockphoto: 52 (faire du vélo), 54 (Suzanne/ lundi), 374 (F)

Imagery Majestic/Fotolia.com: 467

Images by Barbara/Fotolia.com: 16 (Comme-ci, comme-ça.)

Imagine/Fotolia.com: 151, 499 (#4, r)

Inkcapture/iStockphoto: 352 (c)

Iophoto/iStockphoto: 137(chez moi), 138 (B)

Iserg/iStockphoto: 371 (b: USB key)

Isik, Sinan/iStockphoto: 249 (un testeur de jeux vidéo)

Istock János, Gehring/iStockphoto: 381

Istock photos/iStockphoto: 28 (C'est mon père. C'est ma mère.)

Izusek/iStockphoto: 150, 442

J & E Reelworks, LLC/iStockphoto: 293

Jackin/Fotolia.com: 490

Jakkez/iStockphoto: 73

JamieCarroll, LLC/iStockphoto: 6 (3. #4)

Jani Bryson Studios, Inc./iStockphoto: 544 (luxembourgeois)

Janvier, Steeve/Fotolia.com: 137 (à la médiathèque, 138 (F)

Jarenwicklund/iStockphoto: 439

JazzIRT/iStockphoto: 342 (#1)

Jeff Hathaway Photography/iStockphoto: 411 (un hôtel)

Jgareri/iStockphoto: 53 (jouer au hockey sur glace)

JK/Fotolia.com: 292 (le saucisson), 297 (#6)

Jmalov/iStockphoto: 52 (faire du roller), 54 (Karim/ mercredi)

João/iStockphoto: 487 (#1)

JoeLena/iStockphoto: 52 (faire du shopping), 54 (Karim/ lundi)

Jordanchez/iStockphoto: 220 (la demi-soeur)

Jose, Nicholas/SIPA Press: 21 (b)

Joshua Hudge Photography/iStockphoto: 133

Juanmonino/iStockphoto: 220 (la mère, la belle-mère), 544 (espagnole)

Justice Images/iStockphoto: 474

Kali9/iStockphoto: 444 (b)

Karmierski, Andrew/Fotolia.com: 533 (#5)

Kasiam/iStockphoto: 310 (les concombres)

Kertlis/iStockphoto: 294 (#8), 296 (Modèle)

Khoon, Tan Kian/Fotolia.com: 503

Kislota/iStockphoto: 499 (#6, t)

KK Tan Photography/iStockphoto: 249 (un homme d'affaires)

Kokopopsdave/iStockphoto: 27 (tcl)

Kolundzija, Aleksandar/iStockphoto: 396 (Paris in autumn)

Kozlov, Oleg/Fotolia.com: 533 (#3)

Krajewski, John/iStockphoto: 5 (Alexandre)

Kranendonk, Jan/iStockphoto: 500 (#6 r)

Krinke, Michael/iStockphoto: 544 (italien)

Kryczka/iStockphoto: 249 (un graphiste)

Kubrak78/iStockphoto: 276 (un maillot de bain)

Kuhran/Fotolia.com: 544 (suisse, boy)

Labriet, Gérard/Photononstop: 274

Laing, Nick/Warburton-Lee, John/Photononstop: vii (bl)

Largeformat 4x5/iStockphoto: 86 (#8)

Lau, Karin/Fotolia.com: 86 (#6), 200, 262 (#4)

Laughingmango/iStockphoto: 516 (Quebec)
Lazar, Mihai-Bogdan/Fotolia.com: 550 (b)
Lefèvre, Sylvain/SIPA Press: 98 (c)
Lejeune, Jean-Paul/iStockphoto: 516 (St Lawrence)
Lemaire, Gérard/Fotolia.com: 465
Le Roy-Férau, Jérémie/Fotolia.com: xi (Alger)
Life on White/iStockphoto: 397 (fish), 399 (Modèle, #2)
Lighthouse Bay Photography/iStockphoto: 235
Lightpoet/Fotolia.com: 6 (2. #2)
Lindquist, Mary: 49 (b), 65 (b), 161 (b), 273 (tl, b), 337 (tl, b), 457 (b), 513 (tl, b)
LisaFX Photographic Designs/iStockphoto: 6 (3. #3), 480 (c)
LiseGagne/iStockphoto: 399 (#3)
Living images/iStockphoto: 4 (canadienne), 86 (#2)
Ljupco Smokovski/iStockphoto: 373 (#4)
LM/iStockphoto: 371 (t: tablet)
LordRunar/iStockphoto: 533 (#1)
Lovleah/iStockphoto: 251 (#6)
Lulu Berlu/Fotolia.com: 128 (b)
Lydie/SIPA Press: 255 (t)
Lypnyk2/iStockphoto: 277 (tr)
M&H Sheppard/iStockphoto: 248 (sénégalais, togolaise, gabonais, ivoirienne,béninoise,gabonais, gabonaise)
M-X-K/iStockphoto: 342 (#8)
Maica/iStockphoto: 69 (lire), 248 (malien)
Maiestas/iStockphoto: 245 (#3)
Maillet, Jean-Marie/Fotolia.com: 175
Manley, Andrew/iStockphoto: 499 (#1, R)
ManoAfrica/iStockphoto: 5 (Moussa)
Maridav/Fotolia.com: viii (c), 123 (énergique)
Mark Herreid Photography/iStockphoto: 52 (jouer au basket), 54 (Karim/vendredi, Suzanne/dimanche), 66 (#3), 86 (#5)
Mashabuba/iStockphoto: 148 (#3)
Masseglia, Rémy/ Fotolia.com: viii (b)
Maszlen, Peter/Fotolia.com: 488
Matejay/iStockphoto: 67
Mayonaise/Fotolia.com: 171
Mbbirdy/iStockphoto: 369
MBPhoto, INC./iStockphoto: 234 (t)
Mcmullan Co/SIPA Press: 197
Megapress: 527
Meghan Orud Photography: 230 (b)
Merton, Tom/Ojo Images/Photononstop: 458
Mesmerizer/iStockphoto: 342 (#6)
Mevans/iStockphoto: 85 (tl)
Michaeljung/iStockphoto: 4 (algérienne), 16 (br)
Milphoto/Fotolia.com: 170
Mimon/Fotolia.com: 226
Minnis, Phillip/iStockphoto: 348 (#4)
Mitya/iStockphoto: 276 (des bottes)
Monkey Business Images/iStockphoto: 63, 137 (à la cantine), 148 (#4), 360 (b), 483
Monkey Business Images/Shutterstock.com: v (bl)
Monu, Nicholas/iStockphoto: 4 (canadien)
Moodboard/Fotolia.com: iv (t), 6 (2. #1), 251 (#2)
Moran, Ellen/iStockphoto: 516 (United States)
Mysty/SIPA Press: 164 (cl), 169 (b)
Naphtalina/ iStockphoto: 401
Nathalie P/Fotolia.com: 85 (tr)
NDS/iStockphoto: 382 (printer)
Neustock/iStockphoto: 4 (classmates)
Newphotoservice/iStockphoto: 511 (l)
NfrPictures/Fotolia.com: 426 (#1)
Nicholas/iStockphoto: 373 (#5)
NickS/Fotolia.com: 110 (2. #6)
Nicolesey, Inc/Nicole S. Young/iStockphoto: 526 (t)
Niko/Lorenvu/Nivière/SIPA Press: 201
NLShop/Fotolia.com: 58 (b)
Nojman/iStockphoto: 342 (#5)
Norman Pognson Photography/iStockphoto: 75
Numérik/Fotolia.com: 114
Oberhauser/Caro Fotos/SIPA Press: 20 (b)
Obscura99/iStockphoto: 31 (#2), 54 (Suzanne/vendredi), 138 (A)
ODonnell Photograf/iStockphoto: 276 (un jean)
Okea/iStockphoto: 382 (laptop)
Olegg66/iStockphoto: 135 (t)
Olga-artfly/iStockphoto: 397 (dog)
Oliver Childs Photography/iStockphoto: 53 (faire du patinage artistique), 54 (Karim/mardi)
Olly/Fotolia.com: 90 (t)
Overprint/iStockphoto: 276 (des tennis)
OxfordSquare/iStockphoto: 287
Ozkok/SIPA Press: 446, 558
Ozmen, Unal M./Shutterstock: 284 (#2)
P.M. Augustavo Photography/iStockphoto: 548 (tr)
Pagadesign/iStockphoto: 373 (#2)
Paha_L/iStockphoto: 469
ParisPhoto/Fotolia.com: 410 (une place)
PattieS/iStockphoto: 3
Paul Johnson Photography/iStockphoto: 53 (des pâtes), 66 (#1)
Pawlowska, Edyta/Fotolia.com: 304
Pears2295/iStockphoto: 471 (fever)
Peepo/iStockphoto: 249 (un écrivain person)
Pengpeng/iStockphoto: 123 (intéressant(e))
Pepin, Denis/Fotolia.com: 16 (Très bien.)
Perets/iStockphoto: 251 (#3 suitcase)
Petit, Joël/Fotolia.com: 165 (hat on top of girl)

Pétrie, Gretchen: 459, 493 (t)
Pgiam/iStockphoto: 487 (bottles)
Phil Date Photography/iStockphoto 330, 482 (b)
Philipus/Fotolia.com: 128 (t)
PhotoL/iStockphoto: 249 (un écrivain: books)
Photo studio FD/iStockphoto: 251 (Modèle)
PhotoTalk/iStockphoto: 396 (au printemps), 531
Phototrolley/iStockphoto: 53 (plonger), 66 (#4)
Pics721/Fotolia.com: 341 (1.)
Piebinga management bv/iStockphoto: 39 (t)
Piksel/iStockphoto: 4 (greeting kiss), 434 (b)
Pink_cotton_candy/iStockphoto: 220 (le beau-père)
Pitcher, John/iStockphoto: 486 (bear), 487 Modèle)
PixAchi/Fotolia.com: 162
Pixalion/Fotolia.com: 361 (garlic)
Pixel300/Fotolia.com: 411 (l'argent)
Planche, Thierry/Fotolia: 499 (#8)
Plett, Randy Photographs/iStockphoto: 220 (la tante)
Plougmann/iStockphoto: 471 (unhealthy)
Poco_bw/Fotolia.com: 379
Pokrovsky, Ekaterina/Fotolia.com: 396 (Arc de Triomphe in fall)
Pol, Émile/SIPA Press: 82
Porschelegend/Fotolia.com: xi (Belgium)
Portraits Unlimited/iStockphoto: 69 (étudier), 145
Pp76/Fotolia.com: 110 (2. #4), 115 (#1), 245 (#4)
Prashant ZI/iStockphoto: 382 (keyboard)
PressFoto/iStockphoto: 28 (à la teuf), 54 (Suzanne/jeudi), 289
Prikhodko, Oleg/iStockphoto: 373 (#1)
Prochasson, Frédéric/Fotolia.com: 249 (une avocate, background)
Prosto Agency/iStockphoto: 517 (flag)
Pshenichka/iStockphoto: 499 (#2)
Quavondo Photographer/iStockphoto: 276 (tl)
Ramirez, Rafael/Fotolia.com: 205 (#3), 262 (#6)
Randy Plett Photographs/iStockphoto: 382 (cell phone)
Rave/iStockphoto: 5 (Khaled)
Reau, Alexis/SIPA Press: 271
Renault, Francois/Photononstop: 338
Renphoto/iStockphoto: 221 (cl)
Rich Vintage Photography/iStockphoto: 31 (br), 86 (#4), 548 (tl, bl)
Rigaud, Marc/Fotolia.com: 426 (#6)
Robert A. Levy Photography, LL/iStockphoto: 471 (healthy)
Rocketegg/iStockphoto: 222 (bl)
Rodriguez, Andres/Fotolia.com: 544 (espagnol)
RoJo Images/iStockphoto: 355 (le déjeuner)
Roland, Yves/Fotolia.com: 322
Ronald N Hohenhaus/iStockphoto: 221 (les cheveux noirs)
RonTech2000/iStockphoto: 221 (tl)
Rosa, Jean-Marie/Fotolia.com: 426 (#3)
Roussel, Adrien/Fotolia.com: x (tr)
Ruffraido/iStockphoto: 5 (Evenye), 248 (malienne, togolais)
Rusm/iStockphoto: 395, 417, 420 (#5)
Russ, Kevin/iStockphoto: 544 (allemand)
Ryall, Bill: vii (br), 393 (tr)
Sablamek/iStockphoto: 249 (une dentiste)
Sadaka, Edmond/SIPA Press: 47
Sagliet, Véronique/Fotolia.com: 500 (#1 l)
Salcher, Doreen/Fotolia.com: 16 (Ça va mal.)
Sanders, Gina/Fotolia.com: 306
Santa Maria Studio/iStockphoto: 78 (le foot), 262 (#1)
Sarikaya, Özger: 108 (une affiche), 109 (1.#4), 115 (#3)
Serhiy/iStockphoto: 291 (le poulet), 297 (#1), 303 (Modèle)
S. Greg Panosian/iStockphoto: 426 (#2), 500 (#1 r)
Shantell photographe/iStockphoto: 471 (sick)
Sharon Dominick Photography/iStockphoto: 249 (une avocate person), 313
Shestakoff/iStockphoto: 113 (t)
Shutrbugg/iStockphoto: 486 (panda), 487 (#2)
Sielemann, Søren/iStockphoto: 220 (le beau-frère)
Silva, Daniele/Fotolia.com: 341 (3.)
Simon-TV/NRJ/OH/SIPA Press: 378 (t)
Simsek, Baris/iStockphoto: 342 (#9), 373 (#6), 382 (tablet)
Simson, David/images by "David SimsonB-6940 SEPTON (dasphoto@hotmail.com)": v (t), vi (bl, br), 4 (tl), (française), 5 (Sandrine, Saniyya), 6 (2. #4; 3. #6), 7 (b), 11, 16 (bl), 18, 28 (au café, au cinéma), 31 (Modèle, #4), 32, 52 (sortir avec mes amis), 53 (des frites (f.)), 54 (Karim/dimanche), 54 (Suzanne/mercredi), 86 (#3), 88, 92, 108 (t), 117, 121 (b), 134, 137 (au bureau du proviseur, au magasin, en ville), 138 (t), 138 (2. D), 139, 142 (t), 146, 148 (#1, #2), 163, 164 (t, cr), 167, 179 (b), 180 (un sandwich au jambon, une omelette, un steak-frites, une crêpe), 181 (A, C (water and clear soda), D,E), 182 (#1, #2 omelet, #3, #4 sandwich, #5; #6 water, #7 steak and fries), 183, 185 (b), 186, 189 (#1, #2, #5, #6), 190, 203, 205 (Modèle, #2, #4, #5, #6), 212 (b), 220 (le demi-frère, la cousine, le cousin, la sœur), 225 (t), 233 (tl), 245 (#7, br), 246, 248 (boy burkinabè, ivoirien, camerounais, camerounaise), 249 (un agent de police, un ingénieur, une chanteuse), 252, 257, 261, 262 (Modèle, #3), 270, 275 (b), 279, 281, 283, 284 (Modèle (ice cream), #1, #3, #4), 285, 286, 288, 291 (la boulangerie, la baguette, le croissant, la pâtisserie, la crémerie, le beurre, le lait, le fromage, le yaourt, le camembert, le porc), 292 (l'épicerie, la moutarde, la confiture, la charcuterie, cl, cr, bl, br), 294 (#1, #2, #3, #4, #5), 295, 296 (#1, #3, #4, #5, #6, #7, #8), 297 (#2, #3, #5, b), 299, 300, 301, 303 (#3, #6, #7), 310 (les fruits), 315, 316 (t), 317, 325(r), 333, 342 (#7, #11), 343, 346 (b), 352 (b), 355 (t, le petit déjeuner, le goûter, le dîner), 363, 367, 370 (b), 371 (b), 372, 399 (#1), 403, 405 (#4, #6), 407 (b), 410 (une gare, une avenue, un aéroport, un fleuve), 411 (un musée, un bateau, un restaurant, une poste),

413 (C, D, E, F, G), 414, 420 (#4), 426 (Modèle, #5, #7), 431, 444 (t), 452, 460 (b), 461, 462, 464, 471 (all but flu, fever, healthy, unhealthy, sick), 473, 474, 482 (t), 487 (#4, 9, 10), 489, 493 (b), 499 (#3), 500 (Modèle t, #2, #5, #6 l), 511 (r), 546, 563

Skup, Lukas/Fotolia.com: 360 (tr)

SoopySue/iStockphoto: 516 (Terre-Neuve)

Sorrentino Angela/iStockphoto: 291 (le pain), 303 (#5)

Spiderbox Photography Inc./iStockphoto: 342 (#3), 373 (#3), 374 (C, D)

SSilver/Fotolia.com: 74 (b)

Stanislaff/iStockphoto: 292 (le jambon)

Stefanphoto/iStockphoto: 127 (t)

Steve__/iStockphoto: 486 (gorilla), 487 (#7, #8)

Steve Debenport Imagery/iStockphoto Photos: 2 (2:#2), 91, 251 (#1), 496,

Stitt, Jason/Fotolia.com: 384 (l)

Struthers, Karen/Fotolia.com: 544 (française)

Studio41/iStockphoto: 221 (les cheveux bruns)

StudioDer/Fotolia.com: 302

Super Sport Photography/iStockphoto: 307 (t)

Susaro/iStockphoto: 78 (le cinéma: *image on screen*)

SV/Fotolia.com: 541 (l)

Syagci/iStockphoto: 397 (bird)

T.M.C/iStockphoto: 487 (#5)

Take A pix Media/iStockphoto: 52 (jouer au foot), 66 (#6), 164 (soccer ball in top photo)

Tangney, Denis Jr./iStockphoto: 516 (Montreal)

Targovcom/iStockphoto: 241

Techno/iStockphoto: 53 (faire du ski)

Terex/Istock: 276 (une robe)

Terraxplorer/iStockphoto: 69 (regarder la télé)

Teun van den Dries Fotografie/iStockphoto: 371 (t: wardrobe)

Texas Media Imaging/iStockphoto: 4 (Allô?)

Tilio & Paolo/Fotolia.com: v (br)

Timchen/iStockphoto: 28 (au centre commercial)

TMAX/Fotolia.com: 411 (une banque), 500 (#3 r)

Tom Fullum Photography/iStockphoto: 52 (Il fait mauvais.), 54 (météo/mercredi, météo/jeudi, météo/vendredi), 90 (Modèle b, #1, #4, #5)

TomS/Fotolia.com: 318 (c)

The Desktop Studio/iStockphoto: 251 (t)

The New Dawn Singers Inc./iStockphoto: 249 (un metteur en scène), 318 (r)

Track5/iStockphoto: 156 (t), 242 (b), 555

Tracy WhitesidePhotography/iStockphoto: 383 (r)

Trigger Photo: 4 (américaine), 86 (#9)

Tulcarion/iStockphoto: 342 (#2)

Tupungato/iStockphoto: 310 (les pamplemousses)

Turay, Lisa/iStockphoto: 544 (belge, girl)

Turtle Pond Photography/iStockphoto: 348 (#2)

Unclesam/Fotolia.com: 110 (2.#2,#3), 499 (#5)

Uolir/Fotolia.com: 105 (b), 108 (une salle de classe), 109 (1.#8), 346 (t)

Urman, Lionel/SIPA Press: 282 (t)

U Star Pix/Istockphoto: x (br)

ValentynVolkov/iStockphoto: 310 (les aubergines)

VanHart/Fotolia.com: x (tl)

Varela Filipe B./iStockphoto: 66 (t)

Varley/SIPA Press: 378 (b)

Vasiliki/iStockphoto: 69 (jouer aux jeux vidéo)

Vasko Miokovic Photography/iStockphoto: 405 (#2)

Viisimaa Peeter/Istock: 248 (girl burkinabè), 254 (t), 339, 359 (t)

Villalon, Richard/Fotolia.com: 108 (un taille-crayon), 109 (1. #5, 2. #5), 402 (t)

Villard/SIPA Press: 195, 259

Vivet, Julien/Fotolia.com: 411 (une rue)

Vkovalcik/iStockphoto: 396 (Versailles in summer)

Vladone/iStockphoto: 514

Vorobyev, Kirill/iStockphoto: 397 (cat)

W A Britten/iStockphoto: 6 (2. #6)

Wagner, Martine/Fotolia.com: 405 (#1)

Wan Bin/Chine Nouvelle/SIPA Press: 98 (b)

Wariatka, Matka/iStockphoto: 499 (#4, L)

Weberfoto/iStockphoto: 28 (à la maison)

Webkojak/iStockphoto: 100

Webphotographeer/iStockphoto: 79 (b)

Webphotographer/iStockphoto: 527

Weihrauch, Michael/Tellus Vision Production AB, Lund, Sweden: 1, 3(b), 49 (tl, tr), 51 (c), 105 (tl, tr), 107 (c), 161 (tl, tr), 163 (c), 217, 219 (c), 273 (tr), 275 (c), 337 (b, tr), 339 (c), 393 (tl), 395 (c), 457 (tl, tr), 459 (c), 513 (tl), 515 (c)

Weiss, Sabine/Rapho/Enfant à la sortie de la boulangerie. Paris, 1960: 327 (b)

Westacoot, Elliot/Fotolia.com: 544 (luxembourgeoise)

Wey, Peter/Fotolia.com: x (br)

Wierink, Ivonne/ Fotolia.com: 480 (t)

Wisbauer, Camilla/iStockphoto: 245 (#6)

Wooster, Ignatius/Fotolia.com: 349

Wragg, Mark/iStockphoto: 245 (#1)

XtravaganT/Fotolia.com: 416

Xxmmxx/iStockphoto: 86 (Modèle), 499 (#6, b)

Yakovlev, Alexander/iStockphoto: 460 (t)

YangYin/iStockphoto: 342 (#4)

Yefimov, Artyom/Fotolia.com: 185 (t)

Yolanda, Linda/iStockphoto: 220 (la belle-sœur)

Zaihan/Fotolia.com: 325 (l)

Zilli/iStockphoto: 245 (#5)

Zoomstudio/iStockphoto: 276 (un tee-shirt)

ZTS/iStockphoto: 499 (#1, L)

Reading Credits

Apollinaire, Guillaume, "Le chat," *Le Bestiaire*, Deplanche, 1911 (poem): 386

Aragon, Louis, "Je me souviens," Album Montand 7, (paroles), 1967 (poem/song): 558

Ben Jelloun, Tahar, *L'Homme rompu*, Seuil, Paris 1994, pp. 74-75 (novel): 504

Chédid, Andrée, *L'Enfant multiple*, J'ai Lu, Flammarion, 1989 (novel): 266

Cohen, Albert, *Belle du Seigneur*, Folio Gallimard, 1998 (novel): 41

Goscinny, René, *Le Petit Nicolas*. Gallimard, Folio n° 423 (story): 153

Perec, Georges, *Penser/Classer*, Hachette, 1985 (essay): 95

Pons, Maurice, "Le fils du Boulanger," *Douce-amère*, Denoël, 1985 (short story): 328

Prévert, Jacques, "Chanson de la Seine (III)" ("Aubervilliers"), *Spectacle*, © Éditions GALLIMARD, Paris (poem): 446

Art Credits

The Bridgeman Art Library International: *The Private Conversation*, 1904 (oil on canvas), Beraud, Jean (1849-1935)/J. Kugel Collection, Paris, France/© DACS/ Giraudon: 42; *Saint Germain-Des-Pres* (oil on canvas), Boissegur, Beatrice (Contemporary Artist)/Private Collection): 95; *Nafea Faaipoipo* (When are you Getting Married?), 1892 (oil on canvas), Gauguin, Paul (1848-1903)/Rudolph Staechelin Family Foundation, Basel, Switzerland: 106, 129; *Ball at the Moulin de la Galette*, 1876 (oil on canvas), Renoir, Pierre Auguste(1841-1919)/ Private Collection, *Self Portrait,* 1889 (oil on canvas): 223; Gogh, Vincent van (1853-90)/Private Collection, Zurich, Switzerland, *Ginger Jar,* c.1895 (oil on canvas): 223; Cezanne, Paul (1839-1906)/©The Barnes Foundation, Merion, Pennsylvania, USA: 223; *The Lily Pond* (oil on canvas), Monet, Claude (1840-1926)/Private Collection/Photo © Christie's Images: 223; *Ms 65/1284 f.7v July: harvesting and sheep shearing* by the Limbourg brothers, from the 'Tres Riches Heures du Duc de Berry' (vellum)(for facsimile copy see 65830) by Pol deLimbourg (d.c.1416) Musee Conde, Chantilly, France/Giraudon: 269, 359 (b); *Landscape near Arles*, 1888 (oil on canvas), Gauguin, Paul (1848-1903)/Indianapolis Museum of Art, USA/Gift in memory of William Ray Adams/The Bridgeman Art Library International: 260; *The Starry Night*, June 1889 (oil on canvas), Gogh, Vincent van (1853-90)/Museum of Modern Art, New York, USA: 359; *In the Oise Valley* (oil on canvas), Cezanne, Paul (1839-1906)/Private Collection/Photo © Christie's Images/The Bridgeman Art Library International: 386; *The Pont de l'Europe*, Gare Saint-Lazare, 1877 (oil on canvas), Monet, Claude (1840-1926)/Musee Marmottan, Paris, France/ Giraudon: 449; *The Seated Man*, or *The Architect* (oil on canvas), La Fresnaye, Roger de (1885-1925)/Musee National d'Art Moderne, Centre Pompidou, Paris, France/ Giraudon: 506

Christie's Images/CORBIS: *The Pont Neuf* (*Notre Dame in Paris, View of the Pont Neuf*) by Paul Signac©: 447

Doisneau, Robert/Gamma-Rapho: 153 (Information scolaire, 1956)

Varin, Achille/*Le cerf-volant*, 1925. Château-musée municipal de Nemours, France: 558

Realia Credits

Anderson, Leslie: 230

ASPTT de Paris: 466

Association Québec-France: 13

Atraveo GmbH: 353

Beach Volley/Défi des îles: 226

Carrefour/Groupe Carrefour: 112, 240 (logo), 301, 326, 363

Comité Départemental du Tourisme, Loir-et-Cher: 537

Commémoration du Génocide du Rwanda: 478

Crêperie "Chez Suzette" Inc. Montréal, Québec: 187

Dots United GmbH: 324 (PSG logo)

Eurosport: 171

Famille Chabert-4 restaurants, Lyon, France: 73

Fédération Nationale des Cinémas Français, la Fête du cinéma: 206

Festival Waga Hip Hop/ Ali DIALLO: 262

Fête de la musique/Strasbourg.eu: 83

Fête des Lumières, Lyon, France: 74

Fête du cinéma: 206

Francofolies de Montréal: 523

Francoscopie: 379

Genève Tourisme & Congrès: 551

Goldenpass.ch: 24

Musée Grévin: 418

Pariscope, France: 201

Pathé Production, ©2008—PATHE Production—Bethsabée Mucho—TF1 Films Production—M6 Films: 207, 373, 374 (poster of movie LOL)

Plan de Paris: © parisholidays.fr (Find an apartment in Paris.): 403

Pureshopping: 324 (gift card)

RATP: 436

Redoute, la: 283

Résidence des Bateliers: 349

Top-Office.com: 22, 25, 112, 114 (school supplies), 499 (Modèle)

Vélib' Paris: © 2011 Vélib'/Marie de Paris: 494

We have attempted to locate owners of copyright materials used in this book. If an error or omission has occurred, EMC Publishing, LLC will acknowledge the contribution in subsequent printings.